RUSSO ESSENCIAL

Berlitz Falando sua língua

RUSSO ESSENCIAL

**PROFESSOR KEITH RAWSON-JONES
DR. ALLAN LEONIDOVNA NAZARENKO
VALERY KAMINSKI**

TRADUÇÃO
FÁBIO BRAZOLIN ABDULMASSIH

martins fontes
selo martins

© 2014 Martins Editora Livraria Ltda., São Paulo, para a presente edição.
© Berlitz Publishing/APA Publications GmbH & Co. Verlag KG, Cingapura.
Todos os direitos reservados.
Berlitz Trademark Reg. US Patent Office and other countries.
Marca Registrada. Used under license from Apa Publications (UK) Ltd

Publisher *Evandro Mendonça Martins Fontes*
Coordenação editorial *Vanessa Faleck*
Produção editorial *Danielle Benfica*
Heda Maria Lopes
Design da capa *Marcela Badolatto*
Design do miolo *Claudia Petrilli*
Datagrafix, Inc.
Ilustrações *Elizabeth Gaynor*
Datagrafix, Inc.
Diagramação *Entrelinhas Editorial*
Triall
Revisão Técnica *Júlia Mikaelyan*
Revisão *Silvia Carvalho de Almeida*
Pamela Guimarães
Lucas Torrisi

**Dados Internacionais de Catalogação na Publicação (CIP)
(Câmara Brasileira do Livro, SP, Brasil)**

Kaminski, Valery
 Russo essencial / Valery Kaminsky;
traduzido por Fábio Brazolin. – 1. ed. –
São Paulo : Martins Fontes – selo Martins, 2013.
(Série essencial)

 Título original: Essential Russian
Autores da 1. ed Keith Rawson-Jones –
Alla Leonidovna Nazarenko. Texto da 2 ed. Valery Kaminski.
 ISBN: 978-85-8063-120-3
 1. Russo - Estudo e ensino I. Título.
II. Série.

13-10583   CDD-491.7

Índices para catálogo sistemático:
1. Russo : Estudo e ensino 491.7

Nenhuma parte desta obra pode ser reproduzida, armazenada em sistema de recuperação ou transmitida de nenhuma forma ou meio eletrônico ou mecânico, inclusive por fotocópia, gravação ou outro, sem a prévia permissão por escrito de APA Publications.

Todos os direitos desta edição no Brasil reservados à
Martins Editora Livraria Ltda.
Av. Dr. Arnaldo, 2076
01255-000 São Paulo SP Brasil
Tel. (11) 3116 0000
info@emartinsfontes.com.br
www.martinsfontes-selomartins.com.br

SUMÁRIO

INTRODUÇÃO ix

Como usar este livro   ix
A estrutura do livro   ix
Guia de pronúncia   x
Nota dos autores   xi

Lição 1   РУ́ССКИЙ АЛФАВИ́Т / O ALFABETO RUSSO   1

Notas sobre o alfabeto   3
Transliteração   5
Sílaba tônica   5
GRAMÁTICA   6
1. Números de 0 a 10   6
Algumas expressões úteis   6
EXERCÍCIOS   6

Lição 2   ЗДРА́ВСТВУЙТЕ / OLÁ   10

Perguntas e respostas   12
Sim ou não?   13
GRAMÁTICA   13
1. Os verbos "ser/estar" 13
2. Os artigos definidos e indefinidos: o(s)/a(s) e um(uns)/uma(s)   14
3. Perguntas em russo   14
4. A forma negativa   14
5. O *você* formal e informal   14
6. Patronímicos: Ива́нович (*i-vá-na-vitch*) filho de Ivan   15
7. Números de 11 a 20   16
Algumas expressões úteis   17
VOCABULÁRIO   17
EXERCÍCIOS   19

Sumário

Lição 3 ЗНАКÓМСТВО / APRESENTAÇÕES   22

GRAMÁTICA   24
1. Substantivos: masculino, feminino e neutro   24
2. Substantivos: casos – o nominativo   26
3. Concordância entre adjetivos e substantivos   29
4. O pronome possessivo: meu/minha   31
5. Pronomes pessoais   32
6. Números de 21 a 30   32
Algumas expressões úteis   33
VOCABULÁRIO   33
EXERCÍCIOS   36

Lição 4 НАТÁЛЬЯ ÉДЕТ В КОМАНДИРÓВКУ / NATÁLIA VIAJA A NEGÓCIOS   40

GRAMÁTICA   43
1. O infinitivo dos verbos   43
2. O tempo presente   44
3. Verbos de movimento   46
4. O tempo presente dos verbos de movimento   48
5. Preposições   49
6. Os seis casos dos substantivos no singular   50
7. Números de 31 a 40   55
Algumas expressões úteis   55
VOCABULÁRIO   55
EXERCÍCIOS   58

Lição 5 ВСТРÉЧА / UM ENCONTRO   62

Nota sobre a transliteração   62
GRAMÁTICA   65
1. A declinação de pronomes pessoais   65
2. A declinação de substantivos   68
3. O futuro dos verbos "ser/estar"   73
4. O passado dos verbos   74
5. Números de 40 a 100   75
Algumas expressões úteis   75
VOCABULÁRIO   76
EXERCÍCIOS   78

Lição 6   REVISÃO: Lições 1-5   81

Diálogos 2-5   81-84
EXERCÍCIOS   85

Lição 7   НА РАБО́ТЕ / NO TRABALHO   88

GRAMÁTICA   90
1. Aspectos do verbo: o imperfeito e o perfeito   90
2. A omissão de vogais nos substantivos masculinos   96
3. Números de 100 a 1.000   96
Algumas expressões úteis   97
Dias da semana   98
VOCABULÁRIO   98
EXERCÍCIOS   100

Lição 8   НАТА́ША ДЕ́ЛАЕТ ПОКУ́ПКИ / NATACHA FAZ COMPRAS   103

GRAMÁTICA   106
1. As duas conjugações dos verbos russos   106
2. Nota para o tempo futuro   109
3. Verbos reflexivos e recíprocos   109
4. Себя́ (sie-biá) – a si mesmo   111
5. Numerais ordinais do primeiro ao décimo   112
6. A declinação dos numerais ordinais   112
VOCABULÁRIO   113
EXERCÍCIOS   115

Lição 9   ОБРА́ТНО В МОСКВУ́ ПО́ЕЗДОМ / DE VOLTA A MOSCOU DE TREM   119

GRAMÁTICA   122
1. O imperativo 122
2. Хоте́ть (kha-tiêt') – querer   124
3. Хо́чется (khô-tchi-tsa) – querer/ter vontade de   126
4. O aspecto condicional: бы (by)/-ria   127
5. Numerais ordinais do 10º-20º   127
6. Nota sobre a sílaba tônica   127
VOCABULÁRIO   128
EXERCÍCIOS   130

Lição 10 ПИСЬМО́ В АМЕ́РИКУ / CARTA PARA A AMÉRICA 134

GRAMÁTICA 137
1. Endereços russos 137
2. Meses do ano 138
3. Datas em russo 139
VOCABULÁRIO 140
EXERCÍCIOS 142

Lição 11 REVISÃO: Lições 7-10 146

Diálogos 7-10 146-151
EXERCÍCIOS

Lição 12 МАЙК Е́ДЕТ В РОССИ́Ю / MIKE VAI PARA A RÚSSIA 152

GRAMÁTICA 154
1. Advérbios russos 154
2. Advérbios e a forma curta dos adjetivos 156
3. Advérbios negativos 156
VOCABULÁRIO 157
EXERCÍCIOS 159

Lição 13 В ГОСТИ́НИЦЕ / NO HOTEL 163

GRAMÁTICA 165
1. Perguntas com ли 165
2. O perfectivo e o imperfectivo: заказа́ть, зака́зывать reservar; pedir 166
3. Substantivos com numerais e a declinação dos números cardinais de 1 a 4 167
VOCABULÁRIO 168
EXERCÍCIOS 170

Lição 14 ЭКСКУ́РСИЯ ПО МОСКВЕ́ / UM TOUR POR MOSCOU — 173

GRAMÁTICA   175
1. "Junto com"   175
2. A forma curta dos adjetivos   175
3. Os nomes das letras russas   178
4. Pedindo informações   180
VOCABULÁRIO   181
EXERCÍCIOS   182

Lição 15 МАЙК У́ЧИТ РУ́ССКИЙ ЯЗЫ́К / MIKE ESTUDA RUSSO — 186

GRAMÁTICA   188
1. A preposição при   188
2. Os verbos приезжа́ть e прие́хать   188
3. Как e какой com adjetivos   189
4. Dizendo as horas   189
VOCABULÁRIO   193
EXERCÍCIOS   194

Lição 16 REVISÃO: Lições 12-15 — 199

Diálogos 12-15 199-204
EXERCÍCIOS

Lição 17 В РЕСТОРА́НЕ / NO RESTAURANTE — 205

GRAMÁTICA   207
1. Есть e пить   207
2. Брать e класть   208
3. O pronome interrogativo   209
4. As preposições о́коло e че́рез   210
5. Substantivos com numerais cardinais e compostos   210
6. Же para ênfase   211
VOCABULÁRIO   211
EXERCÍCIOS   212

Sumário

Lição 18   ВÉЧЕР В ТЕÁТРЕ / UMA NOITE NO TEATRO   216

GRAMÁTICA   218
1. Presente com função de Pretétiro Perfeito Composto em português   218
2. Год e лет com números   218
3. O genitivo partitivo, "um pouco de"   218
4. O comparativo   219
5. O superlativo   220
VOCABULÁRIO   221
EXERCÍCIOS   222

Lição 19   МАЙК ВОЗВРАЩÁЕТСЯ В АМÉРИКУ / MIKE VOLTA PARA A AMÉRICA   225

GRAMÁTICA   227
1. Possessivos   227
2. Весь   230
VOCABULÁRIO   231
EXERCÍCIOS   232

Lição 20   REVISÃO: Lições 17-19   236

Diálogos 17-19   236-239
EXERCÍCIOS

RESPOSTAS   240

GLOSSÁRIO   259

INTRODUÇÃO

Se você nunca estudou russo ou precisa relembrar o que já aprendeu, *Berlitz Russo Essencial* dará as ferramentas e as informações necessárias para que você possa falar russo de forma fácil e eficaz. Além disso, o livro foi pensado para permitir que você estude no seu próprio ritmo, conforme suas habilidades.

* Diálogos bilíngues e animados interpretados por nativos do idioma descrevem situações cotidianas.
* A gramática básica é ensinada por meio de frases e orações reais que o ajudarão a desenvolver uma correta noção gramatical sem ter de estudar longas listas de regras e exceções.
* Uma seção de exercícios no final de cada lição lhe permite conhecer seus pontos fortes e fracos, proporcionando, assim, um estudo mais eficiente.
* O glossário, no final do livro, oferece uma referência fácil com todas as palavras utilizadas nas lições.
* O CD de áudio apresenta em todos os diálogos as gravações de falantes nativos, expondo o leitor aos sons da língua russa falada, para o aperfeiçoamento da pronúncia.
* As atividades on-line ao final de cada lição o colocam em contato com a língua e a cultura russas atuais.

COMO USAR ESTE LIVRO

A melhor maneira de aprender uma língua é com o estudo diário. Decida quanto tempo pode dedicar por dia ao estudo de *Russo Essencial* – talvez você consiga completar duas lições por dia ou tenha apenas meia hora disponível para estudar. Determine uma meta diária que consiga cumprir facilmente; formule um plano que inclua estudar o material novo e revisar o antigo. Quanto mais frequente for a sua exposição à língua, melhores serão seus resultados.

A ESTRUTURA DO LIVRO

* Escute o diálogo no começo de cada lição. Siga-o devagar e com cuidado, observando a tradução das palavras e frases.
* Depois de ler e ouvir o diálogo, leia a seção de vocabulário o suficiente para captar o significado e os sons. Em seguida leia a

Introdução

seção de gramática, preste atenção especial a como se constroem as orações. Feito isso, leia e ouça o diálogo novamente.
* Quando estudar a lista de vocabulário, escreva as palavras num caderno. Isso vai ajudá-lo a lembrar tanto a forma de escrever quanto o significado. Você também pode tentar criar e escrever uma frase inteira incluindo as palavras estudadas.
* Você também encontrará seções do vocabulário deste livro na nossa página on-line, assim como áudios para download gratuito. Visite <http://www.berlitzpublishing.com> para fazer download do áudio bônus.
* Tente fazer os exercícios sem recorrer ao diálogo. Depois volte ao diálogo e verifique suas respostas ou consulte as respostas dos exercícios no final do livro. Fazer mais de uma vez os exercícios também o ajudará bastante.

Dedicando-se às lições do curso de *Berlitz Russo Essencial* você reunirá rapidamente as bases para consolidar o idioma, permitir que continue no seu próprio ritmo. Neste livro, você vai encontrar tudo de que precisa para comunicar-se efetivamente em russo e estará bem preparado para aperfeiçoar o idioma com a fluência do falante nativo.

GUIA DE PRONÚNCIA

A transliteração na primeira metade deste curso o ajudará a pronunciar corretamente o idioma russo. Em vez de usar os complicados símbolos fonéticos, nós usaremos uma transliteração do alfabeto cirílico para o latino que, com as explicações da Lição 1, possibilitará que você pronuncie perfeitamente as palavras em russo. Você não precisa memorizar a fonética; apenas adquirir prática na pronúncia das palavras até se sentir confortável.

A transcrição fonética o ajudará a destravar o som básico de cada palavra; o acento tônico e o ritmo da língua você aprenderá melhor conversando com falantes nativos.

NOTA DOS AUTORES

Felizmente, a leitura e a pronúncia do idioma russo são menos complicadas que as do português. Por isso, dedique-se! O alfabeto russo pode parecer muito estranho e complicado a princípio, mas você vai dominá-lo logo. E, quando o tiver feito, estará no caminho certo para falar e ler em russo.

Na Lição 1, você encontrará o alfabeto russo em sua forma impressa e um guia aproximado para a pronúncia das letras. Então, você descobrirá que já conhece algumas palavras russas!

Desejamos a você todo o sucesso com este curso.

Faculdade de Línguas Estrangeiras
Universidade Estatal de Moscou

РУ́ССКИЙ АЛФАВИ́Т rus-skii al-fa-vit
O ALFABETO RUSSO

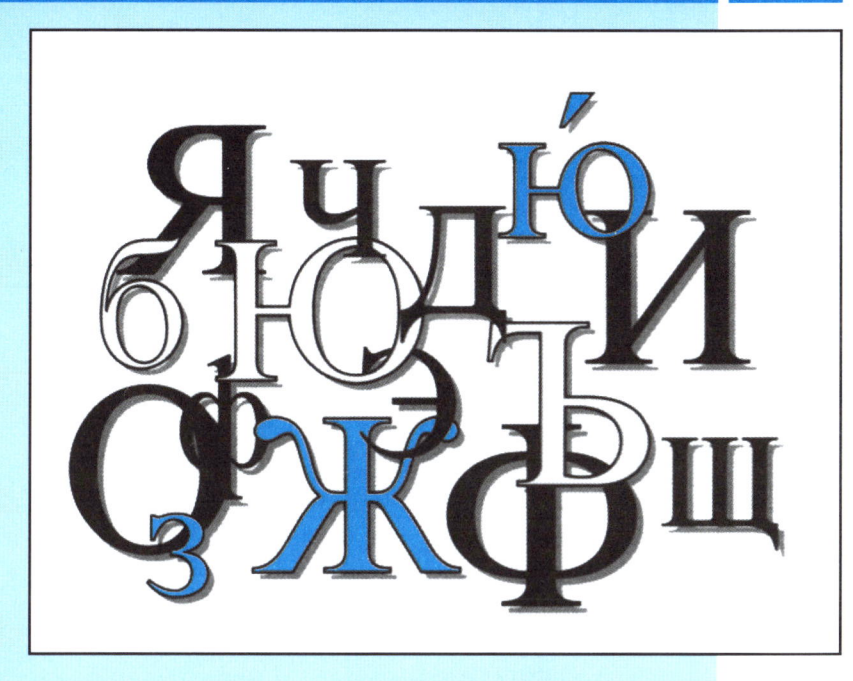

Lição 1

Algumas letras representam mais de um som, de acordo com sua posição numa palavra ou numa combinação de palavras. Aqui apresentaremos os sons que as letras representam na fala, e não seus nomes. Estes serão vistos mais tarde.

Note que as letras à esquerda são maiúsculas, e as à direita são minúsculas.

Letra	Pronúncia aproximada	Símbolo
А а	[a] em arco	a
Б б	[b] em bar	b
В в	[v] em vaca	v
Г г	[g] em galho	g gu (antes de e e i)
Д д	[d] em dedo	d
Е е	[ie] em biênio [e] em venha	ie e

1

Lição 1

Ё ё	[iô] em ioiô	iô
Ж ж	[j] em jujuba	j
З з	[z] em azul	z
И и	[i] em milho	i
Й й	[i] em cai	i
К к	[k] em casa	k
Л л	[l] em lar	l
М м	[m] em mar	m
Н н	[n] em número	n
О о	[o] em olho (tônico) [a] em juba (átono)	o a
П п	[p] em palha	p
Р р	[r] como em Roma, em italiano	r
С с	[s] em sal [ss] em russo (entre vogais)	s
Т т	[t] em tudo	t
У у	[u] em curto	u
Ф ф	[f] em fácil	f
Х х	[r] como na pronúncia inglesa da letra h em *hate, hood* etc.	kh
Ц ц	[ts] em tsunami	ts
Ч ч	[tch] em tchau	tch
Ш ш	[ch] em chuva	ch
Щ щ	[ch] em chiste	chtch
Ъ ъ	Sem som	"
Ы ы	Não há som equivalente em português	y
Ь ь	Sem som	'
Э э	[é] em ideia	é
Ю ю	[iú] em Iugoslávia	iú
Я я	[iá] em iate	iá

NOTAS SOBRE O ALFABETO

1. A letra ъ é chamada de "sinal duro". Ela é colocada entre uma consoante e as letras е, ё, ю ou я para manter a consoante anterior dura:

подъéзд	объём	объявлéние
entrada	volume	anúncio
pad-iêst	ab-iôm	ab-iv-liê-ni-ie

2. A letra ь é chamada de "sinal brando". Ela não possui som próprio, mas serve para abrandar a consoante que a precede. Embora não haja um símbolo equivalente em português, a Língua Portuguesa diferencia as consoantes duras das brandas (o "t" de "tipo" pode ser "mais brando" que o "t" de "touro", e o "l" em "mal" é "mais brando" que o "l" de "lua"). Exemplos do sinal brando em algumas palavras russas comuns:

день	мать	рубль
dia	mãe	rublo
diên'	mát'	rubl'

3. O о átono assume o som de "a" átono, como em "moda":

хорошó	молокó	Москвá
bom	leite	Moscou
kha-ra-chô	ma-la-kô	mas-kvá

4. As vogais е, ё, ю e я devem ser lidas sempre como ditongos, e nunca como hiatos, ou seja, o "i" das transliterações dessas letras deve lido como semivogal.

5. A vogal ё é sempre tônica.

6. No fim das palavras, a pronúncia das seguintes consoantes muda:

	Comum	Fim de palavra
б	[b] como em "bosque": Бог Deus bok	[p] como "parte": гроб caixão grop
в	[v] como em "vários": винó vinho vi-nô	[f] como em "fácil": нерв nervo niêrf
г	[g] como em "gado": год ano got	[k] como em "casa": флаг bandeira flak

Lição 1

д	[d] como em "dado": дом casa *dom*	[t] como em "tampa": сад jardim *sat*
з	[z] como em "zoológico": зуб dente *zup*	[s] como em "sapo": моро́з frio *ma-rôs*
ж	[j] como em "jeito": жара́ calor *ja-ra*	[ch] como em "chama": нож faca *noch*

7. A letra г é geralmente pronunciada como o "g" em "gato":

го́род cidade *gô-rat*	мно́го muito/muitos *mnô-ga*	год ano *got*

Nas combinações его e ого, é pronunciada como "v" quando a vogal que a *precede,* seja e ou o, for átomo ou seja, *ie-vô* e *a-vô* respectivamente.

Всего́ хоро́шего! Tudo de bom! *fsie-vô kha-rô-chie-va*

8. Quando uma letra não é pronunciada "como de costume", a outra pronúncia aparece na transliteração.

9. A letra й deve ser sempre lida como semivogal e ocorre apenas em final de sílaba. Não confundir com и, que é sempre vogal.

10. A vogal ы não tem correspondente em português. É uma vogal central, ou seja, para pronunciá-la, a língua deve ficar entre a posição de quando pronunciamos "i" e "u" em português.

11. Para um falante de português, as letras ш e щ podem soar iguais, mas são diferentes para os falantes de russo. A ponta da língua deve ficar mais para trás quando pronunciamos ш, como quando falamos "chuva", e mais para frente, mais próxima do palato, quando pronunciamos щ, como quando falamos "chiste" ou "Chico". Para que a diferença fique mais clara, preste muita atenção no áudio que acompanha cada um dos diálogos deste livro.

TRANSLITERAÇÃO

Nas dez primeiras lições deste curso – exceto as lições de revisão –, apresentaremos a pronúncia aproximada de todos os textos usando o alfabeto latino, assim como notas sobre a pronúncia sempre que necessário.

SÍLABA TÔNICA

Há apenas uma sílaba tônica nas palavras russas, e a tonicidade é mais forte, mais acentuada, que em português. A tonicidade em russo ocorre apenas nas vogais e está marcada no texto em russo com um acento. Aconselhamos você a prestar bastante atenção à tonicidade quando aprender uma palavra. As vogais tônicas são pronunciadas claramente; as vogais átonas são menos distintas. A letra Ё ё é *sempre* tônica. Durante o curso você encontrará exemplos em que a tônica muda inesperadamente. Isso ocorre principalmente em frases feitas, as quais pode ser útil memorizar.

Lição 1

GRAMÁTICA

1. NÚMEROS DE 0 A 10

0 ноль nol'				
1 один a-*dín*	2 два *dvá*	3 три *tri*	4 четы́ре *tchie-ty-rie*	5 пять *piát'*
6 шесть *chêst'*	7 семь *siêm'*	8 во́семь *vô-ssiem'*	9 де́вять *diê-viat'*	10 де́сять *diê-ssiat'*

Lembre-se de que o т é sempre brando quando seguido de um sinal brando (ь).

ALGUMAS EXPRESSÕES ÚTEIS

да *(dá)* sim
нет *(niêt)* não
хорошо́ *(kha-ra-chô)* bem (letra o átona = "a" como em "pá")
спаси́бо *(spa-ssi-ba)* obrigado (letra o átona novamente)
до свида́ния *(da-svi-da-nia)* até logo, pronunciado como uma só palavra, então o o em до é átono: "a".
Росси́я *(ra-ssí-ia)* Rússia (letra o átona)
Аме́рика *(a-miê-ri-ka)* América
президе́нт *(pri-zi-diênt)* presidente
ко́фе *(kó-fie)* café
чай *(tchái)* chá
Бразилия *(bra-zi-li-ia)* Brasil

EXERCÍCIOS

Exercício A

Como dissemos na Introdução, mesmo sem saber, você já conhece algumas palavras em russo. Abaixo estão algumas que acreditamos que você vá reconhecer. Tente descobrir o que elas significam. Faça a transliteração, escreva o equivalente em português e depois confira na seção de respostas.

Exemplo:

КО́ЛА = *(kô-la)* = Coca-Cola.

1. ТЕ́ННИС 2. ДО́ЛЛАР

Lição 1

3. БАСКЕТБО́Л
   _____

4. ДО́КТОР
   _____

5. НЬЮ-ЙО́РК
   _____

6. КАЛИФО́РНИЯ
   _____

7. БЕЙСБО́Л
   _____

8. УНИВЕРСИТЕ́Т
   _____

9. А́ДРЕС
   _____

10. КО́ЛА
    _____

11. ФУТБО́Л
    _____

12. ПРЕЗИДЕ́НТ КЛИ́НТОН
    _____

13. ПРЕЗИДЕ́НТ БУШ
    _____

14. ТЕЛЕФО́Н
    _____

15. БАР
    _____

16. РЕСТОРА́Н
    _____

17. ВЛАДИ́МИР ПУТИН
    _____

18. МА́ФИЯ
    _____

19. ТАКСИ́
    _____

Muitas palavras em russo são similares às palavras em português. Há outros exemplos nas lições seguintes.

Exercício B

O exercício a seguir vai ajudá-lo a familiarizar-se com o alfabeto russo. Escrever as letras ajuda a memorizá-las. O som equivalente em português é apresentado e você deverá escrever a letra em russo duas vezes, uma maiúscula e outra minúscula. Por exemplo:

[i] em "sai" = Й й

1. [a] em carro
   _____

2. [iá] em saia
   _____

3. [é] em velho
   _____

4. [iê] em série
   _____

5. [y] (sem som equivalente em português)
   _____

6. [i] em piano
   _____

Lição 1

7. [ô] em coro

8. [iô] em iô-iô

9. [u] em fundo

10. [iú] em Iugoslávia

Você notou que essas letras são todas vogais, e que elas estão em pares? A primeira de cada par é a "forte" e a segunda, a "branda".

Exercício C

Apresentamos agora algumas palavras que você já viu nesta lição. Em todas falta uma letra. Escreva a palavra completa, com a marca de sílaba tônica e confira na seção de respostas.

1. Пре-идéнт
2. А-éрика
3. спа-и́бо
4. четы́-е
5. -акси́
6. до́лла-
7. до́-тор
8. во́сем-
9. -утбол
10. дéс-ть
11. хо-ошо́
12. Рос-и́я
13. д- сви-áния
14. кó-е
15. ча-
16. рес-орáн

Exercício D

Vamos trabalhar com a matemática básica em russo. Escreva suas respostas por extenso, com a marca de sílaba tônica.

1. оди́н + три = _____
2. пять + пять = _____
3. во́семь + оди́н = _____

4. де́сять - два = _____
5. пять - пять = _____
6. шесть - два = _____
7. де́вять + оди́н = _____
8. четы́ре + три = _____
9. де́сять - пять = _____
10. нуль + шесть = _____

Este é o fim de sua primeira lição. Esperamos que você já esteja começando a "pegar o jeito" do alfabeto russo.

Visite www.berlitzpublishing.com para atividades extras na internet – vá para a área de downloads e conecte-se ao mundo em russo!

Lição

2 ЗДРА́ВСТВУЙТЕ *zdrá-stvui-tie**
OLÁ

*No cumprimento, o primeiro в não é pronunciado.

Nesta lição temos dois personagens. А́нна (*an-na*) = Ana Ива́новна (*i-vá-nav-na*) = filha de Ivan Смирно́ва (*smir-nô-va*), e Пол (*pol*) = Paul, um norte-americano que estuda russo.

А́нна *an-na*	Здра́вствуйте, Пол. Как ва́ши дела́? *zdrá-stvui-tie pol. kak va-chi die-lá* Olá, Paul. Como vai?
Пол *pol*	Здра́вствуйте. У меня́ всё хорошо́, спаси́бо. А как ва́ши дела́? *zdrá-stvui-tie. U mi-niá fsiô kha-ra-chô spa-ssi-ba. a kak vá-chi die-lá* Olá. Está tudo bem, obrigado. E como vão as coisas com você?

Lição 2

Áнна Спасибо, хорошо́. Сади́тесь, пожа́луйста. Дава́йте начнём наш уро́к.
spa-ssi-ba, kha-ra-chô. sa-di-ties pa-já-lui-sta. da-vai-tie natch-niôm nach u-rok
Bem, obrigado. Sente-se, por favor. Vamos começar nossa aula.

Пол С удово́льствием.
su-da-vol'-stvi-iem
Com prazer.

Áнна Оди́н вопро́с, Пол.
a-din va-prôs, pol
Uma pergunta, Paul.

Пол Да, пожа́луйста.
da, pa-já-lui-sta
Sim, por favor.

Áнна Вот, посмотри́те. Э́то ру́чка?
vot, pas-ma-tri-tie. é-ta ru-tchka?
Veja isto. Isto é uma caneta?

Пол Да, э́то ру́чка.
da, é-ta ru-tchka
Sim, isto é uma caneta.

Áнна А э́то? Э́то ру́чка и́ли ключ?
a é-ta? é-ta ru-tchka i-li kliútch?
E isto? Isto é uma caneta ou uma chave?

Пол Э́то ключ.
é-ta kliútch
Isto é uma chave.

Áнна А э́то? Э́то то́же ключ?
a é-ta? é-ta to-je kliútch?
E isto? Isto também é uma chave?

Пол Нет, э́то не ключ.
niêt, é-ta niê kliútch?.
Não, isto não é uma chave.

Áнна Что э́то?
chto* é-ta?
O que é isto?

Пол Э́то кни́га. Э́то кни́га на ру́сском языке́.
é-ta kni-ga. é-ta kni-ga na rús-kam i-zy-kiê
Isto é um livro. Isto é um livro em russo.

*A letra Ч geralmente é lida como tch, porém, no caso do pronome Что, é lida como se fosse a letra ш, ou seja, com som de ch, como em "chuva". (N. do E.)

Lição 2

Áнна   Óчень хорошó, Пол. До свидáния.
       ó-tchin' kha-ra-chô, pol. da svi-da-n'ia
       Muito bem, Paul. Até logo.

Пол   До свидáния, Áнна Ивáновна. До скóрой встрéчи!
       da svi-da-nia an-na i-va-nav-na. da skô-rai fstriê-tchi
       Até logo, Ana Ivánovna. Nos vemos em breve!

PERGUNTAS E RESPOSTAS

Вопрóс: Что э́то?
va-prôs   chto é-ta
Pergunta   O que é isto?

Отвéт: Э́то рýчка.   рýчка
at-viêt   é-ta rútch-ka   rútch-ka
Resposta   Isto é uma caneta.   uma caneta

Вопрóс: Что э́то?
               chto é-ta
               O que é isto?

Отвéт: Э́то кни́га.   кни́га
               é-ta kni-ga   kni-ga
               Isto é um livro.   um livro

Вопрóс: Что э́то?
               chto é-ta
               O que é isto?

Отвéт: Э́то стол.   стол
               é-ta stol   stol
               Isto é uma mesa.   uma mesa

Вопрóс: Что э́то?
               chto é-ta
               O que é isto?

Отвéт: Э́то стул.   стул
               é-ta stul   stul
               Isto é uma   uma cadeira
               cadeira.

Lição 2

SIM OU NÃO?

Вопро́с: Это кни́га?
va-prôs é-ta <u>kni</u>-ga?
Pergunta Isto é um livro?

Отве́т: Да, э́то кни́га.
at-<u>viêt</u> da, <u>é</u>-ta <u>kni</u>-ga
Resposta Sim, isto é um livro.

Вопро́с: Это стол?
  <u>é</u>-ta stol?
  Isto é uma mesa?

Отве́т: Нет, э́то не стол. Это стул.
  niêt, <u>é</u>-ta niê stol. <u>é</u>-ta stul
  Não, não é uma mesa. É uma cadeira.

Вопро́с: Это стол?
  <u>é</u>-ta stol
  Isto é uma mesa?

Отве́т: Да, э́то стол.
  da, <u>é</u>-ta stol
  Sim, isto é uma mesa.

Вопро́с: Это кни́га?
  <u>é</u>-ta <u>kni</u>-ga?
  Isto é um livro?

Отве́т: Нет, э́то не кни́га. Это ру́чка.
  niêt <u>é</u>-ta niê <u>kni</u>-ga. <u>é</u>-ta <u>rútch</u>-ka
  Não, isto não é um livro. Isto é uma caneta.

GRAMÁTICA

1. OS VERBOS "SER/ESTAR"

Em russo, os verbos "ser/estar" raramente são usados no presente.

Это кни́га. = *Isto é um livro*.
э́то = *isso* ou *isto*
кни́га = *livro*

13

Lição 2

2. OS ARTIGOS DEFINIDOS E INDEFINIDOS: *O(S)/A(S)* E *UM(UNS)/UMA(S)*

Como você percebeu, книга = livro. Não há artigos em russo. Então книга pode significar *um* livro ou *o* livro, de acordo com o contexto.

3. PERGUNTAS EM RUSSO

Это стул. = *Isto é uma cadeira.*
Это стул? = *Isto é uma cadeira?*

Podemos fazer o mesmo em português mudando a entonação:
Ele está em casa. (afirmação)
Ele está em casa? (pergunta)

a) Leia em voz alta, em português, "Ele está em casa" (afirmação). Agora, da mesma forma, leia Он до́ма *(on dô-ma)* = Ele (está) em casa. A forma como você lê terá sido mais "branda", sem altos e baixos em sua fala.

b) Agora leia em voz alta: "Ele está em casa?" (pergunta). Sua entonação automaticamente expressa uma pergunta.

c) E agora, da mesma forma, leia Он до́ма? *(on dô-ma)* = Ele (está) em casa? Do mesmo jeito, compare:

Да. *(da)* = Sim.   Да? *(da)* = Sim?
(afirmação)   (pergunta)
Нет. *(niêt)* = Não.   Нет? *(niêt)* = Não?
(afirmação)   (pergunta)

Como em português, existem perguntas que podem ser feitas usando-se: "como?" как? *(kak)*, "o quê?" что? *(chto)*, "quando?" когда́? *(kag-dá)* etc.

4. A FORMA NEGATIVA

Это не кни́га. (*é-ta niê kni-ga*) *Isto não é um livro.*
Este é um bom exemplo de como se forma uma frase negativa. Em geral, apenas se adiciona не a uma frase afirmativa antes da palavra principal:

Это хорошо́. (*é-ta kha-ra-chô*) *Isto é bom.*
Это не хорошо́. (*é-ta niê kha-ra-chô*) *Isto não é bom.*

5. O *VOCÊ* FORMAL E INFORMAL

Em português não há distinção entre o uso informal e formal de *você*. O russo, como muitas outras línguas, ainda possui essa diferença. вы *(vy)* = *você* formal (e também segunda pessoa do plural), e ты *(ty)* = *você* informal (segunda pessoa do singular). Apenas amigos íntimos, membros da mesma família e pessoas mais velhas conversando com outras mais jovens usam ты *(ty)*. Outros usos são considerados rudes.

Lição 2

No diálogo, Ana Ivánovna e Paul dizem Здравствуйте (*zdrá*-stvui-tie) um ao outro (o primeiro в não é pronunciado). Se Paul fosse uma criança, Ana teria lhe dito здравствуй (*zdrá*-stvui) usando o modo informal do cumprimento. Quando estiver na Rússia, você geralmente irá escutar ты (*ty*). Mas você deve usar o вы até conhecer bem a pessoa a qual se dirige.

---

6. **PATRONÍMICOS:** ИВÁНОВИЧ (*i-vá-na-vitch*) **FILHO DE IVAN**

Na Lição 1 você conheceu alguns presidentes norte-americanos. Eis outro: Джóнсон (*djôn-san*) Johnson. O sobrenome originalmente significava "filho de John". Todos os russos têm um nome do meio baseado no nome do pai: filho de..., filha de.... Esse nome do meio é chamado de "patronímico".

Se o primeiro nome do pai for terminado em consoante "forte", a terminação -ович (*a-vitch*) é adicionada para homens, e -овна (*a-vna*) para mulheres:

Ивáн + ович *i-ván*	Ивáнович filho de Ivan *i-vá-na-vitch*
Ивáн + овна *i-ván*	Ивáновна filha de Ivan *i-vá-na-vna*
Леонúд + ович *li-a-nit*	Леонúдович filho de Leonid *li-a-ni-da-vitch*
Леонúд + овна *li-a-nit*	Леонúдовна filha de Leonid *li-a-ni-dav-na*

Se o primeiro nome do pai terminar em -й ou ь, o й ou ь caem e -евич (*iê-vitch*) é adicionado para homens, e -евна (*iêv-na*) para mulheres.

Se o primeiro nome do pai terminar em -а ou -я, essas terminações caem, e são substituídas por –ич (*itch*), e -инична (*i-nich-na*) ou –ична (*ich-na*) para mulheres:

Сергéй *sier-guiêi*	Серге + евич	Сергéевич *sier-guiê-ie-vitch*
Сергéй *sier-guiêi*	Серге + евна	Сергéевна *sier-guiê-ie-vna*
Úгорь *i-gar*	Úгор + евич	Úгоревич *i-ga-rie-vitch*
Úгорь *i-gar*	Úгор + евна	Úгоревна *i-ga-rie-vna*

Lição 2

Илья́ Il-*iá*	Иль + ич	Ильи́ч il'-*itch*
Илья́ Il-*iá*	Иль + инична	Ильи́нична il'-*i*-nitch-na
Ники́та ni-*ki*-ta	Ники́т + ич	Ники́тич ni-*ki*-titch
Ники́та ni-*ki*-ta	Ники́т + ична	Ники́тична ni-*ki*-titch-na

Os eussos geralmente usam o primeiro nome e o patronímico quando se dirigem a qualquer um que não seja uma criança, amigo íntimo ou membro da família.

---

7. NÚMEROS DE 11 A 20

Os números de 11 a 19 são formados colocando-se 1 a 9 antes de -надцать (*na-tsat'*):

на (*na*) significa "em", e дцать (*tsat'*), que é uma forma de де́сять (*diê-ssiat'*), significa dez. Um em "dez", dois em dez etc. Algumas letras caem ou mudam antes de -на. O д em -дцать não é pronunciado.

O final -ть (-*t'*) é pronunciado de forma bem branda, diferentemente de "t" em "porta", por exemplo.

11 оди́ннадцать
a-*di*-na-tsat'

12 двена́дцать
dvie-*na*-tsat'

13 трина́дцать
tri-*na*-tsat'

14 четы́рнадцать
tchie-*tyr*-na-tsat'

15 пятна́дцать
piat-*na*-tsat'

16 шестна́дцать
chies-*na*-tsat'

17 семна́дцать
sim-*na*-tsat'

18 восемна́дцать
va-ssiem-*na*-tsat'

19 девятна́дцать
die-viat-*na*-tsat'

20 два́дцать
dvá-tsat'

Note que não há на antes de 20 e que 2, два (*dva*), muda para две (*dviê*) em 12.

Lição 2

ALGUMAS EXPRESSÕES ÚTEIS

Я говорю́ по-ру́сски.
iá ga-va-riú pa-rus-ki
Eu falo russo.

Я говорю́ по-англи́йски.
iá ga-va-riú pa-an-gliis-ki.
Eu falo inglês.

Я говорю по-португальски.
iá ga-va-riú pa-par-tu-gal'-ski
Eu falo português.

Я не говорю́ по-ру́сски.
iá niê ga-va-riú pa-rus-ki.
Eu não falo russo.

Вы говори́те по-ру́сски?
vy ga-va-ri-tie pa-rus-ki?
Você fala russo?

Вы говори́те по-англи́йски?
vy ga-va-ri-tie pa-an-gliis-ki?
Você fala inglês?

Вы говорите по-португальски?
vy ga-va-ri-tie pa-par-tu-gal'-ski
Você fala português?

VOCABULÁRIO

Lembre que não há artigos em russo, então уро́к (*u-rok*) pode significar "a Lição".
Observação: em todo o livro, ♂ = masculino, ♀ = feminino, e *n.* = neutro.

уро́к (*u-rok*) lição
Здра́вствуйте. (*zdra-stvui-tie*) Olá.
как? (*kak*) como?
дела́ (*di-lá*) coisas/afazeres
Как ва́ши дела́? (*kak vá-chi die-la*) Como vão as coisas?
у (*u*) pode significar "em", "ao lado de", "junto de", "próximo" ou "em cima", de acordo com o contexto. É usado para indicar posse, proximidade ou conexão próxima.
у меня́ (*u mie-niá*) Eu tenho/possuo.
У меня́ кни́га. (*u mie-niá kni-ga*) Eu tenho um livro.
всё (*fsiô*) tudo
хорошо́ (*kha-ra-chô*) bem, tudo bem

17

Lição 2

У меня всё хорошо. (*u mie-niá fsiô kha-ra-chô*) Está tudo bem.
спасибо (*spa-ssi-ba*) obrigado/obrigada
а (*a*) mas, e
садитесь (*sa-di-ties'*) Sente-se. (Esse é o modo formal ou a forma plural do "você" imperativo.)
давайте (*da-vai-tie*) deixe-nos, vamos
давайте начнём (*da-vai-tie natch-niôm*) Vamos começar.
наш (*nach*) nosso
с (*s*) com
удовольствие (*u-da-vol'-stvi-ie*) prazer
с удовольствием (*su-da-vol'-stvi-iem*) com prazer
один (*a-din*) um
вопрос (*va-prôs*) pergunta
да (*da*) sim
пожалуйста (*pa-ja-lui-sta*) por favor
вот (*vôt*) aqui está/estão; eis
Посмотрите! (*pas-ma-tri-tie*) Veja! (Este é o modo formal/plural do imperativo.)
это (*é-ta*) isto, isso; isto é, isso é
ручка (*rutch-ka*) caneta
или (*i-li*) ou
ключ (*kliútch*) chave
тоже (*to-je*) também
что? (*chto*) o quê?
книга (*kni-ga*) livro
на (*na*) em, sobre (pode significar "dentro de" com alguns substantivos)
на русском языке (*na rus-kam i-zy-kiê*) em russo
до (*da*) até, a/à
до свидания (*da svi-da-ni-ia*) adeus
до скорой встречи (*da skô-rai fstriê-tchi*) Até breve.
вопрос (*va-prôs*) pergunta
ответ (*at-viêt*) resposta
стол (*stol*) mesa
стул (*stul*) cadeira
нет (*niêt*) não
не (*niê*) Usado para formar frases negativas.
он (*on*) ele, isso ♂
она (*a-ná*) ela, isso ♀
оно (*a-nô*) isso n.
дома (*dô-ma*) em casa
вы (*vy*) você/vós (A forma educada quando dirigir-se a apenas uma pessoa ou como "todos vocês" a diversas pessoas.)
ты (*ty*) você/tu (Refere-se apenas a uma pessoa.)
я говорю (*iá ga-va-riú*) eu falo
вы говорите (*vy ga-va-ri-tie*) você fala/vós falais
по-русски (*pa-rús-ki*) em russo
по-английски (*pa-an-gliis-ki*) em inglês
на португальском языке (*na par-tu-gal'-skam i-zy-kiê*) em português (em língua portuguesa)

Lição 2

EXERCÍCIOS

Exercício A

Escreva as respectivas palavras em português e cheque na seção de respostas.

1. во́дка
2. факт
3. план
4. профе́ссор
5. класс
6. Ле́нин
7. Горбачёв
8. кана́л
9. студе́нт
10. Большо́й Бале́т
11. порт
12. фильм
13. бага́ж
14. база́р

Exercício B

Dê o nome dos objetos abaixo. Escreva frases completas, com a marca da sílaba tônica onde for apropriado. Por exemplo:

Что э́то?
Você escreve: Э́то кни́га.

1. Что э́то?
2. Что э́то? 
3. Что э́то? 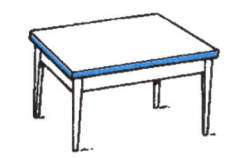
4. Что э́то? 

19

Lição 2

5. Что э́то?
   _____

Exercício C

Dê respostas completas para as perguntas abaixo. Por exemplo, se a ilustração for de uma caneta e perguntarmos Это ру́чка? (*é*-ta *rútch*-ka) Isto é uma caneta?, responda:
Да, э́то ру́чка. Sim, isto é uma caneta.

Mas se perguntarmos Это кни́га? (*é*-ta *kni*-ga) "Isto é um livro?", você deve responder:
Нет, э́то не кни́га. Э́то ру́чка. (*niêt é*-ta *niê kni*-ga. *é*-ta *rútch*-ka) "Não, isto não é um livro. Isto é uma caneta".

Lembre-se de assinalar a sílaba tônica!

1. Э́то Пол?
   é-ta *pol*
   _____

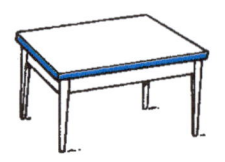

2. Э́то кни́га?
   é-ta *kni*-ga?
   _____

3. Э́то ру́чка?
   é-ta *rútch*-ka?
   _____

4. Э́то А́нна Ива́новна?
   é-ta *an*-na i-*vá*-na-vna?
   _____

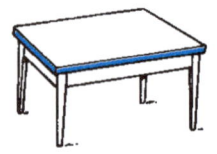

5. Э́то стол?
   é-ta *stol*?
   _____

Lição 2

6. А это стол?
   a é-ta stol?
   _____

7. Это Пол?
   é-ta pol?
   _____

Escreva as palavras a seguir em russo e confira na seção de respostas. Lembre-se de assinalar a sílaba tônica.

1. América
   _____

2. presidente
   _____

3. universidade
   _____

4. Coca-Cola
   _____

5. beisebol
   _____

6. vodca
   _____

7. médico
   _____

8. estudante
   _____

9. Califórnia
   _____

10. Brasil
    _____

Exercício D

Visite www.berlitzpublishing.com para atividades extras na internet – vá para a seção de downloads e conecte-se ao mundo em russo!

21

Lição

3 ЗНАКО́МСТВО *zna-kom-stva*
APRESENTAÇÕES

Пол   Здра́вствуйте. Я – Пол. А вы кто?
zdra-stvui-tie. iá pol. a vy kto?
Olá, eu sou Paul. E quem é você?

Ната́лья   А меня́ зову́т Ната́лья Петро́вна Ивано́ва. Я ру́сская. А вы ру́сский?
a mi-niá za-vut na-tal'-ia pi-trôv-na i-va-nov-a. ia rus-ka-ia. a vy rús-kii
E eu sou Natália Pietróvna Ivanóva. Sou russa. E você, é russo?

Пол   Я не ру́сский. И не украи́нец, и не белору́с.
iá niê rús-kii. i niê u-kra-í-nits e niê bi-la-rus
Eu não sou russo. E não sou ucraniano nem bielorrusso.

Ната́лья   Кто вы по национа́льности?
kto vy pa na-tsia-nal'-nas-ti?
De qual nacionalidade você é?

Lição 3

Пол	Я американец. Я родился в Сан-Франциско. А вы откуда?
	iá a-mie-ri-<u>ká</u>-niets. ia ra-<u>díl</u>-sia fsan-fran-<u>tsis</u>-ka. a vy at-<u>ku</u>-da?
	Eu sou americano. Nasci em São Francisco. E de onde você vem?
Наталья	Я из Новосибирска. А сейчас я живу здесь, в Москве. Я работаю в банке. А где вы работаете?
	iá iz na-va-ssi-<u>birs</u>-ka. a sei-<u>tchas</u> iá ji-<u>vu</u> zdiês', v mas--<u>kviê</u>. iá ra-<u>bô</u>-ta-iu <u>vbán</u>-kie. a gdiê vy ra-<u>bô</u>-ta-i-tie?
	Eu sou de Novossibírsk. Mas agora vivo aqui, em Moscou. Eu trabalho em um banco. E onde você trabalha?
Пол	Я? Я не работаю. Я студент. Я учу русский язык.
	iá. iá niê ra-<u>bô</u>-ta-iu. iá stu-<u>diênt</u>. iá u-<u>tchú</u> <u>rús</u>-kii ia-<u>zyk</u>
	Eu? Não trabalho. Sou estudante. Estou estudando russo.
Наталья	Значит, я бухгалтер, а вы студент … А кто эта женщина?
	<u>zná</u>-tchit iá bukh-<u>gal</u>-tier a vy stu-<u>diênt</u>. a ktô éta <u>jên</u>-chi-na
	Então, eu sou contadora e você estudante... E quem é essa mulher?
Пол	Это Анна Ивановна. Она преподаватель. Она белоруска, из Минска.
	<u>é</u>-ta <u>an</u>-na i-<u>vá</u>-nav-na. a-<u>ná</u> prie-pa-da-<u>va</u>-tiel'. a-<u>ná</u> bie--la-<u>rús</u>-ka, iz <u>mins</u>-ka
	Esta é Ana Ivánovna. Ela é professora. Ela é bielorrussa, de Minsk.
	Анна Ивановна! Идите сюда!…Это Анна Ивановна. Анна Ивановна, это Наталья Петровна. Она работает в банке.
	<u>an</u>-na i-<u>vá</u>-nav-na. i-<u>dí</u>-tie siu-<u>dá</u>. <u>é</u>-ta <u>an</u>-na i-<u>vá</u>-nav-na. <u>an</u>-na i-<u>vá</u>-nav-na, <u>é</u>-ta na-<u>tal</u>'-ia pi-<u>trôv</u>-na. a-<u>ná</u> ra-<u>bô</u> ta-iet <u>vbán</u>-kie
	Ana Ivánovna! Venha aqui!... Esta é Ana Ivánovna. Ana Ivánovna, esta é Natália Petróvna. Ela trabalha em um banco.
Наталья	Очень приятно.
	<u>ó</u>-tchin' pri-<u>iát</u>-na.
	Prazer em conhecê-la.

Lição 3

GRAMÁTICA

1. SUBSTANTIVOS: MASCULINO, FEMININO E NEUTRO

Os substantivos em russo podem ser masculinos, femininos ou neutros. Você já se deparou com alguns substantivos masculinos e femininos. A variação dos substantivos é importante, e os adjetivos que os modificam devem concordar com eles. Um substantivo masculino leva a forma masculina de um adjetivo; um feminino, a forma feminina, e assim por diante. Por exemplo:

Um estudante russo = ру́сский студе́нт (*rus*-kii stu-*diênt*)
Uma estudante russa = ру́сская студе́нтка (*rus*-ka-ia stu-*diên*-tka)
Um novo estudante = но́вый студе́нт (*nô*-vyi stu-*diênt*)
Uma nova estudante = но́вая студе́нтка (*nô*-va-ia stu-*diên*-tka)
Um bom estudante = хоро́ший студе́нт (*kha*-rô-chii stu-*diênt*)
Uma boa estudante = хоро́шая студе́нтка (kha-*rô*-cha-ia stu-*diên*-tka)

SUBSTANTIVOS MASCULINOS

Todos os substantivos terminados em consoante no caso nominativo singular – a forma na qual eles aparecem no dicionário – são masculinos. Abaixo, exemplos de substantivos masculinos, alguns dos quais você já viu antes:

уро́к	вопро́с	отве́т	стол
u-*rok*	va-*prôs*	at-*viêt*	stol
aula	pergunta	resposta	mesa
бага́ж	до́ллар	това́рищ	англича́нин
ba-*gach*	*dô*-lar	ta-*vá*-richtch	an-gli-*tchá*-nin
bagagem	dólar	camarada	inglês
дом	чемода́н	америка́нец	
dom	tchie-ma-*dan*	a-mie-ri-*ká*-nits	
casa/lar	mala	americano	

Todos os substantivos terminados em -й no nominativo singular são masculinos:

брази́льский (m),	чай	бой	геро́й
bra-*zil'*-skii	tchái	bôi	guie-*rôi*
brasileiro	chá	batalha	herói
(nacionalidade)			

Substantivos terminados em ь são masculinos ou femininos, nunca neutros. Abaixo, alguns exemplos de masculinos:

словарь	день	конь	зверь
sla-_var'_	_diên'_	_kon'_	_zviêr'_
dicionário	dia	cavalo	fera

SUBSTANTIVOS FEMININOS

A maioria dos substantivos terminados em -а ou -я são femininos:

вода	улица	школа	банка
va-_dá_	_ú_-litsa	_chkô_-la	_bán_-ka
água	rua	escola	lata/jarra
война	газета	фабрика	конференция
vai-_ná_	ga-_ziê_-ta	_fá_-bri-ka	kan-fi-_riên_-tsi-ia
guerra	jornal	fábrica	conferência
земля	песня	ручка	книга
zim-_liá_	_piês_-nia	_rútch_-ka	_kni_-ga
terra/terreno	música/canção	caneta	livro

Os sufixos -ка e -ница denotam a forma feminina de algumas palavras:

студентка	американка	англичанка
stu-_diênt_-ka	a-mie-ri-_kán_-ka	an-gli-_tchán_-ka
aluna	americana	inglesa
иностранка	украинка	учительница
i-na-_strán_-ka	u-kra-_ín_-ka	u-_tchi_-til'-ni-tsa
estrangeira	ucraniana	professora (de escola)
бразильянка		
bra-zil'-_ián_-ka		
brasileira (nacionalidade)		

A maioria dos substantivos terminados em -сть é feminina:

гласность	национальность	стоимость
glás-nast'	ncea-tsi-a-_nal'_-nast'	_stô_-i-mast'
abertura	nacionalidade	preço/custo

Uma exceção importante é o *substantivo masculino* гость convidado/visita.
Substantivos terminados em -жь, -чь, -шь e -щь são femininos:

рожь	ночь	пу́стошь	вещь
roch'	*notch'*	*pus-tach'*	*viêchtch*
centeio	noite	terra abandonada	coisa

SUBSTANTIVOS NEUTROS

Substantivos terminados em -e são neutros:

упражне́ние	мо́ре	по́ле	со́лнце
u-praj-niê-ni-ie	*mô-rie*	*pô-lie*	*sôn-tse*
exercício	mar	campo	(a letra л não é pronunciada) sol

Quase todos os substantivos terminados em -o são neutros:

село́	письмо́	вино́	яйцо́	сло́во	де́ло
si-lô	*pis'-mô*	*vi-nô*	*ii-tsô*	*slô-va*	*diê-la*
vila	carta	vinho	ovo	palavra	caso

Alguns substantivos neutros são terminados em -мя:

вре́мя	и́мя
vriê-mia	*i-mia*
tempo	nome

---

2. SUBSTANTIVOS: CASOS – O NOMINATIVO

Todos os substantivos abaixo estão na forma do nominativo singular. Em português, os substantivos possuem apenas as formas singular e plural:

pergunta   perguntas
língua   línguas

Em russo, os substantivos possuem diversas formas no singular e no plural. Essas formas são chamadas "casos". Abaixo, alguns exemplos do nominativo singular e do nominativo plural:

Lição 3

SUBSTANTIVOS MASCULINOS

Nominativo singular	Nominativo plural
университе́т *u-ni-vier-si-<u>tiêt</u>* universidade	университе́ты *u-ni-vier-si-<u>tiê</u>-ty* universidades
банк *bank* banco	ба́нки *<u>ban</u>-<u>ki</u>* bancos
язы́к *i-<u>zyk</u>* língua	языки́ *i-zy-<u>ki</u>* línguas
стол *stol* mesa	столы́ *sta-<u>ly</u>* mesas
вопро́с *va-<u>prós</u>* pergunta	вопро́сы *va-<u>prô</u>-ssy* perguntas
отве́т *at-<u>viêt</u>* resposta	отве́ты *at-<u>viê</u>-ty* respostas

Substantivos masculinos terminados em consoantes têm o acréscimo de -ы no plural. Se a consoante final é к, г, х, ж, ч, ш, щ, acrescenta-se -и.

SUBSTANTIVOS FEMININOS

Nominativo singular	Nominativo plural
кни́га *<u>kni</u>-ga* livro	кни́ги *<u>kni</u>-gui* livros
студе́нтка *stu-<u>diênt</u>-ka* aluna	студе́нтки *stu-<u>diênt</u>-ki* alunas
америка́нка *a-mi-ri-<u>kán</u>-ka* americana	америка́нки *a-mi-ri-<u>kán</u>-ki* americanas
бразильянка *bra-zi-<u>lián</u>-ka* brasileira	бразильянки *bra-zi-<u>lián</u>-ki* brasileiras

Lição 3

газе́та *ga-ziê-ta* jornal	газе́ты *ga-ziê-ty* jornais
шко́ла *chkô-la* escola	шко́лы *chkô-ly* escolas
война́ *vai-ná* guerra	во́йны *vôi-ny* guerras

Substantivos femininos terminados em -а mudam a última letra para -ы no plural. Se a última consoante é к, г, х, ж, ч, ш, щ, a terminação é -и. Substantivos terminados em -я ou -ь mudam a última letra para -и.

SUBSTANTIVOS NEUTROS

Nominativo singular	Nominativo plural
упражне́ние *u-praj-niê-ni-ie* exercício	упражне́ния *u-praj-niê-ni-ia* exercícios
по́ле *pô-lie* campo	поля́ *pa-liá* campos
мо́ре *mô-rie* mar	моря́ *ma-riá* mares
де́ло *diê-la* assunto/negócio	дела́ *di-lá* assuntos/negócios
окно́ *ak-nô* janela	о́кна *ôk-na* janelas
сло́во *slô-va* palavra	слова́ *sla-vá* palavras

No plural, substantivos neutros terminados em -е mudam a última letra para -я, e aqueles terminados em -о mudam para -а. O mesmo acontece no caso genitivo. Os casos serão em lições posteriores.

Lição 3

3. CONCORDÂNCIA ENTRE ADJETIVOS E SUBSTANTIVOS

Os adjetivos russos têm as formas masculina, feminina e neutra. O adjetivo deve concordar com o substantivo que modifica. No diálogo, Natália disse a Paul "Я ру́сская. А вы ру́сский?".
Ру́сск- (*rusk-*) é a base do adjetivo. -ая (*-aia*) é a terminação feminina, pois Natália é mulher. -ий (*ii*) é a terminação masculina, pois Paul é homem. Há também uma terminação neutra para ру́сск: -ое (*-oie*).
Os adjetivos abaixo estão todos na forma do nominativo singular. Note que há diversas terminações. Tente memorizar as formas apresentadas na tabela.

O NOMINATIVO SINGULAR DOS ADJETIVOS

Português	Base	Masculino	Feminino	Neutro
novo	нов- *nov-*	но́вый *nô-vyi*	но́вая *nô-va-ia*	но́вое *nô-va-ie*
agradável	прия́т- *pri-iát-*	прия́тный *pri-iát-nyi*	прия́тная *pri-iát-na-ia*	прия́тное *pri-iát-na-ie*
russo	ру́сск- *rusk-*	ру́сский *rus-kii*	ру́сская *rus-ka-ia*	ру́сское *rus-ka-ie*
bom	хоро́ш- *kha-roch-*	хоро́ший *kha-rô-chii*	хоро́шая *kha-rô-cha-ia*	хоро́шее *kha-rô-chie-ie*
jovem	молод- *ma-lad-*	молодо́й *ma-la-dôi*	молода́я *ma-la-da-ia*	молодо́е *ma-la-dô-ie*

A seguir, alguns exemplos de adjetivos modificando substantivos no nominativo singular:

ADJETIVO COM UM SUBSTANTIVO MASCULINO

1. Он мой но́вый студе́нт. Ele é meu novo aluno.
on moi nô-vyi stu-diênt

2. Пол – о́чень прия́тный америка́нец. Paul é um americano muito agradável.
pol ô-tchin' pri-iá-tnyi a-mie-ri-ka-niets

3. Я преподаю́ ру́сский язы́к. Eu ensino russo.
iá prie-pa-da-iú rus-kii i-zyk

4. Э́то но́вый ру́сский па́спорт? Esse é o novo passaporte russo?
é-ta nô-vyi rus-kii pas-part

29

Lição 3

5. Иван Петрович – хороший преподаватель. Ivan Pietróvitch é um bom professor.
i-<u>van</u> pi-<u>trô</u>-vitch kha-<u>rô</u>-chii prie-pa-da-<u>va</u>-tiel'

6. Кто этот молодой человек? Quem é esse jovem rapaz?
kto <u>é</u>-tat ma-la-<u>dôi</u> tchie-la-<u>viêk</u>

ADJETIVO COM UM SUBSTANTIVO FEMININO

1. Она моя новая студентка. Ela é minha nova aluna.
a-<u>ná</u> ma-<u>iá</u> <u>nô</u>-va-ia stu-<u>diên</u>-tka

2. Она очень приятная бразильянка. Ela é uma brasileira muito agradável.
a-<u>ná</u> o-tchien' pri-<u>iá</u>-tna-ia bra-zi-<u>lián</u>-ka

3. У меня новая русская книга. Eu tenho um novo livro russo.
u mie-<u>niá</u> <u>nô</u>-va-ia <u>rus</u>-ka-ia <u>kni</u>-ga

4. Это хорошая школа. É uma boa escola.
<u>é</u>-ta kha-<u>rô</u>-cha-ia <u>chkô</u>-la

5. Наталья Петровна не очень молодая. Natália Pietróvna não é muito jovem.
na-<u>tal'</u>-ia pie-<u>trô</u>-vna niê <u>ô</u>-tchien' ma-la-<u>da</u>-ia

6. Молодая американка – студентка. A jovem americana é uma estudante.
ma-la-<u>da</u>-ia a-mie-ri-<u>kan</u>-ka stu-<u>diên</u>-tka

ADJETIVO COM UM SUBSTANTIVO NEUTRO

1. Это новое упражнение. Este é um novo exercício.
<u>é</u>-ta <u>nô</u>-va-ie u-praj-<u>niê</u>-ni-ie

2. У меня новое дело. Eu tenho um novo negócio.
u mie-<u>niá</u> <u>nô</u>-va-ie <u>die</u>-la

3. Это очень неприятное время в Москве. É uma época muito desagradável em Moscou.
<u>é</u>-ta <u>o</u>-tchien' ni-pri-<u>iá</u>-tna-ie <u>vriê</u>-mia vmas-<u>kviê</u>

4. Это очень приятное место. É um lugar muito agradável.
<u>é</u>-ta <u>ô</u>-tchien' prie-<u>iá</u>-tna-ie <u>miês</u>-ta

5. Это русское слово. É uma palavra russa.
<u>é</u>-ta <u>rus</u>-ka-ie <u>slô</u>-va

6. Моё имя русское. Meu nome é russo.
ma-<u>iô</u> <u>i</u>-mia <u>rus</u>-ka-ie

4. O PRONOME POSSESSIVO: MEU/MINHA

O pronome possessivo мóй também muda sua forma para concordar com o gênero do substantivo que ele modifica.

Masculino: мой: мóй отéц (*môi a-tiêts*) meu pai
Feminino: моя́: моя́ мать (*ma-iá mát'*) minha mãe
Neutro: моё: моё дéло (*ma-iô diê-la*) meu negócio

---

5. PRONOMES PESSOAIS

Você já conhece a forma em russo para "eu" – я (*iá*), "você" (informal), – ты (*ty*), "ele" – он (*on*), "ela" – онá (*a-ná*), e "você" (formal) ou "vocês" – вы (*vy*).
A forma em russo para "nós" é мы (*my*), e para "eles" é они́ (*a-ní*). Abaixo, algumas frases curtas apresentando algumas profissões:

Я врач. Eu sou médico.
iá vrátch

Ты студéнт. Você é estudante.
ty stu-diênt

Вы пилóт? Você é piloto?
vy pi-lot?

Он продавéц. Ele é vendedor.
on pra-da-viêts

Онá бухгáлтер. Ela é contadora.
a-ná bukh-gál-tier

Мы врачи́. Nós somos médicos.
my vra-tchi

Вы пилóты. Vocês são pilotos.
vy pi-lô-ty

Они́ студéнты. Eles são estudantes. (Todos homens ou homens e mulheres.)
a-ní stu-diên-ty

Они́ студéнтки. Elas são estudantes. (Todas mulheres.)
a-ní stu-diênt-ki

Note que você aprendeu duas palavras para "médico": дóктор e врач. A palavra врач é usada quando falamos de médicos: "Preciso ir ao médico". A palavra дóктор é usada como uma forma de se dirigir a alguém, como em: "Doutor, minha perna dói". Essa palavra também é usada, como em português, para se dirigir a alguém que possua um título acadêmico.

PRONOMES PESSOAIS: FORMAS NEUTRAS ОНО́ (*a-nô*) ISSO, ОНИ́ (*a-ní*) ELES

Em português, geralmente nos referimos a um lugar ou objeto usando a palavra neutra "isso". O russo é mais específico: refere-se a um objeto masculino como он (*on*), a um objeto feminino como она́ (*a-ná*), e a um objeto neutro como оно́ (*a-nô*). Dois ou mais objetos – masculino, feminino, neutro ou de gêneros diversos – são tratados como они́ (*a-ní*). Abaixo, algumas perguntas e respostas que ilustram isso: где? (*gdiê*) = Onde?

1. Где па́спорт? Он на столе́. Onde está o passaporte? Está na mesa.
gdiê pas-part. on na sta-liê

2. Где кни́га? Она́ на столе́. Onde está o livro? Está na mesa.
gdiê kni-ga? a-ná na sta-liê

3. Где письмо́? Оно́ на столе́. Onde está a carta? Está na mesa.
gdiê pis'-mô. a-nô na sta-liê

4. Где па́спорт, кни́га и письмо́? Они́ на столе́. Onde estão o passaporte, o livro e a carta? Estão na mesa.
gdiê pas-part, kni-ga i pis'-mô? a-ní na sta-liê

---

6. NÚMEROS DE 21 A 30

21 два́дцать оди́н
dva-tsat' a-din

22 два́дцать два
dva-tsat' dva

23 два́дцать три
dva-tsat' tri

24 два́дцать четы́ре
dva-tsat' tchie-ty-rie

25 два́дцать пять
dva-tsat' piát

26 два́дцать шесть
dva-tsat' chêst'

27 два́дцать семь
dva-tsat' siêm'

28 два́дцать во́семь
dva-tsat' vô-ssiem'

29 два́дцать де́вять
dva-tsat' diê-viat'

30 три́дцать
tri-tsat'

Lição 3

ALGUMAS EXPRESSÕES ÚTEIS

Я америка́нец. Eu sou americano.
iá a-mie-ri-ka-niets

Я брази́лец. Eu sou brasileiro.
iá bra-zi-liets

Я америка́нка. Eu sou americana.
iá a-mie-ri-kan-ka

Я брази́льянка. Eu sou brasileira.
iá bra-zil'-ián-ka

Я живу́ в Вашингто́не. Eu moro em Washington.
iá ji-vú vva-ching-tô-nie

Я живу в Сан-Па́улу. Eu moro em São Paulo.
iá ji-vu fsan-pa-u-lu

Где вы живёте? Onde você mora?
gdiê vy ji-viô-tie

Где вы рабо́таете? Onde você trabalha?
gdiê vy ra-bô-ta-ie-tie

Я рабо́таю в Филаде́льфии. Eu trabalho na Filadélfia.
iá ra-bô-ta-iu ffi-la-dél'-fii

Я рабо́таю в Рио-де-Жане́йро. Eu trabalho no Rio de Janeiro.
iá ra-bô-ta-iu vri-a-de-ja-niei-ra

VOCABULÁRIO

♂ = masculino, ♀ = feminino, *n.* = neutro
знако́мство (*zna-koms-tva*) apresentação
Кто? (*kto*) Quem?
Меня́ зову́т… (*mie-niá za-vut*…) Meu nome é…
ру́сский♂/ру́сская♀/ру́сское *n.* (*rus-kii/rus-ka-ia/rus-ka-ie.*) russo/russa
украи́нец♂/украи́нка♀ (*u-kra-i-nits/u-kra-in-ka*) ucraniano/ucraniana
по (*pa*) por, de
национа́льность♀ (*na-tsi-a-nal'-nast'*) nacionalidade
кто вы по национа́льности? (*kto vy pa na-tsi-a-nal'-na-sti*) Qual é sua nacionalidade?
белору́с♂/белору́ска♀ (*bi-la-rus/bi-la-rus-ka*) bielorrusso/bielorrussa
Я роди́лся в Ми́нске (*iá ra-dil-sia vmins-kie*) Eu nasci em Minsk.
Отку́да? (*at-ku-da*) De onde você é?
из (*iz*) de
сейча́с (*sei-tchas*) agora

33

Я живу́ в... (*iá ji-vu f*...) Eu moro em...
здесь (*zdiês'*) aqui
банк (*bank*) banco
Я рабо́таю в ба́нке. (*iá ra-bô-ta-iu vban-kie*) Eu trabalho em um banco.
Где? (*gdiê*) Onde?
университе́т (*u-ni-vier-si-tiêt*) universidade
Я преподаю́. (*iá prie-pa-da-iú*) Eu ensino.
язы́к (*ia-zyk*) língua
зна́чит (*zná-tchit*) significa, então, quer dizer
бухга́лтер (♂ ou ♀) (*bukh-gál-tier*) contador
преподава́тель (*prie-pa-da-vá-tiel'*) professor
же́нщина (*jên-chtchi-na*) mulher
мой♂/моя́♀/моё *n.* (*moi/ma-iá/ma-iô*) meu/minha
но́вый♂/но́вая♀/но́вое *n.* (*nô-vyi/nô-va-ia/nô-va-ie*) novo/nova
он♂/она́♀ у́чит... (*on/a-ná u-tchit*...) ele/ela aprende...
англи́йский♂/англи́йская♀/англи́йское *n.* (*an-gliis-kii/an-gliis-ka-ia/an-gliis-ka-ie.*) inglês/inglesa
францу́зский♂/францу́зская♀/францу́зское *n.* (*fran-tsus-kii/fran-tsus-ka-ia/fran-tsus-ka-ie*) francês/francesa
коне́чно (*ka-niê-chna*) é claro
иди́те сюда́ (*i-di-tie siu-dá*) venha cá
он♂/она́♀ рабо́тает (*on/a-ná ra-bô-ta-iet*) ele/ela trabalha
о́чень (*ô-tchien*) muito
прия́тно (*pri-iát-na*) agradável
рад♂/ра́да♀ (*rat/ra-da*) feliz
познако́миться (*pa-zna-kô-mi-tsa*) conhecer, ser apresentado
с ва́ми (*svá-mi*) com você
чи́сла (*tchis-la*) números
бага́ж (*ba-gach*) bagagem
до́ллар (*dô-lar*) dólar
америка́нец♂/америка́нка♀ (*a-mie-ri-ká-niets/ a-mie-ri-kán-ka*) americano/americana
англича́нин♂/англича́нка♀ (*an-gli-tchá-nin/an-gli-tchán-ka*) inglês/inglesa
брази́лец♂/бразилья́нка♀ (*bra-zi-liets/bra-zil'-ián-ka*) brasileiro/brasileira
дом (*dom*) casa
чемода́н (*tchie-ma-dan*) mala
това́рищ (♂ ou ♀) (*ta-va-richtch*) camarada
чай (*tchái*) chá
бой (*bôi*) batalha
геро́й (*guie-rôi*) herói
слова́рь (*sla-var'*) dicionário
день (*diên'*) dia
гость (*gost'*) convidado/visita
вода́ (*va-dá*) água

улица (*u-li-tsa*) rua
школа (*chkô-la*) escola
банка (*bán-ka*) lata, jarra
война (*vai-ná*) guerra
газета (*ga-ziê-ta*) jornal
фабрика (*fá-bri-ka*) fábrica
песня (*piês-nia*) canção
студент♂/студентка♀ (*stu-diênt/stu-diên-tka*) aluno/aluna
иностранец♂/иностранка♀ (*inas-tra-niets/inas-trán-ka*) estrangeiro/estrangeira
земля (*ziem-liá*) terra, terreno
конференция (*kan-fie-riên-tsi-ia*) conferência
гласность (*glás-nast'*) abertura
стоимость (*stô-i-mast'*) preço, valor
вещь (*viêchtch'*) coisa
письмо (*pis'-mô*) carta
солнце (*sôn-tse*) sol
дело (*diê-la*) coisa, trabalho, negócio
село (*sie-lô*) vila
вино (*vi-nô*) vinho
яйцо (*ii-tsô*) ovo
слово (*slô-va*) palavra
время (*vriê-mia*) tempo
упражнение (*u-praj-niê-ni-ie*) exercício
море (*mô-rie*) mar
поле (*pô-lie*) campo
имя (*i-mia*) nome
мы (*my*) nós
они (*a-ní*) eles
пилот (*pi-lot*) piloto
хороший♂/хорошая♀/хорошее n. (*kha-rô-chii/kha-rô-cha-ia/kha-rô-chie-ie*) bom/boa
молодой♂/молодая♀/молодое n. (*ma-la-dôi/ma-la-dá-ia/ma-la-dô-ie*) jovem

Lição 3

EXERCÍCIOS

Exercício A

Tradução. Aqui estão mais algumas palavras que são similares às suas formas em português. Traduza e faça a transliteração, depois confira na seção de respostas.

1. спорт 2. фильм 3. такси́ 4. телефо́н
_____ _____ _____ _____

5. центр 6. автомоби́ль 7. футбо́л 8. царь
_____ _____ _____ _____

9. теа́тр 10. а́йсберг
_____ _____

Exercício B

Você é de...? Responda as questões seguintes com uma frase negativa. Por exemplo:

Вы из Новосиби́рска? Você é de Novossibírsk?
vy iz na-va-ssi-birs-ka

Você responde:
Нет, я не из Новосиби́рска. Não, eu não sou de Novossibírsk.
niêt iá niê iz na-va-ssi-birs-ka

Note como as terminações das palavras mudam depois de из.
Минск – из Минска.

1. Вы из Ло́ндона?
_____

2. Он из Новосиби́рска?
_____

3. Она́ из Москвы́?
_____

4. Они́ из Аме́рики?
_____

5. Вы из А́нглии?
_____

6. Он из Берли́на?
_____

7. Она́ из Сан-Франци́ско? (A forma do nominativo não muda.)

8. Они́ из Нью-Йо́рк<u>а</u>?

Você é...? Responda afirmativamente às questões.
Por exemplo:

Он врач? Ele é médico?
on vratch?

Você responde:
Да, он врач. Sim, ele é médico.
da on vratch

Note como a terminação muda no plural. Он врач – они́ врач<u>и́</u>.

Exercício C

1. Вы профе́ссор?

2. Он бухга́лтер?

3. Она́ студе́нтка?

4. Они́ врачи́?

5. Вы преподава́тель?

6. Он пило́т?

7. Она́ преподава́тель?

8. Они́ пило́<u>ты</u>?

Lição 3

Exercício D

Concordância dos adjetivos com os substantivos. Lembre-se: adjetivos assumem o gênero do substantivo. Marque А (á), Б (bê) ou В (vê) quando apropriado.

большо́й grande   ма́ленький pequeno
bal'-chôi   má-lien'-kii

1. Пол   А: молодо́й   Б: молода́я   В: молодо́е
2. Ната́лья   А: ру́сский   Б: ру́сская   В: ру́сское
3. кни́га   А: но́вый   Б: но́вая   В: но́вое
4. стол   А: большо́й   Б: больша́я   В: большо́е
5. село́   А: ма́ленький   Б: ма́ленькая   В: ма́ленькое
6. мо́ре   А: большо́й   Б: больша́я   В: большо́е
7. чемода́н   А: но́вый   Б: но́вая   В: но́вое
8. упражне́ние А: хоро́ший   Б: хоро́шая   В: хоро́шее

Exercício E

Traduza as frases a seguir para o português.

1. Я о́чень рад (ра́да) познако́миться с ва́ми.

2. Ната́лья Ива́новна рабо́тает в банке.

3. Пол живёт в Москве́, но он роди́лся в Сан-Франци́ско.

4. А́нна Ива́новна не бухга́лтер. Она́ преподаёт в университе́те.

5. Он не из Москвы́, но он рабо́тает в Москве́.

6. Я рабо́таю в Бразилия.

7. А́нна не америка́нка и не ру́сская. Она́ белору́ска.

8. Она́ ру́сская и́ли америка́нка?

9. Э́та кни́га на ру́сском и́ли на на португа́льском языке́?

38

Lição 3

Verdadeiro ou falso? A seguir, algumas afirmações com base no diálogo. Confira se você acertou na seção de respostas.

Exercício F

1. Наталья Петровна русская.
   na-*tál'*-ia pie-*trôv*-na *rús*-ka-ia

2. Анна Ивановна русская.
   an-na i-*vá*-nav-na *rús*-ka-ia

3. Пол студент.
   pol stu-*diênt*

4. Наталья Петровна работает в университете.
   na-*tál'*-ia pie-*trôv*-na ra-*bô*-ta-iet vu-ni-vier-si-*tiê*-tie

5. Пол работает в банке.
   pol ra-*bô*-ta-iet v*bán*-kie

6. Наталья Петровна бухгалтер.
   na-*tál'*-ia pie-*trôv*-na bukh-*gal*-tier

7. Анна Ивановна преподаватель.
   an-na i-*vá*-nav-na prie-pa-da-*vá*-tiel'

8. Она преподаёт русский язык.
   a-*ná* prie-pa-da-iôt *rús*-kii ia-*zyk*

9. Пол учит английский язык.
   pol *u*-tchit an-*gliis*-kii ia-*zyk*

10. Вы учите русский язык.
    vy *u*-tchi-tie *rús*-kii ia-*zyk*

> Visite www.berlitzpublishing.com para atividades extras na internet – vá para a seção de downloads e conecte-se ao mundo em russo!

Lição 4

НАТА́ЛЬЯ Е́ДЕТ В КОМАНДИРО́ВКУ
na-tál'-ia iê-diet fka-man-di-rôf-ku
NATÁLIA VIAJA A NEGÓCIOS

Ana Ivánovna Smírnova fala um pouco sobre si e sobre Natália Pietróvna, e Natália conversa com Paul:

А́нна Как вы зна́ете, я белору́ска. Я живу́ и рабо́таю в Москве́. Я о́чень люблю́ Москву́. Но я люблю́ и Минск, где живу́т мой оте́ц и моя́ мать.
kak vy zná-ie-tie iá bie-la-rús-ka. iá ji-vú i ra-bô-ta-iu vmas-kviê. iá ô-tchien' liu-bliú mas-kvú. nô iá liu-bliú i mínsk gdiê ji-vút môi a-tiêts i ma-iá mát'
Como você sabe, sou bielorrussa. Eu moro e trabalho em Moscou. Eu gosto muito de Moscou. Mas eu gosto de Minsk também, onde moram meu pai e minha mãe.

Вы та́кже зна́ете, что Ната́лья Петро́вна из Новосиби́рска. Но сейча́с она́ живёт в Москве́. У неё своя́ отде́льная кварти́ра. Ей нра́вится жить в Москве́. Она́ рабо́тает в ба́нке. Она́ о́чень лю́бит свою́ рабо́ту.

Lição 4

*vy tág-je zná-ie-tie chto na-tál'-ia pie-trôv-na iz na-va-
-ssi-birs-ka. nô sei-tchás a-ná ji-viôt vmask-viê. u nie-iô
sva-iá at-diêl'-na-ia kvar-tí-ra. iêi nrá-vit-sa jit' vmask-
-viê. a-ná ra-bô-ta-iet vbán-kie. a-ná ô-tchien' liú-bit
sva-iú ra-bô-tu*
Você também sabe que Natália Pietróvna é de Novos-
síbirk. Mas agora ela mora em Moscou. Ela tem seu
próprio apartamento. Ela gosta de viver em Moscou. Ela
trabalha em um banco. Ela gosta muito de seu trabalho.

Сегóдня онá éдет в командирóвку в Санкт-
Петербýрг. Сейчáс онá говори́т с Пóлом...
*sie-vô-dnia a-ná iê-dit fka-man-di-rôf-ku fsánkt-pie-tier-
búrk. sei-tchás a-ná ga-va-rit spô-lam...*
Hoje ela vai sair numa viagem a negócios para São Petersburgo. Neste momento ela está conversando com Paul...

| Пол | Как вы éдете в Санкт-Петербýрг?
kak vy iê-die-tie fsánkt pie-tier-búrk?
Como você vai para São Petersburgo?

| Натáлья | Я лечý тудá на самолёте, а возвращáюсь на пóезде.
*ia lie-tchú tudá na sa-ma-liô-tie, a vaz-vra-chtcha-ius'
na pô-iez-die*
Vou de avião, mas volto de trem.

| Пол | У вас есть билéт на самолёт?
u vas iêst' bi-liêt na sa-ma-liôt?
Você tem a passagem de avião?

| Натáлья | Да. У меня́ есть билéт на самолёт и обрáтный
билéт на пóезд.
*da u mie-niá iêst' bie-liêt na sa-ma-liôt i a-bra-tnyi bi-
-liêt na pô-iest*
Sim. Eu tenho a passagem de avião e a passagem de
volta do trem.

| Пол | Вы дóлго бýдете в Санкт-Петербýрге?
vy dôl-ga bu-die-tie fsánkt pie-tier-bur-guie
Você vai ficar muito tempo em São Petersburgo?

| Натáлья | Я бýду там три дня. У меня́ там мнóго дел.
ia bú-du tam tri dniá. u mie-niá tam mnô-ga diêl
Ficarei lá por três dias. Tenho muitas coisas para fazer
por lá.

| Пол | Вы чáсто тудá éздите?
vy tchás-ta tu-dá iêz-di-tie?
Você vai pra lá frequentemente?

Lição 4

Наталья	Да, довольно часто. Я там бываю три-четыре дня каждый месяц.
	da, da-vol'-na tchás-ta. ia tam by-vá-iu tri tchie-ty-rie dniá kaj-dyi miê-ssiats.
	Sim, com frequência. Passo de três a quatro dias lá todo mês.
Пол	Я очень хочу побывать в Санкт-Петербурге.
	iá ô-tchien' kha-tchú pa-by-vat' fsánkt pie-tier-bur-guie
	Eu quero muito passar um tempo em São Petersburgo.
	Говорят, это очень интересный и красивый город.
	ga-va-riát é-ta ô-tchien' in-tie-riês-nyi i kra-ssi-vyi gô-rat
	Dizem que é uma cidade muito bonita e interessante.
Наталья	Да, это правда. Но у меня никогда нет времени там гулять.
	da é-ta práv-da. nô u mie-niá ni-kag-da niêt vriê-mie-ni tam gu-liát'
	Sim, isto é verdade. Mas nunca tive tempo para passear por lá.
Пол	А почему?
	a pa-tchie-mú?
	Mas por quê?
Наталья	Потому что у меня много работы.
	pa-ta-mu chto u mie-niá mnô-ga ra-bô-ty
	Porque eu tenho muito trabalho.
Пол	Когда улетает ваш самолёт?
	kag-dá u-lie-ta-iet vách sa-ma-liôt?
	Quando sai seu avião?
Наталья	Через четыре часа. Из аэропорта Шереметьево-1.
	tchê-ries tchie-ty-rie tchi-ssa. i-za-ie-ra-pôr-ta chie-rie-miêt'-ie-va a-din
	Em quatro horas. Do aeroporto Sheremiétievo 1.
Пол	И как вы туда едете?
	i kak vy tu-dá iê-die-tie
	E como você vai para lá?
Наталья	Обычно я иду к автобусной остановке и еду в аэропорт на автобусе. Но сегодня я еду на такси.
	a-by-tchna iá i-dú kaf-tô-bus-nai as-ta-nôf-kie i iê-du v a--ie-ra-port na af-tô-bu-sie. No sie-vô-dnia ia iê-du na tak-sí
	Geralmente, eu ando até o ponto de ônibus e vou de ônibus para o aeroporto. Mas hoje irei de táxi.
Пол	Я поеду с вами, если хотите. Я хочу помочь вам нести ваши чемоданы.
	iá pa-iê-dú svá-mi iês-li kha-tí-tie. iá kha-tchú pa-môtch, vam nies-ti va-chi tchi-ma-dá-ny

Lição 4

	Eu vou com você, se você quiser. Quero ajudar a carregar suas malas.
Наталья	Большо́е спаси́бо, но у меня́ то́лько оди́н чемода́нчик, и он не тяжёлый. Он о́чень лёгкий. Но проводи́ть меня́ за компа́нию – пожа́луйста. bal'-_chô_-ie spa-_ssi_-ba no u mie-_niá_ _tol'_-ka a-_dín_ tchi-ma-_dan_-tchik i on niê tie-_jô_-lyi. on _ô_-tchin' _liôkh_-kii. no pra--va-_dit'_ mie-_niá_ za kam-_pa_-ni-iu pa-_jalui_-sta Muito obrigada, mas eu tenho apenas uma malinha, e ela não é pesada. É bastante leve. Mas pode vir comigo para fazer companhia.
Пол	Да. С удово́льствием. da su-da-_vol's_-tvi-iem Sim, com prazer.

LETRAS MAIÚSCULAS EM RUSSO

Como você deve ter observado, em russo, o uso das letras maiúsculas é igual ao português. Elas são usadas em nomes próprios e no início de frases.

А я Анна Ива́новна Смирно́ва.
a iá _an_-na i-_vá_-nav-na smir-_no_-va
E eu sou Anna Ivánovna Smirnova.

Я белору́ска, но я живу́ в Москве́.
iá bie-la-_rús_-ka, no iá ji-_vú_ vmas-_kviê_.
Sou bielorrussa, mas eu moro em Moscou.

GRAMÁTICA

1. **O INFINITIVO DOS VERBOS**

A forma infinitiva (a forma terminada em "ar/er/ir") da maioria dos verbos em russo termina em -ть. Por exemplo:

рабо́тать (_ra-bô-tat'_) trabalhar   жить (_jít'_) viver

люби́ть (_liu-bit'_) amar/gostar   говори́ть (_ga-va-rit'_) falar

Note que o "t" em ть é brando devido ao sinal brando que o acompanha, e é pronunciado mais ou menos como "ts".
Alguns verbos não são terminados em -ть, como идти (*it-tí*), "ir" (a pé). Este verbo será apresentado mais tarde.

2. O TEMPO PRESENTE

Da mesma maneira que diferentes sujeitos pedem diferentes formas verbais em português (por exemplo, "eu vou", "ele vai"), os verbos em russo mudam a forma. Abaixo, o infinitivo dos verbos *trabalhar, morar/viver, amar/gostar* e *falar*. Note as terminações diferentes.

работать	жить	любить	говорить
ra-bô-tat'	jít'	liu-bit'	ga-va-rit'
trabalhar	viver/morar	gostar/amar	falar

A maioria dos verbos em russo termina em -ю na forma da primeira pessoa do singular: я люблю. Às vezes, a terminação é -у: я живу, я иду, mas a primeira pessoa do singular (я...) sempre termina em -ю depois de uma vogal: я работаю.

я	работаю	живу́	люблю́	говорю́
ia	ra-bô-ta-iu	ji-vu	liu-bliú	ga-va-riú
Eu	trabalho	moro/vivo	amo/gosto	falo

As terminações da segunda pessoa do singular são -ешь, -ёшь ou -ишь:

ты	рабо́т<u>аешь</u>	жив<u>ёшь</u>	лю́б<u>ишь</u>	говор<u>и́шь</u>
ty	ra-<u>bô</u>-ta-iech	ji-<u>viôch</u>	<u>liú</u>-bich	ga-va-<u>rich</u>
você/tu	trabalha/trabalhas	mora/moras/ vive/vives	gosta/gostas/ama/ amas	fala/falas

A terminação da terceira pessoa do singular é -ет, -ёт ou -ит:

он				
on				
ele				
она́	рабо́т<u>ает</u>	жив<u>ёт</u>	лю́б<u>ит</u>	говор<u>и́т</u>
a-<u>ná</u>	ra-<u>bô</u>-ta-iet	ji-<u>viôt</u>	<u>liú</u>-bit	ga-va-<u>rit</u>
ela	trabalha	mora/vive	gosta/ama	fala/falas
оно́				
a-<u>nô</u>				
isso				

As terminações da primeira pessoa do plural são -ем, -ём ou -им:

мы	рабо́т<u>аем</u>	жив<u>ём</u>	лю́б<u>им</u>	говор<u>и́м</u>
my	ra-<u>bo</u>-ta-iem	ji-<u>viôm</u>	<u>liú</u>-bim	ga-va-<u>rim</u>
nós	trabalhamos	moramos/ vivemos	gostamos/ amamos	falamos

As terminações da segunda pessoa do plural são -ете, -ёте ou -ите:

вы	рабо́т<u>ете</u>	жив<u>ёте</u>	лю́б<u>ите</u>	говор<u>и́те</u>
vy	ra-<u>bô</u>-ta-ie-tie	ji-<u>viô</u>-tie	<u>liú</u>-bi-tie	ga-va-<u>ri</u>-tie
você/ vós	trabalha/ trabalhais	mora/ morais/ vive/viveis	gosta/gostais/ama/ amais	fala/falais

As terminações da terceira pessoa do plural são -ют, -ут ou -ят:

они́	рабо́т<u>ают</u>	жив<u>у́т</u>	лю́б<u>ят</u>	говор<u>я́т</u>
a-ni	ra-<u>bô</u>-ta-iut	ji-<u>vut</u>	<u>liú</u>-biat	ga-va-<u>riát</u>
eles	trabalham	moram/ vivem	gostam/ amam	falam

Lição 4

O tempo presente em russo é como no português (eu trabalho), e a forma no gerúndio (eu estou trabalhando). Como em português, pode indicar uma ação no futuro:

За́втра я рабо́таю в библиоте́ке.
zaf-tra iá ra-*bô*-ta-iu vbi-bli-a-*tiê*-kie
Amanhã eu trabalho (vou trabalhar) na biblioteca.

Abaixo, alguns exemplos:

presente		Я рабо́таю в Москве́.
		iá ra-*bô*-ta-iu vmask-*viê*
		Eu trabalho em Moscou.
gerúndio		Сейча́с он живёт в Ми́нске.
		sei-*tchás* on ji-*viôt* v*mins*-kiê
		Ele está vivendo em Minsk no momento.
significado de futuro		За́втра она́ е́дет в Москву́.
		zaf-tra a-*ná* *iê*-diet vmask-*vu*
		Amanhã ela vai para Moscou.

---

3. VERBOS DE MOVIMENTO

O russo possui dois verbos para o "ir" (em português) – ir a pé ou ir com algum meio de transporte.
No diálogo, Paul pergunta a Natália como ela vai ao aeroporto: И как вы туда́ е́дете?
Ela responde que geralmente vai a pé (я иду́) até o ponto de ônibus, mas que hoje ela irá (я е́ду) de táxi. São dois verbos diferentes. я иду́ significa "eu vou a pé". Já я е́ду significa "eu vou" com algum meio de transporte.

IR A PÉ

идти ir a pé:
it-ti

    Я иду́. Eu estou indo.
    iá i-du

    ir a pé para algum destino específico:

    Я иду́ домо́й. Eu estou indo para casa.
    iá i-du da-môi

Também pode ter um significado de futuro:

    Я иду́ домо́й че́рез час. Eu vou para casa em uma hora.
    ia i-du da-môi tchê-ries tchás

ходи́ть Ir a pé frequentemente ou habitualmente.
kha-dit'

> Я ча́сто хожу́ в теа́тр. Eu frequentemente vou ao teatro.
> *iá tchás-ta kha-ju ftie-atr*

IR COM ALGUM MEIO DE TRANSPORTE

е́хать ir com algum meio de transporte:
iê-khat'

> Я е́ду. Eu estou indo. (*não* a pé)
> *ia iê-du*
>
> Ir a um lugar específico:
>
> Я е́ду домо́й. Eu estou indo para casa. (*não* a pé)
> *ia iê-du da-môi*
>
> Também pode ter um significado de futuro:
>
> Я е́ду домо́й че́рез час. Eu vou para casa em uma hora. (*não* a pé)
> *ia iê-du da-môi tchê-ries tchás*
>
> е́здить Ir frequentemente ou habitualmente com algum meio de transporte:
> *iêz-dit'*
>
> Он ча́сто е́здит в Москву́. Ele frequentemente vai (viaja) para Moscou.
> *on tchás-ta iêz-dit vmask-vu*

VOAR

лете́ть Voar, voar para algum lugar específico:
lie-tiêt'

> Она́ лети́т в Минск. Ela está voando para Minsk.
> *a-ná li-tit vminsk*
>
> Também pode ter um significado de futuro:
>
> Он лети́т в Москву́ че́рез час. Ele voará para Moscou em uma hora.
> *on li-tit v mask-vu tchê-ries tchás*

лета́ть Voar frequentemente ou habitualmente:
lie-tát'

> Она́ ча́сто лета́ет в Москву́. Ela frequentemente voa para Moscou.
> *a-ná tchás-ta lie-ta-iet vmask-vu*

4. O TEMPO PRESENTE DOS VERBOS DE MOVIMENTO

Estes são verbos usados com frequência. É importante memorizá-los.

	ИДТИ ir (uma vez) it-*ti*	ЕХАТЬ ir (uma vez) *iê*-khat'	ЛЕТЕТЬ voar (uma vez) lie-*tiêt'*
я	иду́ i-*du*	éду *iê*-du	лечу́ lie-*tchu*
ты	идёшь i-*diôch*	éдешь *iê*-diech	летишь lie-*tich*
он она́ оно́	идёт i-*diôt*	éдет *iê*-diet	летит lie-*tit*
мы	идём i-*diôm*	éдем *iê*-diem	летим lie-*tim*
вы	идёте i-*diô*-tie	éдете *iê*-di-tie	летите lie-*ti*-tie
они́	иду́т i-*dut*	éдут *iê*-dut	летя́т lie-*tiát*

	ХОДИ́ТЬ ir (geralmente) kha-*dit'*	ЕЗДИТЬ ir (geralmente) *iêz*-dit'	ЛЕТА́ТЬ voar (geralmente) lie-*tat'*
я	хожу́ kha-*ju*	éзжу *iêz*-ju	лета́ю lie-*tá*-iu
ты	хо́дишь *khô*-dich	éздишь *iêz*-dich	лета́ешь lie-*tá*-iech
он она́ оно́	хо́дит *khô*-dit	éздит *iêz*-dit	лета́ет lie-*tá*-iet
мы	хо́дим *khô*-dim	éздим *iêz*-dim	лета́ем lie-*tá*-iem
вы	хо́дите *khô*-di-tie	éздите *iêz*-di-tie	лета́ете lie-*tá*-ie-tie
они	хо́дят *khô*-diat	éздят *iêz*-diat	лета́ют lie-*tá*-iut

5. PREPOSIÇÕES

Abaixo, algumas preposições comuns em russo. Todas podem possuir diversos significados em português, de acordo com o contexto no qual são usadas. Alguns dos significados mais comuns são dados a seguir, com exemplos. Note que a forma do substantivo precedido pela preposição varia do caso nominativo – o caso que é dado no dicionário. Essas mudanças são explicadas na próxima parte.

ДО para, até, antes:
До Москвы 30 километров. São 30 quilômetros até Moscou. (МОСКВА = Moscou) *da mask-vy tri-tsat' ki-la-miê-traf*
До завтра! Até amanhã!
da zaf-tra (завтра = amanhã)
До свидания! Até logo! (свидание = encontro)/Até mais!
da svi-dá-nia

НА de, em, em cima de, dentro de, até, por, durante:
на улице na rua, fora (улица = rua)
na u-li-tse
на поезде no trem, de trem (поезд = trem)
na pô-iez-diê
билет на поезд um bilhete de trem
bi-liêt na pô-iest
Они живут на Кавказе. Eles moram/vivem no Cáucaso.
a-ni ji-vut na kaf-ka-zie (Кавказ = Cáucaso)
поезд на Кавказ um trem para o Cáucaso
po-iest na kaf-kas
на неделю por uma semana (неделя = semana)
na ni-diê-liu

У em (pode indicar posse), por, ao lado de:
у окна na janela (окно = janela)
u ak-ná
Она у Ивана. Ela está na casa do Ivan. (Иван = Ivan)
a-ná u i-va-na
У меня билет на самолёт. Eu tenho uma passagem de avião.
u mie-niá bi-liêt na sa-ma-liôt

ПО ao longo de, de, por, em uma língua
идти по улице andar ao longo da rua/pela rua
it-ti pa u-li-tse
по телефону por telefone/pelo telefone (телефон = telefone)
pa tie-lie-fô-nu
книга по математике um livro de matemática (математика = matemática)
kni-ga pa ma-tie-ma-ti-kie
по-американски do jeito americano
pa a-mie-ri-kans-ki
она говорит по-английски ela fala inglês
a-ná ga-va-rit pa-an-gliis-ki

Lição 4

в	dentro de, para, em,

в Москве́ em Moscou
vmask-viê
в Москву́ até Moscou
vmask-vu
в 2 часа́ às duas horas (час = hora)
v dva tcha-ssa

с	de, em/com (às vezes со antes de uma consoante: со мной = comigo)

с мо́ря do mar (мо́ре = mar)
smô-ria
с утра́ до но́чи de manhã até a noite (у́тро = manhã)
cu-trá da nô-tchi (ночь = noite)
два с полови́ной dois e meio (полови́на = metade)
dvá spa-la-vi-nai
иди́те со мной vá comigo
i-di-tie sa mnôi

из	de, em, fora de

Они́ из Ми́нска. Eles são de Minsk. (Минск = Minsk)
a-ni iz mins-ka
из уваже́ния em respeito (уваже́ние = respeito)
i-zu-va-jê-ni-ia
буке́т из роз buquê de rosas (ро́за = uma rosa)
bu-kiêt iz rós

к	para, em direção a, de, por,

е́хать к бра́ту ir à casa do irmão (брат = irmão)
iê-khat' k bra-tu
к утру́ para/de manhã (у́тро = manhã)
ku-tru
к ве́черу para/de tarde (ве́чер = tarde)
kviê-tchie-ru
ходи́ть от до́ма к до́му ir de casa em casa
kha-dit' ad dô-ma kdô-mu

о	sobre, de

кни́га о Москве́ um livro sobre Moscou
kni-ga a mask-viê
О чём вы говори́те? De que vocês estão falando? (чём = что? = o quê?)
a tchôm vy ga-va-ri-tie

6. OS SEIS CASOS DOS SUBSTANTIVOS NO SINGULAR

Quando substantivos são precedidos de preposições, eles mudam a terminação da forma nominativa e são "declinados" (colocados em casos). Há seis desses casos no singular e no plural. Em russo, as terminações

Lição 4

de caso (as terminações combinadas à base do substantivo) podem ter as mesmas funções que as preposições. Um bom exemplo disso é:

Письмо́ напи́сано преподава́телем. A carta foi escrita pelo professor.
pis'-mo na-pí-sa-na prie-pa-da-va-tie-liem

A forma nominativa de "professor" é преподава́тель. A terminação -ем em преподава́телем expressa o conceito de "pelo": pelo professor. Neste curso há muitos exemplos de tais construções, em que a preposição é expressa por meio da terminação do substantivo.

Abaixo, alguns exemplos da forma singular de alguns substantivos nos seis casos:

NOMINATIVO

masculino	feminino	neutro
стол mesa	Москва́ Moscou	мо́ре mar
stol	mask-va	mô-rie

O nominativo é geralmente usado para indicar o sujeito de uma frase:

Стол большо́й. A mesa é grande.
stol bal'-chôi

Москва́ большо́й го́род. Moscou é uma cidade grande.
mask-va bal'-chôi gô-rat

O nominativo é usado para indicar o predicativo do sujeito:

Ната́лья бухга́лтер. Natália é contadora.
na-tal'-ia bukh-gal-tir

А́нна преподава́тельница. Ana é professora.
an-na prie-pa-da-va-tiel'-ni-tsa

O nominativo também é usado como vocativo:

Пол! Иди́те сюда́! Paul, venha cá!
pol. i-di-tie siu-dá

ACUSATIVO

masculino	feminino	neutro
стол	Москву́	мо́ре
stol	mask-vu	mô-rie

Lição 4

Sem a preposição, o acusativo é usado como objeto direto de uma ação ou sentimento:

Я не о́чень люблю́ Москву́. Eu não gosto muito de Moscou.
ia niê ô-tchien' liu-bliú mask-vu

Я о́чень люблю́ Минск. Eu gosto muito de Minsk.
ia ô-tchien' liu-bliú minsk

Quando в e на são usados para indicar movimento, os substantivos também assumem a forma do acusativo:

Сего́дня она́ е́дет в Москву́. Hoje ela está indo para Moscou.
sie-vôd-nia a-ná iê-diet vmask-vu

А́нна е́дет в Минск. Ana está indo para Minsk.
an-na iê-diet vminsk

Они́ е́дут на́ мо́ре. Eles estão indo para o litoral/a costa.
a-ni iê-dut na mô-rie

GENITIVO

masculino	feminino	neutro
стола́	Москвы́	мо́ря
sta-lá	*mask-vy*	*môr-ia*

O genitivo sem preposição indica "de":

чемода́н Ива́на a mala do Ivan (nominativo Ива́н)
tchi-ma-dan i-vá-na

центр Москвы́ o centro de Moscou
tsentr mask-vy

O genitivo é usado depois de из, до, у, с:

Я из Новосиби́рска. Eu sou de Novossibírsk. (nom. Новосиби́рск)
ia iz na-va-ssi-birs-ka

до свида́ния até logo (nom. свида́ние)
da svi-dá-nia

у меня́ Eu tenho (nom. я)
u mie-niá

У Ива́на есть чемода́н. Ivan tem uma mala.
u i-va-na iêst' tchie-ma-dan

у Ива́на também pode significar "na casa de Ivan": Она́ у Ива́на. Ela está na casa de Ivan.
a-ná u i-va-na

Он идёт с работы. Ele está vindo do trabalho. (nom. работа)
on i-diôt s ra-bô-ty

DATIVO

masculino	feminino	neutro
столу́	Москве́	мо́рю
sta-lu	*mask-viê*	*mô-riu*

O dativo transmite a ideia de "para" no sentido de dar, mandar ou dizer algo para alguém ou ir de encontro a (ir na direção de) uma pessoa ou lugar. Abaixo, alguns exemplos do dativo sem preposição:

Я хочу́ помо́чь По́лу. Eu quero ajudar Paul.
ia kha-tchu pa-mô-tch' pô-lu

Помоги́те А́нне, пожа́луйста. Ajude a Ana, por favor.
pa-ma-gui-tie an-nie, pa-ja-lui-sta

Ива́ну хо́лодно. Ivan está com frio.
i-va-nu khô-la-dna

Abaixo, alguns exemplos do caso dativo com as preposições к e по:

Он говори́т по телефо́ну. Ele está falando ao telefone.
on ga-va-rit pa tie-lie-fô-nu

Она́ идёт по у́лице. Ela está andando pela rua.
a-na i-diôt pa u-li-tse

Я е́ду к врачу́. Eu estou indo ao médico.
ia iê-du k vra-tchu

INSTRUMENTAL

masculino	feminino	neutro
столо́м	Москво́й	мо́рем
sta-lôm	*mask-vôi*	*mô-riem*

Sem uma preposição, o instrumental é usado para indicar o instrumento com o qual algo é feito. No diálogo, Natália disse:

Я лечу́ туда́ на самолёте…Vou de avião…
ia lie-tchu tu-dá na sa-ma-liô-tie…

…а возвраща́юсь на по́езде …mas volto de trem.
…a vaz-vra-chtcha-ius' na po-iez-die

Lição 4

Ela poderia ter dito:

Я лечу́ туда́ самолётом... Vou de avião... (nom. самолёт)
ia lie-*tchu* tu-*dá* sa-ma-*liô*-tam...

...а возвраща́юсь по́ездом. ...mas volto de trem. (nom. по́езд)
...a vaz-vra-*chtcha*-ius' *po*-iez-dam.

самолётом = de avião
по́ездом = de trem

Abaixo, alguns exemplos do instrumental com с:

с удово́льствием com prazer (nom. удово́льствие)
su-da-*vol'*-stvi-iem

По́л говори́т с Ната́льей. Paul está falando com Natália.
pol ga-va-*rit* sna-*ta*-l'-iei

Я пое́ду с ва́ми. Eu vou com você. (nom. вы).
iá pa-*iê*-du *sva*-mi

PREPOSITIVO

masculino	feminino	neutro
столе́	Москве́	мо́ре
sta-*liê*	mask-*viê*	*mô*-rie

Esse caso é sempre precedido de uma preposição.
Quando в e на são usadas para indicar estar em um lugar – em oposição a ir a algum lugar –, elas são precedidas do prepositivo:

Она́ на рабо́те. Ela está no trabalho. (nom. рабо́та)
a-*ná* na ra-*bô*-tie

Он в ба́нке. Ele está no banco. (nom. банк)
on *vban*-kie

Кни́га на столе́. O livro está na mesa. (nom. стол)
kni-ga na sta-*liê*

Профе́ссор в университе́те. O professor está na universidade. (nom. университе́т)
pra-*fiê*-ssar vu-ni-vier-si-*tiê*-tie

A preposição о significa "sobre/a respeito de":

Они́ говоря́т о командиро́вке. Eles estão falando sobre a viagem de negócios. (nom. командиро́вка)
a-*ni* ga-va-*riát* a ka-man-di-*rôf*-kie

Lição 4

7. NÚMEROS DE 31 A 40

31 три́дцать оди́н
tri-tsat' a-din

32 три́дцать два
tri-tsat' dva

33 три́дцать три
tri-tsat' tri

34 три́дцать четы́ре
tri-tsat' tchie-ty-rie

35 три́дцать пять
tri-tsat' piát'

36 три́дцать шесть
tri-tsat' chest'

37 три́дцать семь
tri-tsat' siem'

38 три́дцать во́семь
tri-tsat' vô-ssiem'

39 три́дцать де́вять
tri-tsat' diê-viat'

40 со́рок
so-rak

ALGUMAS EXPRESSÕES ÚTEIS

Как вы поживáете? Como vai você?
kak vy pa-ji-va-ie-tie

Нормáльно. Tudo bem./ OK.
nar-mal'-na

Всё в поря́дке. Está tudo bem/tranquilo.
fsiô fpa-riát-kie

Как вáша женá? Como vai sua esposa?
kak va-cha jie-na

Как ваш муж? Como vai seu marido?
kak vach much

VOCABULÁRIO

O infinitivo dos verbos e o nominativo dos substantivos, pronomes e adjetivos são dados em parênteses quando necessário.

éхать (*iê-khat'*) ir, estar indo
в командирóвку (командирóвка) (*fka-man-di-rôf-ku*) numa viagem de negócios/a negócios
как (*kak*) como, de forma que, do jeito, como está/estão
вы знáете (знать) (*vy zna-ie-tiê*) você sabe
люби́ть (*liu-bit'*) amar/gostar
жить (*jit'*) viver
оте́ц (*a-tiêts*) pai
мать (*mat'*) mãe

Lição 4

также (*tag*-je) também
что (*chto*) que, o que
но (*no*) mas
у неё (*u nie-iô*) ela tem/na casa dela
свой♂/своя♀/своё n. (*svoi/sva-iá/sva-iô*) pronome reflexivo que significa "o seu próprio" [Isso será explicado mais tarde.]
отдельный♂/отдельная♀/отдельное n. (*ad-diêl'-nyi/ad-diêl'-na-ia/ad-diêl'-na-ie*) separado, individual
квартира (*kvar-ti-ra*) apartamento
ей (она) (*iêi*) para ela
ей нравится (нравиться) (*iêi nra-vi-tsa*) ela gosta
работа (*ra-bô-ta*) trabalho
сегодня (*sie-vôd-nia*) hoje
говорить (*ga-va-rit'*) falar, estar falando
лететь (*lie-tiêt'*) voar, estar voando (agora/para um lugar específico)
туда (*tu-dá*) para lá/lá
самолётом (самолёт) (*sa-ma-liô-tam*) de avião
я возвращаюсь (возвращаться) (*iá vaz-vra-chtcha-ius'*) estou voltando
поездом (поезд) (*po-iez-dam*) de trem
у меня есть (*u mie-niá iêst'*) eu tenho
билет (*bi-liêt*) bilhete/passagem
билет на самолёт (*bi-liêt na sa-ma-liôt*) uma passagem de avião
обратный♂/обратная♀/обратное n. (*a-brat-nyi/a-brat-na-ia/a-brat-na-ie n.*) de volta, volta
долго (*dol-ga*) longo/longamente (período de tempo)
вы будете (быть) (*vy bu-die-tiê*) você será
буду (быть) (*bu-du*) eu serei (note que em russo o я é geralmente omitido)
там (*tam*) lá
три дня (день) (*tri dniá*) três dias
много (*mnô-ga*) muito/muitos
много дел (дело) (*mnô-ga diêl*) muitas coisas/negócios/trabalho
часто (*tchas-ta*) geralmente
ездить (*iêz-dit'*) ir (frequentemente/habitualmente com um meio de transporte)
довольно (*da-vol'-na*) o bastante, suficiente
я бываю (*iá by-va-iu*) eu estou (em algum lugar), eu passo um tempo em...
бывать (*by-vat'*) estar em/visitar/ir
побывать (*pa-by-vat'*) estar em, passar algum tempo em, visitar
каждый♂/каждая♀/каждое n. (*kaj-dyi/kaj-da-ia/kaj-da-ie*) todo, cada
месяц (*miê-ssiats*) mês
мне хочется (*mniê khô-tchi-tsa*) eu quero
интересный♂/интересная♀/интересное n. (*in-tie-riês-nyi/in-tie-riês-na-ia/in-tie-riês-na-ie*) interessante

Lição 4

краси́вый ♂/краси́вая ♀/краси́вое *n.* (*kra-ssi-vyi/kra-ssi-va-ia/kra-ssi-va-ie*) bonito
го́род (*gô-rat*) cidade
пра́вда (*prav-da*) verdade, é verdade
никогда́ (*ni-kag-da*) nunca
нет вре́мени (вре́мя) (*niêt vriê-mie-ni*) não há tempo
гуля́ть (*gu-liát'*) Este é um verbo versátil, com vários significados idiomáticos: passear, divertir-se, sair, perambular, não fazer nada, ser infiel...
Почему́? (*pa-tchi-mu*) Por quê?
потому́ что... (*pa-ta-much-ta*...) porque...
Когда́? (*kag-da*) Quando?
он улета́ет (улета́ть) (*on u-li-ta-iet*) ele parte/está partindo (voando)
че́рез (*tchê-ris*) em, dentro de (tempo), depois
че́рез четы́ре часа́ (час) (*tchê-ris tchi-ty-rie tchi-ssa*) em quatro horas
из аэропо́рта (аэропо́рт) (*i-za-e-ra-por-ta*) do/fora do aeroporto
обы́чно (*a-by-tch-na*) geralmente
идти́ (*it-ti*) ir, estar indo
к (*k*) para, em direção a
авто́бусная остано́вка (*af-tô-bus-na-ia as-ta-nof-ka*) ponto de ônibus
на авто́бусе (авто́бус) (*na af-tô-bu-ssie*) de ônibus, em um ônibus
я пое́ду (пое́хать) (*ia pa-iê-du*) eu irei
я хочу́ (хоте́ть) (*ia kha-tchu*) eu quero
помо́чь (*pa-motch'*) ajudar
нести́ (*nies-ti*) carregar
чемода́нчик (*tchie-ma-dan-tchik*) mala pequena (forma diminutiva de чемода́н)
то́лько (*tol'-ka*) só, somente
тяжёлый♂/тяжёлая♀/тяжёлое *n.* (*tia-jô-lyi/tia-jô-la-ia/tia-jô-la-ie*) pesado, difícil
лёгкий♂/лёгкая♀/лёгкое *n.* (*liôkh-kii/liôkh-ka-ia/liôkh-ka-ie*) leve
проводи́ть (*pra-va-dit'*) acompanhar/supervisionar
за компа́нию (компа́ния) (*za kam-pa-ni-iu*) para a companhia
с удово́льствием (удово́льствие) (*su-da-vol'-stvi-iem*) com prazer
профе́ссор (♂ e ♀) (*pra-fiê-ssar*) professor (universitário)
жена́ (*je-na*) esposa
муж (*much*) marido

Lição 4

EXERCÍCIOS

Exercício A

Nas frases a seguir, as palavras dadas em parênteses estão no nominativo. Coloque-as no caso correto, quando necessário, e escreva a frase completa, com o sinal da sílaba tônica. Por exemplo:

Пол е́дет в (Аме́рика). Пол е́дет в Аме́рику.

1. Ива́н е́дет в (командиро́вка).

2. А́нна живёт в (Москва́).

3. Ната́лья рабо́тает в (банк).

4. У неё есть биле́т на (самолёт).

5. У (Ива́н) есть чемода́н.

6. Ната́лья лю́бит (своя́ рабо́та).

7. Сейча́с он на (рабо́та) в (университе́т).

8. Они́ е́дут от (Москва́) до (Минск).

9. Пол идёт по (у́лица).

10. У (я) биле́т на (по́езд).

11. Они́ лета́ют на (Кавка́з) (самолёт).

12. А́нна говори́т с (Ива́н) по (телефо́н).

13. Мы из (Минск), а живём в (Москва́).

14. Э́то хоро́шая кни́га по (матема́тика).

15. Пол о́чень лю́бит (Москва́), а я о́чень люблю́ (Нью-Йо́рк).

Concordância de sujeito com o verbo. Coloque o infinitivo do verbo em sua forma correta e escreva a frase completa.

1. Я (идти́) домо́й.

2. Ната́лья (е́хать) в Москву́ по́ездом.

3. Мы (лете́ть) в Вашингто́н че́рез час.

4. Вы ча́сто (лета́ть) в Ми́нск?

5. А́нна - профе́ссор. Она́ (рабо́тать) в университе́те.

6. Я не (люби́ть) Москву́.

7. Ната́лья (люби́ть) говори́ть с Ива́ном.

8. Пол (идти́) домо́й.

9. Мы ча́сто (ходи́ть) в теа́тр.

10. Оте́ц и мать Ива́на (жить) в Новосиби́рске.

Exercício B

Lição 4

Exercício C

Traduza as frases a seguir para o português.

1. Я америка́нка.

2. Я живу́ в кварти́ре в Нью-Йо́рке.

3. Мой оте́ц и моя́ мать не живу́т в Нью-Йо́рке.

4. Они́ живу́т и рабо́тают в Калифо́рнии.

5. Мой оте́ц – бухга́лтер, а мать – врач.

6. Я рабо́таю в о́фисе.

7. Я о́чень люблю́ свою́ рабо́ту.

8. Обы́чно я е́ду в аэропо́рт на авто́бусе, но сего́дня я е́ду туда́ на такси́.

9. Моя́ рабо́та тяжёлая, но о́чень интере́сная.

10. Сейча́с я е́ду домо́й с рабо́ты.

Exercício D

Passe as frases a seguir para o russo com a marca de sílaba tônica.

1. Minha mãe e meu pai vivem em Moscou.

2. Como está sua mãe?

3. Eu não gosto de São Petersburgo.

4. A mala grande é pesada.

5. A mala pequena é leve.
   _____

6. Eu fico em Moscou três ou quatro dias por mês.
   _____

7. Natália está na casa do Ivan.
   _____

8. Nós voamos para Moscou em três horas.
   _____

Verdadeiro ou falso?

1. Áнна Ивáновна Смирнóва живёт и рабóтает в Мúнске.
2. Отéц и мать Áнны Ивáновны живýт в Белорýссии.
3. Натáлья Петрóвна из Новосибúрска.
4. Сегóдня Пол éдет в командирóвку в Санкт-Петербýрг.
5. Натáлья не любит свою рабóту в бáнке.
6. Натáлья летúт в Санкт-Петербýрг на самолёте.
7. У неё тяжёлый чемодáн.
8. Онá улетáет из аэропóрта Шеремéтьево-2.
9. Онá éдет в аэропóрт на автóбусе.
10. Онá éдет в аэропóрт с Пóлом.

Exercício E

Visite www.berlitzpublishing.com para atividades extras na internet – vá para a seção de downloads e conecte-se ao mundo em russo!

Lição

5
ВСТРЕ́ЧА *fstriê-tcha*
UM ENCONTRO

NOTA SOBRE A TRANSLITERAÇÃO
A partir desta lição você vai notar uma pequena mudança na transliteração: agora indicaremos onde as palavras se unem naturalmente no russo falado. Na maioria dos casos, as preposições unem-se aos substantivos que as precedem, por exemplo: в Санкт-Петербу́рге = *fsankt-pi-tir-bur-guie*; в конце́ концо́в = *fkan-tsê kan-tsof*.

"Natacha" e "Volódia" são diminutivos de "Natália" e "Vladímir".

Сего́дня Ната́ша в Санкт-Петербу́рге. Сейча́с она́ в гости́нице. Она́ пыта́ется позвони́ть своему́ колле́ге Воло́де. Но э́то не легко́. Э́то про́сто тру́дно. Иногда́ но́мер за́нят, а иногда́ никто́ не отвеча́ет. Э́то о́чень доса́дно! Но в конце́ концо́в ей удаётся дозвони́ться и поговори́ть с ним...

*sie-vôd-nia na-ta-cha fsankt-pie-tier-bur-guie. sei-tchás a-ná vgas-ti-
-ni-tse. a-ná py-ta-ie-tsa paz-va-nit' sva-ie-mu ka-liê-guie va-lô-die.
no é-ta niê liek-ko. é-ta pros-ta trud-na. i-nag-da no-mier zá-niat
a i-nag-dá nie-ktô niê at-vie-tchá-iet. é-ta ó-tchien' da-ssad-na. no
fkan-tsê kan-tsof iêi u-da-iô-tsa daz-va-ni-tsa i pa-ga-va-rit' snim...*

Lição 5

Hoje Natacha está em São Petersburgo. Nesse momento ela está no hotel. Ela está tentando telefonar para seu colega, Volódia. Mas não é fácil. É muito difícil. Às vezes a linha está ocupada, e às vezes ninguém atende. É desanimador! Mas finalmente ela consegue completar a ligação e falar com ele...

Володя — Слушаю вас.
slu-cha-iu vas
Alô. (lit. "Eu escuto você".)

Наташа — Володя? Здравствуйте. Это Наташа.
va-lô-dia. zdras-tvui-tie. é-ta na-ta-cha
Volódia? Olá. É a Natacha.

Володя — Добрый день, Наташа. Вы откуда?
dô-bryi, na-ta-cha. vy at-ku-da
Boa tarde, Natacha. De onde você está ligando?

Наташа — Я здесь, в гостинице "Нева". Я уже целый час звоню вам.
iá zdiês' fgas-ti-ni-tsiê nie-va. ia u-jê tsê-lyi tchás zva-niú vam
Eu estou aqui, no Hotel Nievá. Já estou ligando faz uma hora.

Володя — Я был очень занят. Майк звонил мне из Америки. Мы говорили очень долго.
ia byl ô-tchien' za-niat. maik zva-nil mniê iz a-miê-ri-ki. my ga-va-ri-li ô-tchien' dol-ga
Eu estava muito ocupado. Mike estava me ligando dos Estados Unidos. Nós conversamos por um bom tempo.

Наташа — Когда мы можем встретиться? У меня к вам много вопросов.
kag-da my mó-jem fstriê-ti-tsa. u mie-niá k vam mno-ga va-prô-ssaf
Quando podemos nos encontrar? Tenho muitas perguntas para você.

Володя — Который час сейчас?
ka-tô-ryi tchás sei-tchás?
Que horas são agora?

Наташа — Сейчас десять часов.
sei-tchás diê-ssiat' tchi-ssof
São dez horas.

Lição 5

Володя Вы мо́жете прие́хать сейча́с?
vy mo-je-tie pri-iê-khat' si-tchás
Você pode vir agora?

Ната́ша К сожале́нию, сейча́с не могу́. У меня́ ещё одна́ встре́ча сего́дня, в оди́ннадцать часо́в.
ksa-ja-liê-ni-iu sei-tchás niê ma-gu. u mie-niá i-chtchô ad-ná fstriê-tcha sie-vôd-nia va-di-na-tsat' tcha-ssof
Infelizmente agora não posso. Tenho outro encontro hoje às onze.

Володя Мо́жет быть, пообе́даем вме́сте в час дня?
mo-jet byt' pa-a-biê-da-iem vmiês-tie ftchas dniá?
Talvez possamos almoçar juntos à uma?

Ната́ша Извини́те, но я уже́ договори́лась пообе́дать с колле́гами, с кото́рыми я встреча́юсь в оди́ннадцать. Мо́жет быть, встре́тимся в три?
iz-vi-ni-tie no iá u-jê da-ga-va-ri-las' pa-a-biê-dat' ska-liê-ga-mi ska-tô-ry-mi ia fstri-tcha-ius' va-di-nat-tsat'. mô-jet byt' fstriê-tim-sia ftri?
Desculpe, mas já combinei de almoçar com os colegas que vou encontrar às onze. Talvez possamos nos encontrar às três?

Володя В три не могу́. А е́сли в полпя́того? Вам удо́бно?
ftri niê ma-gu. a iês-li fpal-piá-ta-va. vam u-dô-bna?
Às três eu não posso. E que tal às quatro e meia? Fica bom para você?

Ната́ша Замеча́тельно!
za-mie-tcha-tiel'-na
Ótimo!

Володя Договори́лись! Я бу́ду ждать вас в четы́ре три́дцать у себя́ в кабине́те.
da-ga-va-ri-lis'. ia bu-du jdat' vas ftchie-ty-rie tri-tsat' u sie-biá fka-bi-niê-tie
Fechado! Espero você às quatro e meia em meu escritório.

Ната́ша Воло́дя, я хочу́ спроси́ть, есть ли у вас кака́я-нибу́дь информа́ция о фи́рме, где рабо́тает Майк? Мы хоте́ли бы созда́ть совме́стное предприя́тие с америка́нской фи́рмой.
va-lô-dia iá kha-tchu spra-ssit' iêst' li u vas ka-ka-ia ni but' in-far-ma-tsi-ia a fir-mie gdiê ra-bô-ta-iet maik? my kha-tiê-li by saz-dat' sav-miêst-na-ie priet-pri-iá-ti-ie sa--mie-ri-kans-kai fir-mai
Volódia, gostaria de saber se você tem alguma informação sobre a firma onde Mike trabalha. Nós queríamos estabelecer uma parceria com uma firma americana.

Володя	Да, они прислали нам свои рекламные проспекты. *da a-<u>ni</u> pris-<u>la</u>-li nam sva-i rie-<u>klam</u>-ny-ie pras-<u>piêk</u>-ty* Sim, eles nos mandaram os panfletos promocionais.
Наташа	Чудесно! Тогда до встречи! *tchu-<u>diês</u>-na. tag-<u>da</u> da-<u>fstriê</u>-tchi* Fantástico! Então até mais tarde!
Володя	До встречи, Наташа! Всего доброго. *da <u>fstriê</u>-tchi na-<u>ta</u>-cha. fsie-<u>vô</u> <u>dô</u>-bra-va* Até mais tarde, Natacha! Tudo de bom.
Наташа	До свидания, Володя! *da svi-<u>da</u>-nia va-<u>lô</u>-dia* Até logo, Volódia.

GRAMÁTICA

Observação: você encontrará no livro abreviações para os nomes dos casos.
Nom. = nominativo, ac. = acusativo, gen. = genitivo, dat. = dativo, instr. = instrumental, e prep. = prepositivo.

---

1. A DECLINAÇÃO DE PRONOMES PESSOAIS

A Lição 4 se ateve à declinação dos substantivos no singular. Pronomes também assumem diversas formas no singular e no plural. Você deve ter notado que colocamos "н" entre parênteses antes de его, ему, им, её, ей, их, им e ими. Isso acontece porque, às vezes, em russo, um som de "n" é inserido para facilitar a pronúncia de uma combinação de letras: por exemplo, у его (*u i-<u>vô</u>*) possui dois sons de vogal juntos e isso é mais difícil de ser pronunciado do que у него (*u nie-<u>vô</u>*), que flui mais facilmente. Lembre-se de que, em russo, o pronome "isso" deve concordar em gênero com o objeto que representa: книга é feminino e é referido por она, e стол é masculino e é referido por он. Море, por outro lado, é neutro e é referido por оно.

Lição 5

PRONOMES PESSOAIS

Singular:

	eu	tu/você	ele/isso	ela/isso
Nom.	я *iá*	ты *ty*	он/онó *on/a-nô*	онá *a-ná*
Ac.	меня́ *mie-niá*	тебя́ *tie-biá*	(н)егó *(n)ie-vô*	(н)её *(n)ie-iô*
Gen.	меня́ *mie-niá*	тебя́ *tie-biá*	(н)егó *(n)ie-vô*	(н)её *(n)ie-iô*
Dat.	мне *mniê*	тебé *tie-biê*	(н)емý *(n)ie-mu*	(н)ей *(n)iêi*
Instr.	мнóй * *mnôi*	тобóй * *ta-bôi*	(н)им *(n)im*	(н)éй * *(n)iêi*
Prep.	мне *mniê*	тебé *tie-biê*	нём *niôm*	ней *niêi*

* As formas no instrumental мнóю, тобóю, éю, нéю também existem, mas são menos comuns.

Plural:

	nós	vós/vocês	eles
Nom.	мы *my*	вы *vy*	они́ *a-ni*
Ac.	нас *nas*	вас *vas*	(н)их *(n)ikh*
Gen.	нас *nas*	вас *vas*	(н)их *(n)ikh*
Dat.	нам *nam*	вам *vam*	(н)им *(n)im*
Instr.	нáми *na-mi*	вáми *va-mi*	(н)и́ми *(n)i-mi*
Prep.	нас *nas*	вас *vas*	них *nikh*

Abaixo, alguns exemplos de como os pronomes pessoais variam de acordo com o caso.

Nominativo:
Я иду́ домо́й. Estou indo para casa.
iá i-du da-môi
Ты идёшь домо́й. Tu estás indo para casa./ Você está indo para casa.
ty i-diôch' da-môi
Он♂/она♀ идёт домо́й. Ele/ela está indo para casa.
on/a-ná i-diôt da-môi
Мы идём домо́й. Nós estamos indo para casa.
my i-diôm da-môi
Вы идёте домо́й. Vós estais indo para casa./ Vocês estão indo para casa.
vy i-diô-tie da-môi
Они́ иду́т домо́й. Eles estão indo para casa.
a-ni i-dut da-môi

Acusativo:
Воло́дя о́чень лю́бит её. Volódia gosta muito dela.
va-lô-dia ô-tchien' liú-biet ie-iô
Ната́ша о́чень лю́бит его́. Natacha gosta muito dele.
na-ta-cha ô-tchien' liú-biet ie-vô
Я люблю́ тебя́. Eu amo você. (Aqui você deve usar a forma ты!)
ia liu-bliú tie-biá
Пол проводи́л нас в аэропо́рт. Paul acompanhou-nos ao aeroporto.
pol pra-va-dil nas va-i-ra-port

Genitivo:
У меня́ есть па́спорт. Eu tenho um passaporte.
u mie-niá iêst' pas-part
У тебя́ есть па́спорт? Você tem um passaporte?
u tie-biá iêst' pas-part
У него́ есть биле́т на самолёт. Ele tem uma passagem de avião.
u nie-vô iêst' bi-liêt na sa-ma-liôt
У неё есть большо́й чемода́н. Ela tem uma mala grande.
u nie-iô iêst' bal'-chôi tchie-ma-dan
У нас есть хоро́шая кварти́ра. Nós temos um bom apartamento.
u nas iêst' kha-rô-cha-ia kvar-ti-ra
У вас есть биле́ты в теа́тр? Você tem entradas para o teatro?
u vas iêst' bi-liê-ty ftie-a-tr?
У них есть но́вая маши́на. Eles têm um carro novo.
u nikh iêst' nô-va-ia ma-chi-na

Preste atenção às expressões:
Его́ нет в Москве́. Ele não está em Moscou.
ie-vô niêt vmask-viê
Её нет до́ма. Ela não está em casa.
ie-iô niêt dô-ma
Их нет в о́фисе. Eles não estão no escritório.
ikh niêt vô-fi-ssie

Dativo:

Мне нравится жить в Москве. Eu gosto de morar em Moscou.
mniê <u>nra</u>-vi-tsa jit' vmask-<u>viê</u>
Ему нравится работать в университете. Ele gosta de trabalhar na universidade.
ie-<u>mu</u> <u>nra</u>-vi-tsa ra-<u>bô</u>-tat' vu-ni-vir-si-<u>tiê</u>-tie
Они прислали нам свои проспекты. Eles nos mandaram os panfletos.
a-<u>ni</u> pris-<u>la</u>-li nam sva-<u>i</u> pras-<u>piê</u>-kty
Мы прислали им билеты на самолёт. Nós mandamos a eles (algumas) passagens de avião.
my pris-<u>la</u>-li im bi-<u>liê</u>-ty na sa-ma-<u>liôt</u>
Я хочу помочь вам. Eu quero ajudar você.
ia kha-<u>tchu</u> pa-<u>motch</u> vam

Instrumental:

Я поеду с вами. Eu vou com você.
ia pa-<u>iê</u>-du <u>sva</u>-mi
Она говорила с ними. Ela estava conversando com eles.
a-<u>ná</u> ga-va-<u>ri</u>-la <u>sni</u>-mi
Идите с ней. Vá com ela.
i-<u>di</u>-tie sniêi
Наташа идёт со мной в театр. Natacha vai comigo ao teatro.
na-<u>ta</u>-cha i-<u>diôt</u> sa-<u>mnôi</u> ftie-<u>a</u>-tr

Prepositivo:

Пол и Наташа говорят о них. Paul e Natacha estão falando sobre eles.
pol i na-<u>ta</u>-cha ga-va-<u>riát</u> a nikh
Не говорите обо мне! Não fale de mim! (sobre mim!)
niê ga-va-<u>ri</u>-tie a-ba <u>mniê</u>
информация о ней informações sobre ela
in-far-<u>ma</u>-tsi-ia a <u>niêi</u>

---

2. A DECLINAÇÃO DE SUBSTANTIVOS

Como você sabe, os substantivos possuem três gêneros em russo: masculino, feminino e neutro. Agora veremos exemplos detalhados de cada um dos três. Não tente memorizá-los. Você terá diversos exemplos práticos nos diálogos posteriores. Use esta parte como referência, quando necessário, em seus estudos durante o curso.

SUBSTANTIVOS MASCULINOS

Todos os substantivos que terminam em -й ou em consoante no nominativo são masculinos: сарай (*sa-<u>rai</u>*) galpão, герой (*guie-<u>rôi</u>*) herói, край (*krai*) beira/limite/fronteira, дом (*dom*) casa/lar, автобус (*af-<u>tô</u>-bus*) ônibus, поезд (*<u>pô</u>-iest'*) trem.

Alguns substantivos terminados em -ь são masculinos, como: преподаватель (*prie-pa-da-<u>va</u>-tiel'*) professor, день (*diên'*) dia, словарь (*sla-<u>var'</u>*) dicionário, рубль (*rubl'*) rublo.

Alguns substantivos terminados em -а ou -я são masculinos, como: мужчи́на (*mu-chtchi-na*) homem, дя́дя (*diá-dia*) tio. Embora sejam masculinos, são declinados como substantivos femininos. Abaixo, alguns exemplos:

Singular:

	mesa	fronteira	dia	tio
Nom.	стол *stol*	кра́й *krai*	день *diên'*	дя́дя *diá-dia*
Ac.	стол *stol*	кра́й *krai*	день *diên'*	дя́дю *diá-diu*
Gen.	стола́ *sta-lá*	кра́я *kra-ia*	дня *dniá*	дя́ди *diá-di*
Dat.	столу́ *sta-lu*	кра́ю *kra-iu*	дню *dniú*	дя́де *diá-die*
Instr.	столо́м *sta-lom*	кра́ем *kra-iem*	днём *dniôm*	дя́дей *diá-diei*
Prep.	столе́ *sta-liê*	кра́е *kra-ie*	дне *dniê*	дя́де *diá-die*

Plural:

	mesas	fronteiras	dias	tios
Nom.	столы́ *sta-ly*	края́ *kra-iá*	дни *dni*	дя́ди *diá-di*
Ac.	столы́ *sta-ly*	края́ *kra-iá*	дни *dni*	дя́дей *diá-diei*
Gen.	столо́в *sta-lof*	краёв *kra-iôf*	дней *dniêi*	дя́дей *diá-diei*
Dat.	стола́м *sta-lam*	края́м *kra-iám*	дням *dniám*	дя́дям *diá-diam*
Instr.	стола́ми *sta-la-mi*	края́ми *kra-iá-mi*	дня́ми *dniá-mi*	дя́дями *diá-dia-mi*
Prep.	стола́х *sta-lakh*	края́х *kra-iákh*	днях *dniákh*	дя́дях *diá-diakh*

SUBSTANTIVOS FEMININOS

Todos os substantivos terminados em -ия são femininos: истóрия (*is-tô-ri-ia*) história, фамúлия (*fa-mi-li-ia*) sobrenome, Россúя (*ra-ssi-ia*) Rússia, Áнглия (*ân-gli-ia*) Inglaterra.

Todos os substantivos terminados em -сть são femininos. A única exceção comum é гость (*gost'*), visita/convidado, que é masculino, independentemente de o convidado ser homem ou mulher. Eles incluem глáсность (*glas-nast'*) abertura, крéпость (*kriê-past'*) castelo/fortaleza, скрóмность (*skrom-nast'*) modéstia, устáлость (*us-ta-last'*) cansaço.

Quase todos os substantivos terminados em -а ou -я ou são femininos: кнúга (*kni-ga*) livro, дорóга (*da-rô-ga*) estrada/caminho, земля́ (*ziem-liá*) terra/terreno, семья́ (*sim'-iá*) família, кýхня (*kukh-nia*) cozinha.

Abaixo, alguns exemplos da declinação de substantivos femininos:

Singular:				
	história	castelo/fortaleza	estrada/caminho	terra/terreno
Nom.	истóрия *is-tô-ri-ia*	крéпость *kriê-past'*	дорóга *da-rô-ga*	земля́ *zim-liá*
Ac.	истóрию *is-tô-ri-iu*	крéпость *kriê-past'*	дорóгу *da-rô-gu*	зéмлю *ziêm-liu*
Gen.	истóрии *is-tô-ri-i*	крéпости *kriê-pas-ti*	дорóги *da-rô-gui*	земли́ *zim-li*
Dat.	истóрии *is-tô-ri-i*	крéпости *kriê-pas-ti*	дорóге *da-rô-guie*	землé *zim-liê*
Instr.	истóрией *is-tô-ri-iei*	крéпостью *kriê-pas-t'iu*	дорóгой *da-rô-gai*	землёй *zim-liôi*
Prep.	истóрии *is-tô-ri-i*	крéпости *kriê-pas-ti*	дорóге *da-rô-guie*	землé *zim-liê*

Plural:

	histórias	castelos/ fortalezas	estradas/ caminhos	terras/ terrenos
Nom.	истории is-_tô_-ri-i	крепости _kriê_-pas-ti	дороги da-_rô_-gui	земли _ziêm_-li
Ac.	истории is-_tô_-ri-i	крепости _kriê_-pas-ti	дороги da-_rô_-gui	земли _ziêm_-li
Gen.	историй is-_tô_-rii	крепостей _kriê_-pas-tiei	дорог da-_rok_	земель zie-_miêl'_
Dat.	историям is-_tô_-ri-iam	крепостям _kriê_-pas-tiam	дорогам da-_rô_-gam	землям _ziêm_-liam
Instr.	историями is-_tô_-ri-ia-mi	крепостями _kriê_-pas-tia-mi	дорогами da-_rô_-ga-mi	землями _ziêm_-liá-mi
Prep.	историях is-_tô_-ri-iakh	крепостях _kriê_-pas-tiakh	дорогах da-_rô_-gakh	землях _ziêm_-liakh

SUBSTANTIVOS NEUTROS

Substantivos neutros não "dividem terminações" com os substantivos masculinos ou femininos. Todos eles têm uma das terminações abaixo:

-o : село (_sie-lô_) aldeia, вино (_vi-nô_) vinho, дело (_diê-la_) negócio

-e : солнце (_son_-tse) sol, море (_mô_-rie) mar, поле (_pô_-lie) campo

-ие : здание (_zda_-ni-ie) prédio/construção, собрание (sa-_bra_-ni-ie) reunião

-ье : ожерелье (a-je-_riêl'_-ie) colar

-ьё : враньё (_vran'-iô_) mentira, мытьё (_myt'-iô_) (o processo de) lavar

-мя: время (_vriê_-mia) tempo, имя (_i_-mia) nome

Lição 5

Abaixo, alguns exemplos da declinação de substantivos neutros:

Singular:

	negócio	campo	nome
Nom.	дéло _diê_-la	пóле _pô_-lie	и́мя _i_-mia
Ac.	дéло _diê_-la	пóле _pô_-lie	и́мя _i_-mia
Gen.	дéла _diê_-la	пóля _pô_-lia	и́мени _i_-mi-ni
Dat.	дéлу _diê_-lu	пóлю _pô_-liu	и́мени _i_-mi-ni
Instr.	дéлом _diê_-lam	пóлем _pô_-liem	и́менем _i_-mi-niem
Prep.	дéле _diê_-lie	пóле _pô_-lie	и́мени _i_-mi-ni

Plural:

	negócios	campos	nomes
Nom.	делá die-_lá_	поля́ pa-_liá_	именá i-mia-_ná_
Ac.	делá die-_lá_	поля́ pa-_liá_	именá i-mie-_ná_
Gen.	дел diêl	полéй pa-_liêi_	имён i-_miôn_
Dat.	делáм die-_lam_	поля́м pa-_liám_	именáм i-mie-_nam_
Instr.	делáми die-_la_-mi	поля́ми pa-_liá_-mi	именáми i-mie-_na_-mi
Prep.	делáх die-_lakh_	поля́х pa-_liákh_	именáх i-mie-_nakh_

3. O FUTURO DOS VERBOS "SER/ESTAR"

Na Lição 4, Paul perguntou a Natacha: Вы до́лго бу́дете в Санкт-Петербу́рге?. "Você ficará muito tempo em São Petersburgo?" Ela respondeu: Я бу́ду там три дня, "Ficarei lá por três dias".

Na Lição 5, Volódia diz: Я бу́ду ждать вас, "Eu vou esperar por você." (Aqui вас é a forma genitiva de вы.)

O futuro de быть "ser/estar" não é complicado:

Singular:	Plural:
я бу́ду ia *bu*-du eu serei/estarei	мы бу́дем mi *bu*-diem nós seremos/estaremos
ты бу́дешь ty *bu*-diech você (informal) será/estará, tu serás/estarás	вы бу́дете vy *bu*-die-tie vocês serão/estarão, vós sereis/estareis
он/она́/оно́ бу́дет on/a-*ná*/a-*nô bu*-diet ele, ela, isso será/estará	они́ бу́дут a-*ni bu*-dut eles serão/estarão

O futuro composto pode ser formado usando o futuro de быть + o infinitivo de outro verbo, como em Я бу́ду ждать вас, "Eu vou esperar por você."

Abaixo, alguns outros exemplos do futuro de быть:

Где вы бу́дете за́втра ве́чером?
gdiê vy *bu*-die-tie *zaf*-tra *viê*-tchie-ram
Onde você vai estar amanhã à tarde?

Я бу́ду до́ма.
ia *bu*-du *dô*-ma
Eu vou estar em casa.

Мы бу́дем жить в Москве́.
my *bu*-diem jit' vmask-*viê*
Nós vamos viver em Moscou.

Они́ бу́дут рабо́тать в Санкт-Петербу́рге.
a-*ni bu*-dut ra-*bô*-tat' fsankt-pie-tier-*bur*-guie
Eles vão trabalhar em São Petersburgo.

Você já teve contato com a forma у меня́ есть. Há também uma forma futura:

У меня́ бу́дет своя́ отде́льная кварти́ра.
u mie-*niá bu*-diet sva-*iá* ad-*diêl'*-na-ia kvar-*ti*-ra
Eu vou ter meu próprio apartamento.

Lição 5

Зáвтра у них бýдут билéты.
zaf-tra u nikh bu-dut bi-liê-ty
Amanhã eles vão ter bilhetes.

4. **O PASSADO DOS VERBOS**

O passado dos verbos é menos complicado que o presente. Para a maioria dos verbos, é formado ao removermos o -ть da forma infinitiva e acrescentarmos -л (masculino singular), -ла (feminino singular), -ло (neutro singular) e -ли para todos os gêneros em todas as formas plurais. Abaixo, algumas conjugações:

Plural:

	trabalhar	morar/viver	amar/gostar	falar
	рабóтать *ra-bô-tat'*	жить *jit'*	любить *liu-bit'*	говорить *ga-va-rit'*
я ♂	рабóтал *ra-bô-tal*	жил *jil*	любил *liu-bil*	говорил *ga-va-ril*
я ♀	рабóтала *ra-bô-ta-la*	жилá *ji-lá*	любила *liu-bi-la*	говорила *ga-va-ri-la*
ты ♂	рабóтал *ra-bô-tal*	жил *jil*	любил *liu-bil*	говорил *ga-va-ril*
ты ♀	рабóтала *ra-bô-ta-la*	жилá *ji-lá*	любила *liu-bi-la*	говорила *ga-va-ri-la*
он	рабóтал *ra-bô-tal*	жил *jil*	любил *liu-bil*	говорил *ga-va-ril*
онá	рабóтала *ra-bô-ta-la*	жилá *ji-lá*	любила *liu-bi-la*	говорила *ga-va-ri-la*
онó	рабóтало *ra-bô-ta-la*	жило *ji-la*	любило *liu-bi-la*	говорило *ga-va-ri-la*
мы вы они	рабóтали *ra-bô-ta-li*	жили *ji-li*	любили *liu-bi-li*	говорили *ga-va-ri-li*

Abaixo, alguns exemplos:

Вчера́ мы рабо́тали в Ми́нске. Ontem nós trabalhamos em Minsk.
ftchie-ra my ra-bô-ta-li vmins-kie

В про́шлом году́ я жил в Москве́. E eu morei em Moscou no ano passado.
fproch-lam ga-du iá jil vmask-viê

Я о́чень люби́л его́. Eu gostava muito dele.
ia ó-tchien' liu-bil ie-vô

Ива́н говори́л с Ма́йком. Ivan estava conversando com Mike.
i-van ga-va-ril smai-kam

5. NÚMEROS DE 40 A 100

40 со́рок *so-rak*	50 пятьдеся́т *pia-die-ssiát*	55 пятьдеся́т пять *pia-die-ssiát piát'*
60 шестьдеся́т *chies-die-ssiát*	63 шестьдеся́т три *ches-die-ssiát tri*	70 се́мьдесят *siêm-die-ssiat*
73 се́мьдесят три *siêm-die-ssiat tri*	80 во́семьдесят *vô-ssiem-die-ssiat*	82 во́семьдесят два *vô-ssiem-die-ssiat dva*
90 девяно́сто *die-via-nos-ta*	91 девяно́сто оди́н *die-via-nos-ta a-din*	100 сто *sto*

ALGUMAS EXPRESSÕES ÚTEIS

Кото́рый час? Que horas são?
ka-tô-ryi tchás

В кото́ром часу́ улета́ет самолёт? Que horas o avião parte?
fka-tô-ram tcha-ssu u-lie-tá-iet sa-ma-liôt?

В кото́ром часу́ прилета́ет самолёт? Que horas o avião chega?
fka-to-ram tcha-ssu pri-lie-ta-iet sa-ma-liôt?

Я вас не понима́ю. Eu não compreendo você.
iá vas niê pa-ni-ma-iu

Говори́те ме́дленно, пожа́луйста. Fale devagar, por favor.
ga-va-ri-tie miê-dlien-na pa-ja-lui-sta

Lição 5

VOCABULÁRIO

Até o final do curso, os verbos serão apresentados no infinitivo e os substantivos no nominativo singular. A forma da palavra no diálogo também será dada, se necessário. O gênero do substantivo aparecerá apenas nos casos em que a forma não estiver clara.

договори́ться (*da-ga-va-ri-tsa*) concordar (sobre algo)
гости́ница (*gas-ti-ni-tsa*) hotel
пыта́ться (*py-ta-tsa*) tentar
позвони́ть (*paz-va-nit'*) telefonar (usado apenas nos tempos passado e futuro)
звони́ть (*zva-nit'*) telefonar, estar telefonando
дозвони́ться (*daz-va-ni-tsa*) deixar o telefone tocar até ser atendido, conseguir falar com alguém
колле́га (*kal-liê-ga*) colega
легко́ (*liek-kô*) fácil
про́сто (*pros-ta*) simplesmente
тру́дно (*trud-na*) difícil
иногда́ (*i-na-gda*) às vezes
но́мер (*nô-mier*) número, quarto de hotel
за́нят (*zá-niát*) ocupado
никто́ (*nik-tô*) ninguém
отвеча́ть (*at-vie-tchat'*) responder
доса́дно (*da-ssa-dna*) frustrante
коне́ц (*ka-niêts*) fim
в конце́ концо́в (*fkan-tsê kan-tsof*) no fim das contas/no fim
ей удаётся (*iêi u-da-iô-tsa*) ela tem sucesso/ela consegue
поговори́ть (*pa-ga-va-rit'*) conversar/bater um papo
слу́шать (*slu-chat'*) ouvir
до́брый♂/до́брая♀/до́брое n. (*dô-bryi/dô-bra-ia/dô-bra-ie*) bom, bondoso
Отку́да? (*at-ku-da*) De onde?
здесь (*zdiês'*) aqui
уже́ (*u-jê*) já
це́лый♂/це́лая♀/це́лое n. (*tsê-lyi/tsê-la-ia/tsê-la-ie* n.) inteiro/todo
час (*tchás*) hora
до́лго (*dol-ga*) longamente/por muito tempo
мочь (*motch*) poder/ser capaz de
я могу́ (*ia ma-gu*) eu posso
мы мо́жем (*my mô-jem*) nós podemos
вы мо́жете (*vy mô-je-tie*) você pode
мо́жет быть (*mô-jet' byt'*) talvez, pode ser
встре́титься (*fstriê-ti-tsa*) encontrar/conhecer
кото́рый♂/кото́рая♀/кото́рое n. (*ka-tô-ryi/ka-tô-ra-ia/ka-tô-ra-ie*) o qual, a qual, o qual

Lição 5

приехать (*pri-iê-khat'*) vir
сожаление (*sa-ja-liê-ni-ie*) pena, arrependimento
к сожалению (*k sa-ja-liê-ni-iu*) infelizmente, lamentavelmente
пообедать (*pa-a-biê-dat'*) almoçar
вместе (*vmiês-tie*) junto/juntos
извинить (*iz-vi-nit'*) perdoar
встречаться (*fstri-tchá-tsa*) encontrar-se
удобно (*u-dô-bna*) conveniente
Замечательно! (*za-mie-tchá-tiel'-na*) Ótimo!/Fantástico!
ждать (*jdat'*) esperar
кабинет (*ka-bi-niêt*) escritório/gabinete
у себя в кабинете (*u sie-biá fka-bi-niê-tie*) em seu escritório/gabinete
хотеть (*kha-tiêt'*) querer
я хочу (*ia kha-tchu*) eu quero
Мы хотели бы... (*my kha-tiê-li by...*) Nós gostaríamos...
спросить (*spra-ssit'*) perguntar
какой ♂/какая ♀/какое n. (*ka-kôi/ka-ka-ia/ka-kô-ie*) qual, que
какой-нибудь (*ka-kôi ni-but'*) algum, qualquer um
информация (*in-far-ma-tsi-ia*) informação
фирма (*fir-ma*) firma, companhia
создать (*saz-dat'*) fundar, estabelecer
совместный ♂/совместная ♀/совместное n. (*sav-miês-nyi/sav-miês-na-ia/sav-miês-na-ie*) comum/unido/junto
предприятие (*prit-pri-iá-ti-ie*) empreendimento
прислать (*pris-lat'*) enviar
рекламный ♂/рекламная ♀/рекламное n. (*rie-kla-mnyi/rie-kla-mna-ia/rie-kla-mna-ie*) promocional, de divulgação
проспект (*pras-piêkt*) panfleto/brochura
чудесно (*tchu-diês-na*) fantástico, maravilhoso
тогда (*tag-da*) então
всего доброго (*fsie-vô dô-bra-va*) tudo de bom
сарай (*sa-rai*) galpão
герой (*guie-rôi*) herói
край (*krai*) limite, beira, fronteira, território
день ♂ (*diên'*) dia
дядя ♂ (*diá-dia*) tio
история (*is-tô-ri-ia*) história
фамилия (*fa-mi-li-ia*) sobrenome
скромность (*skrom-nast'*) modéstia
земля (*ziem-liá*) terra/terreno
семья (*siem'-iá*) família
кухня (*kukh-nia*) cozinha
вино (*vi-nô*) vinho
здание (*zda-ni-ie*) prédio/construção

Lição 5

собрáние (*sa-bra-ni-ie*) reunião
ожерéлье (*a-je-riêl'-ie*) colar
и́мя *п.* (*i-mia*) nome
улетáть (*u-lie-tat'*) sair voando, decolar
прилетáть (*pri-lie-tat'*) chegar voando, pousar
понимáть (*pa-nie-mat'*) entender
мéдленно (*miê-dlien-na*) devagar/vagarosamente
зáвтра (*zaf-tra*) amanhã
вчерá (*ftchie-rá*) ontem
вéчер (*viê-tchier*) tarde
вéчером (*viê-tchie-ram*) à tarde

EXERCÍCIOS

Exercício A

Passe as frases a seguir para o russo.

1. Mike vive e trabalha em Nova York.

2. Natacha trabalha em um banco em Moscou.

3. O pai e a mãe dela moram em Minsk.

4. Eu tenho meu próprio apartamento.

5. Neste momento Natacha está em um hotel.

6. É difícil para ela ligar para seu amigo Volódia.

7. Volódia e Mike estavam muito ocupados.

8. Quando podemos nos encontrar?

Lição 5

Exercício B

Coloque a palavra em parênteses no caso apropriado.

1. Я иду́ (дом). _____
2. Ната́ша в (кабине́т) Воло́ди. _____
3. Воло́дя не рабо́тает. Он (дом). _____
4. Кни́га на (стол). _____
5. (Я) не нра́вится жить в (Москва́). _____
6. Ива́н о́чень лю́бит (она́). _____
7. У (я) есть па́спорт. _____
8. У (мы) больша́я кварти́ра. _____
9. (Он) нет в (Москва́). _____

Exercício C

Dê a forma apropriada do verbo, para que ele concorde com o sujeito.

1. За́втра я (быть) рабо́тать до́ма. _____
2. Вчера́ они́ (рабо́тать) в ба́нке. _____
3. Сейча́с Ната́ша (говори́ть) с Ива́ном. _____
4. Где они́ (быть) вчера́ ве́чером? _____
5. Сего́дня я (идти́) в теа́тр. _____
6. Воло́дя ча́сто (е́здить) в Москву́. _____
7. Сейча́с Пол (жить) в Москве́. _____
8. За́втра у меня́ (быть) биле́т на самолёт. _____
9. Вчера́ Воло́дя (быть) о́чень за́нят. _____
10. Вчера́ Майк (звони́ть) мне из Аме́рики. _____

Lição 5

Exercício D

Traduza as frases abaixo para o português.

1. Мне не нравится работать в Москве.

2. Сейчас восемь часов.

3. Вам удобно встретиться в три часа?

4. Они будут ждать нас в пять тридцать в банке.

5. Майк прислал нам много вина.

6. Мой отец очень любит свою работу.

7. У меня есть четыре билета в театр.

8. Где Андрей? Его нет дома.

9. Володя поедет с вами, если хотите.

Exercício E

Verdadeiro ou falso?

1. Сегодня Наташа не в Москве.
2. Наташе очень трудно позвонить своему коллеге Володе.
3. Майк звонил Наташе из Америки.
4. Наташе не удаётся поговорить с Володей.
5. У Наташи к Володе много вопросов.
6. Сегодня у Наташи ещё одна встреча.
7. Наташа договорилась пообедать с Володей.
8. Володя будет ждать Наташу в 4.30.

Visite www.berlitzpublishing.com para atividades extras na internet – vá para a seção de downloads e conecte-se ao mundo em russo!

Lição

REVISÃO: LIÇÕES 1-5

6

A. Leia em voz alta estas expressões úteis da Lição 1.

1. Здра́вствуйте!

2. До свида́ния!

3. Спаси́бо.

4. Пожа́луйста.

B. Ouça os diálogos de 2 a 5, depois repita-os em voz alta.

Diálogo 2   ЗДРА́ВСТВУЙТЕ

А́нна	Здра́вствуйте, Пол. Как ва́ши дела́?
Пол	Здра́вствуйте. У меня́ всё хорошо́, спаси́бо. А как ва́ши дела́?
А́нна	Спаси́бо, хорошо́. Сади́тесь, пожа́луйста. Дава́йте начнём наш уро́к.
Пол	С удово́льствием.

Áнна	Оди́н вопро́с, Пол.
Пол	Да, пожа́луйста.
Áнна	Вот, посмотри́те. Э́то ру́чка?
Пол	Да, э́то ру́чка.
Áнна	А э́то? Э́то ру́чка и́ли ключ?
Пол	Э́то ключ.
Áнна	А э́то? Э́то то́же ключ?
Пол	Нет, э́то не ключ.
Áнна	Что э́то?
Пол	Э́то кни́га. Э́то кни́га на ру́сском языке́.
Áнна	О́чень хорошо́, Пол. До свида́ния.
Пол	До свида́ния, Áнна Ива́новна. До ско́рой встре́чи!

Diálogo 3 ЗНАКО́МСТВО

Пол	Здра́вствуйте. Я – Пол. А вы кто?
Ната́лья	А меня́ зову́т Ната́лья Петро́вна Ивано́ва. Я ру́сская. А вы ру́сский?
Пол	Я не ру́сский. И не украи́нец, и не белору́с.
Ната́лья	Кто вы по национа́льности?
Пол	Я америка́нец. Я роди́лся в Сан-Франци́ско. А вы отку́да?
Ната́лья	Я из Новосиби́рска. А сейча́с я живу́ здесь, в Москве́. Я рабо́таю в ба́нке. А где вы рабо́таете?
Пол	Я? Я не рабо́таю. Я студе́нт. Я учу́ ру́сский язы́к.
Ната́лья	Зна́чит, я бухга́лтер, а вы студе́нт ... А кто э́та же́нщина?
Пол	Э́то Áнна Ива́новна. Она́ преподава́тель. Она́ белору́ска, из Ми́нска. Áнна Ива́новна! Иди́те сюда́! ...Э́то Áнна Ива́новна. Áнна Ива́новна, э́то Ната́лья Петро́вна. Она́ рабо́тает в ба́нке.
Ната́лья	О́чень прия́тно.

Lição 6

Diálogo 4 НАТА́ЛЬЯ ПЕТРО́ВНА Е́ДЕТ В КОМАНДИРО́ВКУ

А́нна	Как вы зна́ете, я белору́ска. Я живу́ и рабо́таю в Москве́. Я о́чень люблю́ Москву́. Но я люблю́ и Минск, где живу́т мой оте́ц и моя́ мать. Вы та́кже зна́ете, что Ната́лья Петро́вна из Новосиби́рска. Но сейча́с она́ живёт в Москве́. У неё своя́ отде́льная кварти́ра. Ей нра́вится жить в Москве́. Она́ рабо́тает в ба́нке. Она́ о́чень лю́бит свою́ рабо́ту. Сего́дня она́ е́дет в командиро́вку в Санкт-Петербу́рг. Сейча́с она́ говори́т с По́лом …
Пол	Как вы е́дете в Санкт-Петербу́рг?
Ната́лья	Я лечу́ туда́ на самолёте, а возвраща́юсь на по́езде.
Пол	У вас есть биле́т на самолёт?
Ната́лья	Да. У меня́ есть биле́т на самолёт и обра́тный биле́т на по́езд.
Пол	Вы до́лго бу́дете в Санкт-Петербу́рге?
Ната́лья	Я бу́ду там три дня. У меня́ там мно́го дел.
Пол	Вы ча́сто туда́ е́здите?
Ната́лья	Да, дово́льно ча́сто. Я там быва́ю три-четы́ре дня ка́ждый ме́сяц.
Пол	Я о́чень хочу́ побыва́ть в Санкт-Петербу́рге. Говоря́т, э́то о́чень интере́сный и краси́вый го́род.
Ната́лья	Да, э́то пра́вда. Но у меня́ никогда́ нет вре́мени там гуля́ть.
Пол	А почему́?
Ната́лья	Потому́ что у меня́ мно́го рабо́ты.
Пол	Когда́ улета́ет ваш самолёт?
Ната́лья	Че́рез четы́ре часа́. Из аэропо́рта Шереме́тьево-1.
Пол	И как вы туда́ е́дете?
Ната́лья	Обы́чно я иду́ к авто́бусной остано́вке и е́ду в аэропо́рт на авто́бусе. Но сего́дня я е́ду на такси́.
Пол	Я пое́ду с ва́ми, е́сли хоти́те. Я хочу́ помо́чь вам нести́ ва́ши чемода́ны.
Ната́лья	Большо́е спаси́бо, но у меня́ то́лько оди́н чемода́нчик, и он не тяжёлый. Он о́чень лёгкий. Но проводи́ть меня́ за компа́нию – пожа́луйста.
Пол	Да. С удово́льствием.

Diálogo 5 ВСТРЕ́ЧА

Сего́дня Ната́ша в Санкт-Петербу́рге. Сейча́с она́ в гости́нице. Она́ пыта́ется позвони́ть своему́ колле́ге Воло́де. Но э́то не легко́. Э́то про́сто тру́дно. Иногда́ но́мер за́нят, а иногда́ никто́ не отвеча́ет. Э́то о́чень доса́дно! Но в конце́ концо́в ей удаётся дозвони́ться и поговори́ть с ним…

Воло́дя	Слу́шаю вас.
Ната́ша	Воло́дя? Здра́вствуйте! Э́то Ната́ша.
Воло́дя	До́брый день, Ната́ша. Вы отку́да?
Ната́ша	Я здесь, в гости́нице "Нева́". Я уже́ це́лый час звоню́ вам.
Воло́дя	Я был о́чень за́нят. Майк звони́л мне из Аме́рики. Мы говори́ли о́чень до́лго.
Ната́ша	Когда́ мы мо́жем встре́титься? У меня́ к вам мно́го вопро́сов.
Воло́дя	Кото́рый час сейча́с?
Ната́ша	Сейча́с де́сять часо́в.
Воло́дя	Вы мо́жете прие́хать сейча́с?
Ната́ша	К сожале́нию, сейча́с не могу́. У меня́ ещё одна́ встре́ча сего́дня, в оди́ннадцать часо́в.
Воло́дя	Мо́жет быть, пообе́даем вме́сте в час дня?
Ната́ша	Извини́те, но я уже́ договори́лась пообе́дать с колле́гами, с кото́рыми я встреча́юсь в оди́ннадцать. Мо́жет быть, встре́тимся в три?
Воло́дя	В три не могу́. А е́сли в полпя́того? Вам удо́бно?
Ната́ша	Замеча́тельно!
Воло́дя	Договори́лись! Я бу́ду ждать вас в четы́ре три́дцать у себя́ в кабине́те.
Ната́ша	Воло́дя, я хочу́ спроси́ть, есть ли у вас кака́я-нибу́дь информа́ция о фи́рме, где рабо́тает Майк? Мы хоте́ли бы созда́ть совме́стное предприя́тие с америка́нской фи́рмой.
Воло́дя	Да, они́ присла́ли нам свои́ рекла́мные проспе́кты.
Ната́ша	Чуде́сно! Тогда́ до встре́чи!
Воло́дя	До встре́чи, Ната́ша! Всего́ до́брого.
Ната́ша	До свида́ния, Воло́дя!

Lição 5

EXERCÍCIOS

Exercício A

Abaixo, há algumas palavras em português iguais – ou quase iguais – a suas equivalentes em russo. Passe-as para o russo e confira na seção de respostas.

1. América _____
2. Nova York _____
3. presidente _____
4. escritório _____
5. (o) estudante _____
6. (a) estudante _____
7. vodca _____
8. piloto _____
9. estudantes (homens, ou homens e mulheres) _____
10. aeroporto _____

Exercício B

Leia os números em russo em voz alta e depois escreva-os (1, 5 etc.).

А. во́семь
Б. три
В. семь
Г. четы́ре
Д. два
Е. оди́н
Ё. пять
Ж. шесть
З. де́вять
И. де́сять
Й. два́дцать два
К. три́дцать шесть
Л. со́рок
М. пятьдеся́т пять
Н. шестьдеся́т де́вять
О. се́мьдесят
П. сто
Р. девяно́сто четы́ре
С. во́семьдесят
Т. се́мьдесят три
У. четы́рнадцать
Ф. двена́дцать
Х. пятна́дцать
Ц. со́рок четы́ре
Ч. се́мьдесят оди́н
Ш. восемна́дцать
Щ. шестьдеся́т во́семь

Lição 5

Ъ. оди́ннадцать Ы. со́рок два Ь. три́дцать семь

Э. во́семьдесят три Ю. девятна́дцать Я. два́дцать де́вять

Exercício C

Coloque os substantivos e pronomes em parênteses no caso apropriado quando necessário.

1. Ива́н и Ната́ша е́дут в (Москва́) в (командиро́вка).
   _____, _____

2. Сейча́с Воло́дя и Ната́ша на (рабо́та) в (банк) в (Минск).
   _____, _____,
   _____

3. Ива́н не лю́бит (своя́ рабо́та) в (университе́т).
   _____, _____

4. Ната́ша говори́т с (Майк).
   _____

5. Э́то чемода́н (Ива́н).
   _____

6. А́нна Ива́новна Смирно́ва живёт в (кварти́ра) в (центр) (Москва́).
   _____, _____,
   _____

7. Ната́ша из (Новосиби́рск).
   _____

8. Сейча́с А́нна Ива́новна идёт (дом) с (рабо́та).
   _____, _____

9. Я хочу́ помо́чь (вы).
   _____

10. Помоги́те (я), пожа́луйста.
    _____

11. Сейча́с Ната́ша у (Ива́н).
    _____

12. Да, с (удово́льствие).
    _____

13. Мы поéдем с (вы).

    _____

14. Пол и Натáша говори́ли о (командирóвка) (Натáша).

    _____, _____

15. В (конéц) (конéц).

    _____, _____

Concordância de sujeito e verbo: coloque o verbo na forma correta.

Exercício D

1. Сейчáс Пол óчень (люби́ть) Москвý, и я тóже (люби́ть) Москвý.

    _____, _____

2. Сейчáс мой отéц (жить) в Ми́нске, а я (жить) в Лóндоне.

    _____, _____

3. Вчерá мы (рабóтать) в Ми́нске, а сегóдня мы (рабóтать) в Москвé.

    _____, _____

4. Вчерá мы (быть) в Амéрике, где сейчáс (рабóтать) Майк и Ивáн.

    _____, _____

5. Вчерá Майк (звони́ть) Волóде из Амéрики, но Волóди не (быть) дóма.

    _____, _____

6. Где вы (быть) зáвтра вéчером, и где вы (быть) вчерá вéчером?

    _____, _____

7. Зáвтра вéчером я (быть) дóма, а вчерá вéчером я (быть) у Ивáна.

    _____, _____

8. Мы (быть) ждать вас зáвтра вéчером в шесть у нас дóма.

    _____

> Visite www.berlitzpublishing.com para atividades extras na internet – vá para a seção de downloads e conecte-se ao mundo em russo!

Lição 7

НА РАБО́ТЕ *na ra-bô-tiê*
NO TRABALHO

Воло́дя рабо́тает недалеко́ от гости́ницы "Нева́". Ната́ша идёт к нему́ на рабо́ту пешко́м. По пути́ она́ покупа́ет газе́ту. Она́ прихо́дит то́чно в полпя́того…
va-lô-dia ra-bô-ta-iet ni-da-lie-kô at-gas-ti-ni-tsy nie-vá. na-ta-cha i- diôt knie-mu na ra-bô-tu pich-kôm. pa-pu-ti a-ná pa-ku-pa-iet ga- -ziê-tu. a-ná pri-khô-dit totch-na f-pol-piá-ta-va…
Volódia trabalha perto do Hotel Nievá. Natacha vai até seu local de trabalho a pé. No caminho ela compra o jornal. Ela chega exatamente às quatro e meia…

Воло́дя	Здра́вствуйте, Ната́ша!	
	zdra-stvui-tie na-ta-cha	
	Olá, Natacha.	
Ната́ша	Здра́вствуйте, Воло́дя! Как дела́?	
	zdra-stvui-tie va-lô-dia. kak die-lá	
	Olá, Volódia. Como vão as coisas?	
Воло́дя	Норма́льно. А что но́вого у вас?	
	nar-mal'-na. a chto nô-va-va u vas	
	Tudo bem. E quais são as suas novidades?	

Lição 7

Натáша	У меня́ всё по-ста́рому. Как всегда́ мно́го рабо́ты. *u mie-niá fsiô pa-sta-ra-mu. kak fsieg-dá mnô-ga ra-bô-ty* O mesmo de sempre. Como sempre, muito trabalho.
Воло́дя	Хоти́те ча́ю? И́ли ко́фе? *kha-ti-tiê tchá-iu? i-li kô-fie?* Gostaria de um pouco de chá? Café?
Натáша	Нет, спаси́бо. Я о́чень мно́го пила́ ко́фе сего́дня. *niêt spa-ssi-ba. ia ó-tchien' mnô-ga pi-lá kô-fie sie-vôd-nia* Não, obrigado. Eu bebi muito café hoje. Мо́жно минера́льную во́ду? *moj-na mi-ni-ral'-nu-iu vô-du?* Posso pegar um pouco de água mineral?
Воло́дя	Коне́чно! Вот минера́льная вода́, а вот ко́пии рекла́мных проспе́ктов из Аме́рики. *ka-niêch-na. vot mi-ni-ral'-na-ia va-da a vot kô-pi-i rie-kla-mnykh pras-piêk-taf iz a-miê-ri-ki* Claro! Aqui está a água mineral e aqui estão as cópias dos panfletos promocionais da América.
Натáша	Спаси́бо. Хмм… интере́сно. Я ду́маю, э́то как раз то, что нам ну́жно…Здесь жа́рко. Мо́жно откры́ть окно́? *spa-ssi-ba. khmm... in-tie-riês-na. iá du-ma-iu éta kak ras to chto nam nuj-na... zdiês' jar-ka. moj-na at-kryt' ak-nô?* Obrigado. Humm... interessante. Acho que isso é exatamente o que precisamos... Está quente aqui. Posso abrir a janela?
Воло́дя	Коне́чно. Я откро́ю. *ka-niêch-na. iá at-krô-iu* Claro. Eu abro.
Натáша	Когда́ вы смо́жете прие́хать к нам в Москву́? Мы с ва́ми должны́ обсуди́ть вопро́с о совме́стном предприя́тии с мои́м но́вым нача́льником, Ники́той Серге́евичем Кали́ниным. *kag-da vy smo-je-tiê pri-iê-khat' knam v-mask-vu?* *my sva-mi dalj-ny ab-su-dit' va-prôs o sav-miêst-nam prie-pri-iá-tii sma-im nô-vym na-tchál'-ni-kam, ni-ki-tai sir-guiê-ie-vi-tchem ka-li-ni-nym* Quando você poderá ir até nosso escritório em Moscou? Você e eu devemos discutir a questão da parceria com meu novo chefe, Nikita Sergueiévitch Kalínin.

Lição 7

> Володя — Какое сегодня число? Двадцать первое?
> ka-*kô*-ie sie-*vô*-dnia tchis-*lô*? *dva*-tsat' *piêr*-va-ie
> Que dia é hoje? Vinte e um?
>
> Наташа — Двадцать первое ноября, вторник.
> *dva*-tsat' *piêr*-va-ie na-ie-*briá* *ftôr*-nik
> Vinte e um de novembro, terça-feira.
>
> Володя — Я смогу приехать к вам через неделю. Скажем, в среду, двадцать девятого.
> iá sma-*gu* pri-*iê*-khat' kvam *tche*-ries ni-*diê*-liu. *ska*-jem *fsriê*-du *dva*-tsat' die-*viá*-ta-va
> Poderei visitá-los em uma semana. Vamos dizer, na quarta-feira, dia vinte e nove.
>
> Наташа — Отлично! Я знаю, что Никита Сергеевич будет свободен в среду.
> a-*tli*-tchna. iá *zna*-iu chto ni-*ki*-ta sir-*guiê*-ie-vitch *bu*-diet sva-*bô*-dien *fsriê*-du
> Ótimo! Eu sei que Nikita Serguéievitch estará livre na quarta.

GRAMÁTICA

1. ASPECTOS DO VERBO: O IMPERFEITO E O PERFEITO

A maioria dos verbos em russo possui dois aspectos: o *imperfeito* e o *perfeito*. É importante aprendê-los em seus pares correspondentes.

Resumidamente, o *imperfeito* indica que uma ação *não é completada*, ou "imperfeita", enquanto o *perfeito* indica que uma ação é completada ou "perfeita".

Dessa forma, a língua russa possui dois verbos para cada ação, por exemplo, o verbo делать (*diê-lat'*) é imperfeito e significa "fazer" no sentido de "estar fazendo", e o verbo сделать (*zdiê-lat'*) é perfeito e significa "fazer completamente ou apenas uma vez".

Compare os seguintes exemplos: se alguém faz a pergunta, что делать? (*chto diê-lat'*) "O que fazer?/ O que nós (eu) deveríamos fazer?", a resposta será no aspecto imperfeito:

читáть кнúгу (*tchi-tat' kni-gu*) ler um livro, estar lendo um livro

писáть письмó (*pi-ssat' pis'-mô*) escrever uma carta, estar escrevendo uma carta

пить кóфе (*pit' kô-fie*) beber café, estar bebendo café

Por outro lado, a pergunta что сдéлать? (*chto zdiê-lat'*) refere-se a uma ação completa, e a resposta será no aspecto perfeito:

прочитáть кнúгу (*pra-tchi-tat' kni-gu*) ler um livro, ter lido um livro, ler um livro do começo ao fim

написáть письмó (*na-pi-ssat' pis'-mô*) escrever uma carta, ter escrito uma carta, escrever uma carta completa

вы́пить кóфе (*vy-pit' kô-fie*) beber café, ter bebido café, beber o café até a última gota

A maioria dos verbos no aspecto perfeito é formada colocando-se um prefixo na forma correspondente do verbo imperfeito. Alguns prefixos comuns para verbos no perfectivo são вы- (*vy*-), за- (*za*-), по- (*pa*-), про- (*pra*-), при- (*pri*-), с- (*s*-) e со- (*sa*-). No entanto, algumas vezes o *sufixo* muda:

давáть (*da-vat'*) (impf.) dar, estar dando
дать (*dat'*) (perf.) dar, ter dado
начинáть (*na-tchi-nat'*) (impf.) começar, estar começando
начáть (*na-tchát'*) (perf.) começar, ter começado
сообщáть (*sa-ap-chtchat'*) (impf.) informar, estar informando; comunicar, estar comunicando
сообщúть (*sa-ap-chtchit'*) (perf.) informar, ter informado; comunicar, ter comunicado

Às vezes, a **base** muda:

встречáть (*fstri-tchat'*) (impf.) conhecer/encontrar, estar conhecendo/encontrando
встрéтить (*fstriê-tit'*) (perf.) conhecer/encontrar, ter conhecido/encontrado
кричáть (*kri-tchát'*) (impf.) gritar, estar gritando
крúкнуть (*krik-nut'*) (perf.) gritar, ter gritado

Geralmente, os verbos perfeitos e imperfeitos são similares, e é fácil aprendê--los em pares. No entanto, este não é sempre o caso. Você já conhece o verbo imperfeito говорúть (*ga-va-rit'*) "falar, estar falando". O perfeito é поговорúть (*pa-ga-va-rit'*) "falar, ter falado". Mas quando говорúть significa "dizer, estar dizendo" ou "contar, estar contando", seu par é o verbo na forma perfectiva сказáть (*ska-zat'*) "falar, ter falado; dizer, ter dito".

Aqui estão alguns exemplos:

Натáша говорúла с Ивáном.
na-ta-cha ga-va-ri-la si-vá-nam
Natacha falou/estava falando com Ivan.

Натáша поговорúла с Ивáном.
na-ta-cha pa-ga-va-ri-la si-vá-nam
Natacha falou/tem falado com Ivan.

Ната́ша говори́ла Ива́ну, что...
na-ta-cha ga-va-ri-la i-va-nu chto...
Natacha estava dizendo/estava contando para Ivan que...

Ната́ша сказа́ла Ива́ну, что...
na-ta-cha ska-za-la i-va-nu chto...
Natacha disse/contou para Ivan que...

USO DOS VERBOS IMPERFEITOS:

1. Para expressar uma ação não concluída ou em curso:

Ива́н пи́шет кни́гу.
i-van pi-chet kni-gu
Ivan está escrevendo um livro.

Ива́н писа́л кни́гу.
i-van pi-ssal kni-gu
Ivan estava escrevendo um livro.

Ива́н бу́дет писа́ть кни́гу.
i-van bu-diet pi-ssat' kni-gu
Ivan estará escrevendo um livro.

2. Para expressar uma ação habitual ou que se repete:

Она́ пьёт ко́фе по утра́м.
a-ná p'iôt kô-fiê pa u-tram
Ela bebe café de manhã.

Он е́здит в Санкт-Петербу́рг ка́ждый ме́сяц.
on iêz-dit fsankt-pie-tier-burk kaj-dyi miê-ssiats
Ele viaja a São Petersburgo todo mês.

Ра́ньше она́ пила́ ко́фе по утра́м, а тепе́рь она́ пьёт ча́й.
ran'-che a-ná pi-lá kô-fie pa u-tram a ti-piêr' a-ná p'iôt tchái
Antes, ela costumava beber café de manhã, mas agora bebe chá.

В про́шлом году́ он е́здил в Минск ка́ждый ме́сяц.
fproch-lam ga-dú on iêz-dil vminsk kaj-dyi miê-ssiats
No ano passado, ele viajou para Minsk todos os meses.

Вско́ре он бу́дет е́здить в Минск ка́ждую неде́лю.
fskô-rie on bu-diêt iêz-dit' vminsk kaj-du-iu nie-diê-liu
Logo ele viajará para Minsk toda semana.

O USO DOS VERBOS PERFEITOS:

1. Para expressar uma ação concluída:

Иван написал книгу.
i-van na-pi-ssál kni-gu
Ivan escreveu/tem escrito um livro.

2. Para expressar uma ação concluída ou dada como certa no futuro:

Скоро Иван напишет книгу.
skô-ra i-van na-pi-chet kni-gu
Logo Ivan escreverá um livro.

3. Para expressar ações imediatas:

Пол открыл дверь.
pol at-kryl dviêr'
Paul abriu a porta.

Наташа вскрикнула.
na-ta-cha fskrik-nu-la
Natacha gritou.

OS TEMPOS DOS VERBOS IMPERFEITOS E PERFEITOS:

Os verbos imperfeitos possuem formas no passado, presente e futuro. Os verbos perfeitos possuem tempos passado e futuro, mas *não o presente*, pois eles descrevem apenas ações *concluídas*. Uma ação que ocorre no presente é, por definição, incompleta e, sendo assim, imperfeita.

O tempo futuro de um verbo imperfeito é formado por буду (*bu-du*), будешь (*bu-diech*), будет (*bu-diet*), будем (*bu-diem*), будете (*bu-die-tie*), будут (*bu-dut*), mais o infinitivo do verbo imperfeito:

Мы будем ждать вас здесь.
my bu-diem jdat' vas zdiês'
Nós vamos esperar você aqui.

O tempo futuro dos verbos perfeitos é similar à conjugação presente dos verbos imperfeitos.

Vamos ver os verbos писать (*pi-ssat'*) – escrever, estar escrevendo (imperfeito) – e написать (*na-pi-ssat'*) – escrever, ter escrito (perfeito).

Lição 7

ПИСА́ТЬ (imperfeito)	НАПИСА́ТЬ (perfeito)
Presente	
я пишу́ *iá pi-chu*	O
ты пи́шешь *ty pi-chech*	PERFEITO
он/она́ пи́шет *on/a-ná pi-chet*	NÃO
мы пи́шем *my pi-chem*	POSSUI
вы пи́шете *vy pi-che-tiê*	FORMA
они́ пи́шут *a-ní pí-chut*	NO PRESENTE

ПИСА́ТЬ (imperfeito)	НАПИСА́ТЬ (perfeito)
Futuro	
я бу́ду писа́ть *iá bu-du pi-ssat'*	я напишу́ *iá na-pi-chu*
ты бу́дешь писа́ть *ty bu-diech pi-ssat'*	ты напи́шешь *ty na-pi-chech*
он/она́ бу́дет писа́ть *on/a-ná bu-diet pi-ssat'*	он/она́ напи́шет *on/a-ná na-pi-chet*
мы бу́дем писа́ть *my bu-diem pi-ssat'*	мы напи́шем *my na-pi-chem*
вы бу́дете писа́ть *vy bu-die-tiê pi-ssat'*	вы напи́шете *vy na-pi-che-tiê*
они́ бу́дут писа́ть *a-ni bu-dut pi-ssat'*	они́ напи́шут *a-ni na-pi-chut*

ПИСА́ТЬ (imperfeito)

Passado

я писа́л ♂
iá pi-ssal

ты писа́л ♂
ty pi-ssal

он писа́л
on pi-ssal

она́ писа́ла
a-ná pi-ssa-la

мы писа́ли
my pi-ssa-li

вы писа́ли
vy pi-ssa-li

они́ писа́ли
a-ní pi-ssa-li

НАПИСА́ТЬ (perfeito)

я написа́ла ♀
iá na-pi-ssa-la

ты написа́ла ♀
ty na-pi-ssa-la

он написа́л
on na-pi-ssal

она́ написа́ла
a-ná na-pi-ssa-la

мы написа́ли
my na-pi-ssa-li

вы написа́ли
vy na-pi-ssa-li

они́ написа́ли
a-ní na-pi-ssa-li

NOTA PARA O USO DE ПО-

Às vezes o uso do prefixo по- dá a ideia de passar pouco tempo fazendo algo. Por exemplo: погуля́ть *pa-gu-liát'* (perfeito):

Они́ погуля́ли в па́рке. *a-ni pa-gu-liá-li fpar-kie*
Eles passearam um pouco pelo parque.

посиде́ть *pa-ssi-diêt'* (perfeito):

Воло́дя посиде́л с Ната́шей. *va-lô-dia pa-ssi-diêl sna-ta-chei*
Volódia sentou-se um pouco com Natacha.

Há, no entanto, um verbo comumente usado que é uma exceção e deve ser memorizado:

покупа́ть (*pa-ku-pat'*) comprar, estar comprando: *imperfeito*, embora possua o prefixo по-

купи́ть (*ku-pit'*) (perfeito) comprar/ter comprado/completar a ação de comprar

2. A OMISSÃO DE VOGAIS NOS SUBSTANTIVOS MASCULINOS

Alguns substantivos masculinos com as letras o, ë, e e na última sílaba no caso nominativo perdem essas letras quando são declinados. Na Lição 5 nós vimos isso acontecer com конéц ka-_niêts_ (fim):

в концé концóв
fkan-tsê kan-tsof
no fim, no final das contas

Também:

отéц
a-tiêts
pai

с отцóм
sa-tsom
com o pai

продавéц
pra-da-viêts
vendedor

продавцá
pra-daf-tsá
do vendedor

ýгол
u-gal
canto

в углý
vu-glu
no canto

---

3. NÚMEROS DE 100 A 1.000

100 сто
sto

101 сто одúн
sto a-din

102 сто два
sto dva

105 сто пять
sto piát'

110 сто дéсять
sto diê-ssiat'

150 сто пятьдесят
sto pia-die-ssiát'

200 двéсти
dviês-ti

299 двéсти девянóсто дéвять
dviês-ti die-via-nos-ta diê-viat'

300 трúста
tris-ta

340 трúста сóрок
tris-ta sô-rak

430 четы́реста три́дцать
tchie-ty-ries-ta tri-tsat'

500 пятьсо́т
pit'-sot

555 пятьсо́т пятьдеся́т пять
pit'-sot pia-die-ssiát piát'

600 шестьсо́т
ches-sot

622 шестьсо́т два́дцать два
ches-sot dva-tsat' dva

700 семьсо́т
siem-sot

800 восемьсо́т
va-ssiem-sot

900 девятьсо́т
die-viat'-sot

999 девятьсо́т девяно́сто де́вять
die-viat'-sot die-via-nos-ta diê-viat'

1,000 одна́ ты́сяча
ad-na ty-ssia-tcha

ALGUMAS EXPRESSÕES ÚTEIS

Я вас не понима́ю.
iá vas niê pa-ni-ma-iu
Eu não entendo você.

Повтори́те, пожа́луйста.
paf-ta-ri-tie pa-ja-luis-ta
Repita, por favor.

Где здесь туале́т?
gdiê zdiês' tu-a-liêt
Onde fica o banheiro?

Когда́ мы встре́тимся?
kag-da my fstriê-tim-sia
Quando vamos nos encontrar?

Когда́ я смогу́ прие́хать к вам?
kag-da iá sma-gu pri-iê-khat' kvam
Quando posso visitar você?

DIAS DA SEMANA

Note que, assim como no português, em russo os dias da semana não iniciam com letra maiúscula, a não ser quando em início de frase.

понедéльник	pa-nie-<u>diêl</u>'-nik	segunda-feira
втóрник	<u>ftôr</u>-nik	terça-feira
средá	srie-<u>dá</u>	quarta-feira
четвéрг	tchiet-<u>viêrk</u>	quinta-feira
пя́тница	<u>piát</u>-ni-tsa	sexta-feira
суббóта	su-<u>bô</u>-ta	sábado
воскресéнье	vas-krie-<u>siê</u>-n'ie	domingo

VOCABULÁRIO

на рабóте (na ra-<u>bô</u>-tie) no trabalho, no escritório
рабóтать (impf.) (ra-<u>bô</u>-tat') trabalhar
далекó (da-lie-<u>kô</u>) longe
недалекó (nie-da-lie-<u>kô</u>) perto
от (at) de
идти́ пешкóм (it-<u>ti</u> piech-<u>kôm</u>) ir a pé, andar
путь (put') caminho, rota
по пути́ (pa pu-<u>ti</u>) no caminho
покупáть (impf.) (pa-ku-<u>pat</u>') comprar
газéта (ga-<u>ziê</u>-ta) jornal
приходи́ть (perf.) (pri-kha-<u>dit</u>') chegar, vir
тóчно (<u>totch</u>-na) exatamente
полпя́того (pol-<u>piá</u>-ta-va) quatro e meia
нормáльно (nar-<u>mal</u>'-na) normal, OK, bem
Что нóвого у вас? (chto <u>nô</u>-va-va u vas) Quais são as novas?
стáрый ♂/стáрая ♀/стáрое n. (sta-ryi/<u>sta</u>-ra-ia/<u>sta</u>-ra-ie) velho
по-стáрому (pa-<u>sta</u>-ra-mu) como antes, como sempre
всегдá (fsieg-<u>da</u>) sempre
как всегдá (kak fsieg-<u>da</u>) como de costume, como sempre
хотéть (impf.) (kha-<u>tiêt</u>') querer
пить (impf.) (pit') beber
минерáльный ♂/минерáльная ♀/минерáльное n. (mi-nie-<u>ral</u>'-nyi/mi-nie-<u>ral</u>'-na-ia/mi-nie-<u>ral</u>'-na-ie) mineral

вода (*va-da*) água
конечно (*ka-niêch-na*) é claro
копия (*kô-pi-ia*) cópia, duplicata
проспект (*pras-piêkt*) brochura, panfleto, prospecto, avenida
интересный♂/интересная♀/интересное *n*. (*in-tie-riês-nyi/in-tie-riês-na-ia/in-tie-riês-na-ie*) interessante
интересно (*in-ti-riês-na*) é interessante
думать (impf.) (*du-mat'*) pensar
как раз то, что… (*kak ras to chto…*) justamente isto…
здесь (*zdiês'*) aqui
Можно? (*moj-na*) É possível?/Posso…?
открывать (impf.) (*at-kry-vat'*) abrir
открыть (perf.) (*at-kryt'*) abrir
окно (*ak-nô*) janela
мочь (impf.) (*motch*) ser capaz de, poder
смочь (perf.) (*smotch*) ser capaz de, poder
сможете (*smô-je-tie*) você será capaz de, poderá
ехать (impf.) (*iê-khat'*) ir (por meio de transporte)
приехать (perf.) (*pri-iê-khat'*) vir (por meio de transporte); chegar
я/он должен♂ (*iá/on dol-jen*) eu devo/ele deve
я/она должна♀ (*iá/a-ná dalj-ná*) eu devo/ela deve
мы/вы/они должны (*my/vy/a-ní dalj-ny*) nós devemos/vocês devem/eles devem
обсудить (perf) (*ap-su-dit'*) discutir
вместе (*vmiês-tie*) junto, juntos
начальник (*na-tchal'-nik*) chefe, patrão
число (*tchis-lô*) número, data
через (*tchê-ries*) dentro de, em (tempo)
неделя (*nie-diê-lia*) semana
через неделю (*tchê-ries nie-diê-liu*) em uma semana
сказать (perf) (*ska-zat'*) dizer
скажем (*ska-jem*) digamos
отлично (*a-tli-tchna*) excelente, ótimo
знать (impf.) (*znat'*) saber
свободный♂/свободная♀/свободное *n*. (*sva-bô-dnyi/sva-bo-dna-ia/sva-bô-dna-ie*) livre
я/он свободен♂ (*iá/on sva-bô-dien*) eu sou/ele é livre, eu estou/ele está livre
я/она свободна♀ (*iá/a-ná sva-bô-dna*) eu sou/ela é livre, eu estou/ela está livre
мы/вы/они свободны (*my/vy/a-ní sva-bô-dny*) nós somos/vocês são/eles são livres, nós estamos/vocês estão/eles estão livres

Lição 7

EXERCÍCIOS

Exercício A

Perfeito ou imperfeito? Se o verbo grifado for imperfeito, escreva "imperf". Se for um verbo perfeito, escreva "perf".

1. Вчера́ Воло́дя чита́л кни́гу. _____
2. Сего́дня у́тром Ната́ша прочита́ла но́вую кни́гу. _____
3. Что де́лать? _____
4. Что сде́лать? _____
5. Мы дава́ли ему́ кни́ги ка́ждый ме́сяц. _____
6. Они́ да́ли ей кни́гу вчера́. _____
7. Ната́ша и Воло́дя рабо́тают в ба́нке. _____
8. Ка́ждый день она́ покупа́ет минера́льную во́ду. _____
9. Вчера́ Ната́ша купи́ла англи́йскую газе́ту. _____
10. Когда́ Майк смо́жет прие́хать к нам в Москву́? _____

Exercício B

Números. Escreva os números a seguir em russo e confira-os na seção de respostas.

А 5	Б 10	В 15	Г 20
Д 25	Е 30	Ё 35	Ж 40
З 45	И 50	Й 55	К 60
Л 65	М 70	Н 75	О 80
П 85	Р 90	С 95	Т 100
У 101	Ф 111	Х 200	Ц 222

Lição 7

Exercício C

Traduza as frases a seguir para o português.

1. Хоти́те ча́ю, ко́фе, минера́льную во́ду или во́дку?

2. Како́е сего́дня число́?

3. Сего́дня два́дцать девя́тое апре́ля.

4. Извини́те, пожа́луйста. Здесь есть туале́т?

5. Когда́ вы бу́дете свобо́дны?

6. Мы бу́дем свобо́дны во вто́рник, в шесть часо́в ве́чера.

7. По пути́ к Воло́де Ната́ша купи́ла газе́ту.

8. Воло́дя дал Ната́ше ко́пии америка́нских рекла́мных проспе́ктов.

9. Ра́ньше я пил чай по утра́м, а тепе́рь я пью минера́льную во́ду.

10. Воло́дя дал Ната́ше проспе́кты, и она́ поду́мала, что они́ как раз то, что ей ну́жно.

Exercício D

Passe as frases abaixo para o russo.

1. Ontem eu estava conversando com Mike no escritório.

2. Natacha anda (vai a pé) até o banco todos os dias.

3. Eu costumava beber chá de manhã, mas agora bebo café.

Lição 7

4. A caneta e a chave estão na mesa.

5. Ano passado nós viajamos para Nova York todas as semanas.

6. Eu abri a porta.

7. Nós temos conversado com Mike.

8. Logo eu vou viajar para Moscou todo mês.

Exercício E

Verdadeiro ou falso?

1. Володя работает очень далеко от гостиницы "Нева".
2. Наташа едет к Володе на автобусе.
3. По пути она покупает газету.
4. Она не приходит к Володе точно в полпятого.
5. У Наташи немного работы.
6. Сегодня Наташа не пила кофе.
7. У Володи нет минеральной воды.
8. У Володи есть копии рекламных проспектов из Америки.
9. Сегодня двадцать пятое ноября.

> Visite www.berlitzpublishing.com para atividades extras na internet – vá para a área de downloads e conecte-se ao mundo em russo!

Lição 8

НАТА́ША ДЕ́ЛАЕТ ПОКУ́ПКИ
na-ta-cha diê-la-iet pa-kup-ki
NATACHA FAZ COMPRAS

Как мы уже́ зна́ем, у Ната́ши мно́го рабо́ты. Коне́чно, в Москве́ она́ покупа́ет проду́кты в магази́нах. Но у неё почти нет вре́мени ходи́ть по магази́нам, что́бы купи́ть оде́жду, о́бувь и други́е ве́щи.
kak my u-jê zna-iem u na-ta-chi mnô-ga ra-bô-ty. ka-niê-chna vmask-viê a-ná pa-ku-pa-iet pra-duk-ty vma-ga-zi-nakh. no u nie-iô patch-ti niêt vriê-mi-ni kha-dit' pa ma-ga-zi-nam chtô-by ku-pit' a-diêj-du ô-buf' i dru-gui-ie viê-chtchi
Como nós já sabemos, Natacha tem muito trabalho. É claro, em Moscou ela compra produtos em lojas. Mas ela quase não tem tempo para comprar roupas, sapatos e outras coisas.

Сего́дня она́ всё ещё в Санкт-Петербу́рге. У неё есть немно́го свобо́дного вре́мени. Поэ́тому она́ реши́ла пойти́ по магази́нам и купи́ть себе́ тёплую ша́пку, перча́тки и сапоги́. У нас в Росси́и хо́лодно зимо́й! Ну́жно име́ть тёплые ве́щи, что́бы не замёрзнуть.
sie-vôd-nia a-ná fsiô ie-chtchô fsankt-pie-tier-bur-guiê. u nie-iô iêst' nie-mnô-ga sva-bô-dna-va vriê-mie-ni. pa-é-ta-mu a-ná rie-chi-la pai-ti pa-ma-ga-zi-nam i ku-pit' sie-biê tiô-plu-iu cháp-ku pier-tchát-ki

Lição 8

i sa-pa-guí. u nas vra-ssi-i khô-lad-na zi-môi. nuj-na i-miêt' tiô-ply-ie viê-chtchi chtô-by niê za-miôrz-nut'
Hoje ela ainda está em São Petersburgo. Ela tem um pouco de tempo livre. Por isso, ela decidiu ir às compras e comprar um gorro quente, luvas e botas. É frio durante o inverno aqui na Rússia! É preciso ter coisas quentes para não congelar.

Сейчáс Натáша в магазúне "Гостúный Двор". Онá говорúт с продавцóм...
sei-tchás na-ta-cha vma-ga-zi-nie gas-tí-nyi dvor. a-ná ga-va-rit spra-daf-tsôm...
Agora Natacha está na loja "Gostínii Dvór". Ela está conversando com um vendedor...

Натáша	Пожáлуйста, покажúте мне э́ти сапогú.	
	pa-ja-lui-sta pa-ka-ji-tie mniê é-ti sa-pa-guí	
	Mostre-me essas botas, por favor.	
Продавéц	Какúе?	
	ka-ki-ie	
	Quais?	
Натáша	Вот те чёрные, в углý.	
	vot tiê tchôr-ny-ie vu-glu	
	Aquelas pretas, no canto.	
Продавéц	Вот э́ти?	
	vot é-ti	
	Estas?	
Натáша	Да, спасúбо. Скóлько онú стóят?	
	da spa-ssi-ba. skôl'-ka a-ni stô-iat	
	Sim, obrigado. Quanto custam?	
Продавéц	Вóсемь ты́сяч.	
	vô-ssiem' ty-ssiatch	
	Oito mil (rublos).	
Натáша	Ой, дóрого! У вас есть подешéвле?	
	oi dô-ra-ga. u vas iêst' pa-die-chê-vlie	
	Oh, caro! Você tem algo mais barato?	
Продавéц	Да. Вот э́ти стóят четы́ре ты́сячи.	
	da. vot é-ti stô-iat tchie-ty-rie ty-ssia-tchi	
	Sim. Estas custam quatro mil.	
Натáша	Хорошó. А мóжно посмотрéть э́ти перчáтки?	
	kha-ra-chô. A moj-na pas-ma-triêt' é-ti pier-tchát-ki	
	Bom. E posso ver estas luvas?	

Lição 8

Продавец	Чёрные? *tchôr-ny-ie* As pretas?
Наташа	Нет, красные, пожалуйста. *niêt krás-ny-ie pa-ja-lui-s-ta* Não, as vermelhas, por favor.
Продавец	Пожалуйста. *pa-ja-lui-s-ta* Aqui está.
Наташа	Спасибо. Думаю, эти мне подойдут. И ещё покажите мне, пожалуйста, шапку. *spa-ssi-ba. du-ma-iu é-ti mniê pa-dai-dut. i ie-chtchô pa-ka-ji-tie mniê pa-ja-lui-s-ta cháp-ku* Obrigada. Acho que estas irão servir. Por favor, mostre--me também um gorro.
Продавец	Меховую или шерстяную? *mi-kha-vu-iu i-li cher-stia-nu-iu* De pele ou de lã?
Наташа	Красную шерстяную. Сколько она стоит? *krás-nu-iu chir-sti-nu-iu. skol'-ka a-ná stô-it* O vermelho de lã. Quanto custa?
Продавец	Две тысячи. *dviê ty-ssia-tchi* Dois mil.
Наташа	Я возьму её, хоть и дорого. Она такая красивая и тёплая! И, конечно, сапоги и перчатки. Посчитайте, пожалуйста, всё вместе. *ia vaz'-mu ie-iô khot' i dô-ra-ga. a-ná ta-ka-ia kra-ssí-va--ia i tiô-pla-ia. i ka-niêch-na sa-pa-guí i pir-tchát-ki. pa-chtchi-tái-tie pa-ja-lui-sta fsiô vmiês-tie* Vou levar, embora ele seja caro. É tão bonito e quente! E, é claro, as botas e as luvas. Por favor, some tudo junto.
Продавец	Шапка – две тысячи, перчатки – одна тысяча и четыре тысячи за сапоги. Всего семь тысяч. *cháp-ka dviê ty-ssia-tchi pier-tchát-ki ad-na ty-ssia-tcha i tchie-ty-riê ty-ssia-tchi za sa-pa-guí. fsie-vô siêm' ty-ssiatch* O gorro, dois mil, as luvas, mil, e quatro mil, as botas. No total, sete mil.

Lição 8

Наташа	Плати́ть вам?	
	pla-tit' vam	
	Devo pagar para você?	
Продаве́ц	Нет, в ка́ссу.	
	niêt fka-ssu	
	Não, no caixa.	
Наташа	А где ка́сса?	
	a gdiê ká-ssa	
	E onde é o caixa?	
Продаве́ц	Вон там, нале́во.	
	von tam na-liê-va	
	Ali, à esquerda.	
Наташа	Спаси́бо.	
	spa-ssi-ba	
	Obrigada.	

GRAMÁTICA

1. AS DUAS CONJUGAÇÕES DOS VERBOS RUSSOS

A maioria dos verbos russos pertence a um dos dois grupos: 1ª conjugação ou 2ª conjugação, de acordo com sua terminação.

VERBOS DA 1ª CONJUGAÇÃO, TEMPO PRESENTE

As terminações para verbos da 1ª conjugação no presente são:
-у (*-u*)/-ю (*-iu*), -ешь (*-iech*)/-ёшь (*iôch*), -ет (*-iêt*)/-ёт (*-iôt*), -ем (*-iêm*)/-ём (*-iôm*), -ете (*iê-tiê*)/-ёте (*iô-tiê*), -ут (*ut*)/-ют (*iut*).

Por exemplo: писа́ть (*pi-ssat'*) "escrever, estar escrevendo" e чита́ть (*tchi-tat'*) "ler, estar lendo":

	писа́ть	чита́ть
	pi-ssat'	*tchi-tat'*
я	пишу́	чита́ю
iá	*pi-chu*	*tchi-ta-iu*
ты	пи́шешь	чита́ешь
ty	*pi-chech'*	*tchi-ta-iech'*
он/она́/оно́	пи́шет	чита́ет
on/a-ná/a-nô	*pi-chet*	*tchi-ta-iet*

мы *my*	пи́шем *pi-chem*	чита́ем *tchi-ta-iem*
вы *vy*	пи́шете *pi-che-tie*	чита́ете *tchi-ta-ie-tiê*
они́ *a-ní*	пи́шут *pi-chut*	чита́ют *tchi-ta-iut*

Abaixo, dois verbos parecidos da 1ª conjugação que as pessoas que estão aprendendo russo geralmente confundem: петь (*piêt'*) "cantar, estar cantando" e пить (*pit'*) "beber, estar bebendo":

	петь *piêt'*	пить *pit'*
я *iá*	пою́ *pa-iú*	пью *p'iú*
ты *ty*	поёшь *pa-iôch'*	пьёшь *p'iôch'*
он/она́/оно́ *on/a-ná/a-nô*	поёт *pa-iôt*	пьёт *p'iôt*
мы *my*	поём *pa-iôm*	пьём *p'iôm*
вы *vy*	поёте *pa-iô-tie*	пьёте *p'iô-tie*
они́ *a-ní*	пою́т *pa-iút*	пьют *p'iút*

Lembre-se de que o tempo presente russo corresponde ao gerúndio e ao presente do indicativo do português. Я рабо́таю (*ia ra-bô-ta-iu*) pode ser traduzido como "eu estou trabalhando" ou "eu trabalho", de acordo com o contexto.

Lembre-se também de que apenas verbos imperfeitos possuem o tempo presente. Se uma ação está acontecendo *agora*, ela não pode ter sido concluída, ou seja, ela não pode ser perfeita!

VERBOS DA 2ª CONJUGAÇÃO, TEMPO PRESENTE

As terminações para verbos da 2ª conjugação no presente são:
-ю (*-iu*)/-у (*-u*), -ишь (*-ich*), -ит (*-it*), -им (*-im*), -ите (*-i-tie*),
-ат (*at*)/-ят (*iat*).

Lição 8

Três verbos frequentemente usados da 2ª conjugação são:

ходи́ть (*kha-dit'*) "ir", "estar indo" (a pé)
говори́ть (*ga-va-rit'*) "falar/dizer", "estar falando/dizendo"
крича́ть (*kri-tchat'*) "gritar", "estar gritando"

Eles são conjugados como segue:

	ходи́ть *kha-dit'*	говори́ть *ga-va-rit'*	крича́ть *kri-tchat'*
я *iá*	хожу́ *kha-ju*	говорю́ *ga-va-riú*	кричу́ *kri-tchu*
ты *ty*	хо́дишь *khô-dich'*	говори́шь *ga-va-rich'*	кричи́шь *kri-tchich'*
он/она́/оно́ *on/a-ná/a-nô*	хо́дит *khô-dit*	говори́т *ga-va-rit*	кричи́т *kri-tchit*
мы *my*	хо́дим *khô-dim*	говори́м *ga-va-rim*	кричи́м *kri-tchim*
вы *vy*	хо́дите *khô-di-tie*	говори́те *ga-va-ri-tie*	кричи́те *kri-tchi-tie*
они́ *a-ní*	хо́дят *khô-diat*	говоря́т *ga-va-riát*	крича́т *kri-tchát*

Note que o д muda para ж na primeira pessoa do singular ходи́ть. Isso ocorre com diversos verbos da 2ª conjugação terminados em -дить (-*dit'*), -деть (*diêt'*), como:

води́ть (*va-dit'*) "levar", "estar levando" (p. ex., uma criança pela mão)
води́ть маши́ну (*va-dit' ma-chi-nu*) "dirigir/estar dirigindo um carro"
я вожу́ маши́ну (*iá va-ju ma-chi-nu*) eu estou dirigindo um carro
сиде́ть (*si-diêt'*) "sentar", "estar sentando"; "ficar", "estar ficando"
я сижу́ до́ма (*iá si-ju dô-ma*) "eu estou/sentado em casa"
ви́деть (*vi-diêt'*) "ver", "estar vendo"
я ви́жу его́ ка́ждый день (*iá vi-ju ie-vô káj-dyi diên'*) Eu o vejo todos os dias.

Perceba também que a terminação da primeira pessoa do singular depois de -ж, -ш, -ч, -щ é sempre -у:

я вяжу́ (*iá via-ju*) eu estou costurando (вяза́ть), я служу́ (*iá slu-ju*) eu estou servindo (o serviço militar etc.) (служи́ть)
я ношу́ (*iá na-chu*) eu estou vestindo/levando (носи́ть), я прошу́ (*iá pra-chu*) eu estou pedindo (проси́ть)

я молчу (*iá mal-tchu*) eu estou me mantendo em silêncio (молчать), я учу (*iá u-tchu*) eu estou aprendendo/estudando (учить)
я чищу (*iá tchi-chtchu*) eu estou limpando (чистить)

De outra forma, a terminação é geralmente -ю, mas em alguns momentos -у:

я работаю, гуляю, летаю, покупаю (*iá ra-bô-ta-iu, gu-liá-iu, li-ta-iu, pa-ku-pa-iu*)
я веду (*iá vie-du*) eu estou conduzindo (вести), я несу (*iá nie-ssu*) eu estou levando, eu estou carregando (нести), я кладу (*iá kla-du*) eu estou colocando (класть)

---

2. NOTA PARA O TEMPO FUTURO

1. Verbos imperfeitos usam o futuro de быть (*byt'*) "ser/estar" com o infinitivo para formar o tempo futuro. Você viu um exemplo na Lição 5, quando Volódia disse para Natacha Я буду ждать вас… (*iá bu-du jdat' vas*) "Eu vou esperar por você".

2. Como mencionado, verbos perfeitos não têm uma forma no presente. Eles são conjugados da mesma forma que os verbos imperfeitos, mas essa conjugação forma o tempo futuro, e não o presente.

---

3. VERBOS REFLEXIVOS E RECÍPROCOS

Em geral, um verbo *reflexivo* refere-se ao sujeito. A melhor forma de traduzir verbos reflexivos é com o pronome "-se". O infinitivo desses verbos termina em –ться (*-tsa*):

умываться
u-my-vá-tsa
lavar-se

я умываюсь
iá u-my-vá-ius'
eu me lavo/estou me lavando

ты умываешся
ty u-my-va-iech-sa
você(tu) se(te) lava(s)/está(s) se(te) lavando

он♂/она♀ умывается
on/a-ná u-my-va-ie-tsa
ele/ela se lava/está se lavando

мы умываемся
my u-my-va-iem-sia
nós nos lavamos/estamos nos lavando

они́ умыва́ются
a-ní u-my-va-iu-tsa
Eles se lavam/estão se lavando

Um verbo *recíproco* possui dois ou mais agentes e carrega o sentido da frase em português "um ao outro". Você viu um verbo recíproco na Lição 3, quando Natacha disse "Eu estou muito feliz em conhecê-lo".
Em russo, devido ao fato de a ação de conhecer ou ser apresentado ter sido completada, o sentido é "Eu estou muito feliz de ter conhecido você":

Я о́чень рад♂/ра́да♀ познако́миться с ва́ми.
ia ó-tchien' rat/ra-da paz-na-kô-mi-tsa sva-mi

познако́миться (*paz-na-kô-mi-tsa*) ter conhecido, ter sido apresentado (um ao outro) é a forma perfectiva do verbo imperfeito знако́миться (*zna-kô-mi-tsa*).

Verbos reflexivos e recíprocos são formados adicionando-se -ся (*-sia*) ou -сь (*-s'*) à forma não reflexiva ou não recíproca, por exemplo: умыва́ть (*u-my-vat'*) – умыва́ться (*u-my-va-tsa*), знако́мить (*zna-kô-mit'*) – знако́миться (*zna-kô-mi-tsa*). Depois de uma consoante, ь- ou й-, -ся (*-sia*) é adicionado; -сь (*-s'*) é adicionado depois de uma vogal. Note que as combinações -тся e -ться são pronunciadas como (*-tsa*), da mesma maneira. Abaixo, dois exemplos, desta vez sem transliteração:

Reflexivo	Recíproco
одева́ться vestir-se	знако́миться conhecer alguém
я одева́юсь	я знако́млюсь
ты одева́ешься	ты знако́мишься
он, она́ одева́ется	он, она́ знако́мится
мы одева́емся	мы знако́мимся
вы одева́етесь	вы знако́митесь
они одева́ются	они знако́мятся

Nem todos os verbos terminados em -сь (*-s'*) ou -ся (*-sia*) são reflexivos ou recíprocos. Por exemplo:

находи́ть (*na-kha-dit'*) encontrar
находи́ться (*na-kha-di-tsa*) estar, estar situado
смея́ться (*smie-iá-tsa*) rir

4. СЕБЯ (sie-*biá*) – A SI MESMO

No diálogo do começo desta lição, Natacha foi às compras:

…купи́ть себе́ тёплую ша́пку…
…ku-*pit'* sie-*biê tiô*-plu-iu *cháp*-ku…
…para comprar para si um gorro quente…

Себе́ (sie-*biê*) nessa frase é a forma dativa da palavra себя́ (sie-*biá*). Себя́, a forma do dicionário é a acusativa. Não há forma nominativa de себя́. Себя́ pode significar a mim mesmo, a si mesmo, a ele mesmo, a ela mesma, a nós mesmos, a si mesmos, a eles mesmos (você pode perceber qual usar prestando atenção ao sujeito da frase). Note que *não há forma separada para o plural*, embora possa haver um significado no plural.

Abaixo, a declinação, com exceção de я.

Nom.	я *iá*	—
Ac.	меня́ *mie-niá*	себя́ sie-*biá*
Gen.	меня́ *mie-niá*	себя́ sie-*biá*
Dat.	мне *mniê*	себе́ sie-*biê*
Instr.	мной *mnôi*	собо́й[1] sa-*bôi*
Prep.	мне *mniê*	себе́ sie-*biê*

Abaixo, alguns exemplos do uso de себя́:

Я бу́ду ждать вас у себя́ в кабине́те.
ia *bu*-du jdat' vas u sie-*biá* fka-bi-*niê*-tie
Eu vou esperar você no meu escritório.

Вчера́ я купи́л себе́ но́вую ша́пку.
ftchie-*rá* iá ku-*pil* sie-*biê nô*-vu-iu *chá*-pku
Ontem eu me comprei um gorro novo.

Он уви́дел себя́ в зе́ркале.
on u-*vi*-diel sie-*biá vziêr*-ka-lie
Ele se viu no espelho.

Я возьму́ э́ту кни́гу с собо́й.
iá vaz'-*mu é*-tu *kni*-gu ssa-*bôi*
Eu vou levar este livro comigo.

Она́ всегда́ говори́т о себе́.
a-*ná* fsieg-*dá* ga-va-*rit* a sie-*biê*

---
[1] Às vezes мно́ю (*mnô*-iu), собо́ю (sa-*bô*-iu).

Lição 8

Ela sempre fala de si.
5. NUMERAIS ORDINAIS DO PRIMEIRO AO DÉCIMO

primeiro пе́рвый♂/пе́рвая♀/пе́рвое n.
 pi_êr_-vyi/pi_êr_-va-ia/pi_êr_-va-ie.

segundo второ́й♂/втора́я♀/второ́е n.
 fta-_rôi_/fta-_ra_-ia/fta-_rô_-ie.

terceiro тре́тий♂/тре́тья♀/тре́тье n.
 tri_ê_-tii/tri_ê_-t'ia/tri_ê_-t'ie.

quarto четвёртый♂/четвёртая♀/четвёртое n.
 tchit-_viôr_-tyi/tchit-_viôr_-ta-ia/tchit-_viôr_-ta-ie.

quinto пя́тый♂/пя́тая♀/пя́тое n.
 pi_á_-tyi/pi_á_-ta-ia/pi_á_-ta-ie.

sexto шесто́й♂/шеста́я♀/шесто́е n.
 ches-_tôi_/ches-_ta_-ia/ches-_tô_-ie.

sétimo седьмо́й♂/седьма́я♀/седьмо́е n.
 sied'-_môi_/sied'-_ma_-ia/sied'-_mô_-ie.

oitavo восьмо́й♂/восьма́я♀/восьмо́е n.
 vas'-_môi_/vas'-_ma_-ia/vas'-_mô_-ie.

nono девя́тый♂/девя́тая♀/девя́тое n.
 die-_viá_-tyi/die-_viá_-ta-ia/die-_viá_-ta-ie.

décimo деся́тый♂/деся́тая♀/деся́тое n.
 die-_ssiá_-tyi/die-_ssiá_-ta-ia/die-_ssiá_-ta-ie.

Em russo, os numerais ordinais são declinados como adjetivos.

6. A DECLINAÇÃO DOS NUMERAIS ORDINAIS

	masculino	feminino	neutro
	a primeira casa	a segunda rua	a terceira janela
Nom.	пе́рвый дом pi_êr_-vyi dom	втора́я у́лица fta-_ra_-ia u-li-tsa	тре́тье окно́ tri_êt_'-iê ak-_nô_
Ac.	пе́рвый дом pi_êr_-vyi dom	втору́ю у́лицу fta-_ru_-iu u-li-tsu	тре́тье окно́ tri_êt_'-iê ak-_nô_
Gen.	пе́рвого до́ма pi_êr_-va-va d_ô_-ma	второ́й у́лицы fta-_rôi_ u-li-tsy	тре́тьего окна́ triet'-ie-va ak-_ná_

Lição 8

Dat.	пе́рвому до́му *piêr*-va-mu *dô*-mu	второ́й у́лице fta-*rôi ú*-li-tse	тре́тьему окну́ *triêt'*-ie-mu ak-*nu*
Instr.	пе́рвым до́мом *piêr*-vym *dô*-mam	второ́й у́лицей fta-*rôi u*-li-tsei	тре́тьим окно́м *triêt'*-im ak-*nom*
Prep.	пе́рвом до́ме *piêr*-vam *dô*-mie	второ́й у́лице fta-*rôi ú*-li-tse	тре́тьем окне́ *triêt'*-iem ak-*niê*

VOCABULÁRIO

поку́пка (*pa-kup-ka*) compra
де́лать поку́пки (*diê-lat' pa-kup-ki*) fazer compras
магази́н (*ma-ga-zin*) loja
проду́кт (*pra-dukt*) produto
за проду́ктами (*za pra-duk-ta-mi*) para comprar produtos/comida
оде́жда (*a-diêj-da*) roupa
о́бувь (*ô-buf'*) sapato
друго́й♂/друга́я♀/друго́е *n.* (*dru-gôi/dru-ga-ia/dru-gô-ie*) outro
вещь (*viêchtch*) coisa
реши́ть (perf) (*rie-chit'*) decidir
пойти́ (perf) (*pai-ti*) ir
пойти́ по магази́нам (*pai-ti pa ma-ga-zi-nam*) ir às compras, às lojas
себя́ (*sie-biá*) si mesmo
мехово́й♂/мехова́я♀/мехово́е *n.* (*mie-kha-vôi/mie-kha-va-ia/mie-kha-vô-ie*) de pele
шерстяно́й♂/шерстяна́я♀/шерстяно́е *n.* (*chers-tia-nôi/chers-tia-na-ia/chiers-tia-nô-ie*) de lã
ша́пка (*chap-ka*) gorro
перча́тка (*pier-tchát-ka*) luva
продаве́ц (*pra-da-viêts*) vendedor
сапо́г (*sa-pok*) bota
хо́лодно (*khô-la-dna*) está frio
зима́ (*zi-má*) inverno
зимо́й (*zi-môi*) no inverno
ну́жно (*nuj-na*) é necessário
име́ть (impf.) (*i-miêt'*) ter, possuir
тёплый♂/тёплая♀/тёплое *n.* (*tiô-plyi/tiô-pla-ia/tiô-pla-ie*) quente
замёрзнуть (perf.) (*za-miôrz-nut'*) congelar, estar com frio

Lição 8

показа́ть (perf,) (*pa-ka-zat'*) mostrar
кото́рый♂/кото́рая♀/кото́рое *n*. (*ka-tô-ryi/ka-tô-ra-ia/ka-tô-ra-ie*) que, o qual
чёрный♂/чёрная♀/чёрное *n*. (*tchôr-nyi/tchôr-na-ia/tchôr-na-ie*) preto
у́гол (*u-gol*) canto, esquina
в углу́ (*vu-glu*) no canto, na esquina
Ско́лько? (*skol'-ka*) Quanto?/Quantos?
сто́ить (impf) (*stô-it'*) custar, valer
дорого́й♂/дорога́я♀/дорого́е *n*. (*da-ra-gôi/da-ra-ga-ia/da-ra-gô-ie*) caro
до́рого (*dô-ra-ga*) está/é caro
дешёвый♂/дешёвая♀/дешёвое *n*. (*die-chô-vyi/die-chô-va-ia/die-chô-va-ie n*.) barato
деше́вле (*die-chê-vlie*) mais barato
подеше́вле (*pa-die-chê-vlie*) um pouco mais barato
посмотре́ть (perf.) (*pas-ma-triêt'*) dar uma olhada
кра́сный♂/кра́сная♀/кра́сное *n*. (*kras-nyi/kras-na-ia/kras-na-ie*) vermelho
ду́мать (impf.) (*du-mat'*) pensar
подходи́ть (impf.) (*pat-kha-dit'*) combinar, alcançar, servir
подойти́ (perf.) (*pa-dai-ti*) combinar, alcançar
ещё (*ie-chtchô*) ainda, mais
взять (perf.) (*vziát'*) pegar/levar
брать (impf.) (*brat'*) pegar/levar
возьму́ (*vaz'-mu*) eu vou levar
хоть (*khot'*) ainda que
тако́й♂/така́я♀/тако́е *n*. (*ta-kôi/ta-ka-ia/ta-kô-ie*) tal, tanto
коне́чно (*ka-niêch-na*) é claro
счита́ть (impf.) (*chtchi-tat'*) calcular
посчита́ть (perf) (*pa-chtchi-tat'*) calcular, adicionar
всё (*fsiô*) tudo
вме́сте (*vmiês-tie*) junto, juntos
всего́ (*fsie-vô*) no total
плати́ть (impf.) (*pla-tit'*) pagar
ка́сса (*ka-ssa*) caixa (de loja)
нале́во (*na-liê-va*) à esquerda
петь (impf.) (*piêt'*) cantar
пить (impf.) (*pit'*) beber
крича́ть (impf.) (*kri-tchat'*) gritar
умыва́ться (impf.) (*u-my-va-tsa*) lavar-se
одева́ться (impf.) (*a-die-vá-tsa*) vestir-se
знако́мить (impf.) (*zna-kô-mit'*) apresentar, conhecer
знако́миться (impf.) (*zna-kô-mi-tsa*) conhecer, conhecer-se, ser apresentado
познако́мить (perf.) (*paz-na-kô-mit'*) apresentar
познако́миться (perf.) (*paz-na-kô-mi-tsa*) conhecer, ser apresentado

Lição 8

находи́ть (impf.) (*na-kha-dit'*) encontrar
находи́ться (impf.) (*na-kha-di-tsa*) estar, estar situado
смея́ться (impf.) (*smie-iá-tsa*) rir
ви́деть (impf.) (*vi-diet'*) ver
уви́деть (perf.) (*u-vi-diet'*) ver, ter visto
зе́ркало (*ziêr-ka-la*) espelho
маши́на (*ma-chi-na*) carro

EXERCÍCIOS

Coloque os verbos da 1ª conjugação na forma correta do presente.

Exercício A

1. Я (писа́ть) _____
2. Они́ (чита́ть) _____
3. Мы (петь) _____
4. Они́ (пить) _____
5. Вы (ждать) _____
6. Он (преподава́ть) _____
7. Я (знать) _____
8. Они́ (гуля́ть) _____
9. Она́ (понима́ть) _____
10. Вы (идти́) _____
11. Мы (е́хать) _____
12. Вы (де́лать) _____
13. Я (петь) _____
14. Они́ (отвеча́ть) _____
15. Я (слу́шать) _____

Coloque os verbos da 2ª conjugação na forma correta do presente.

Exercício B

1. Я (ходи́ть) _____
2. Они́ (говори́ть) _____
3. Она́ (крича́ть) _____
4. Они́ (крича́ть) _____
5. Я (смотре́ть) _____
6. Мы (сиде́ть) _____
7. Они́ (звони́ть) _____
8. Она́ (стоя́ть) _____
9. Я (ви́деть) _____

4. Мы (ходи́ть)   9. Он (лете́ть)   14. Я (води́ть)

5. Вы (говори́ть) 10. Она́ (молча́ть)

Exercício C

Coloque os verbos em parênteses na forma correta.

1. Мы (знать), что у Ната́ши мно́го рабо́ты. _____

2. Вчера́ они́ (стоя́ть) в о́череди в магази́не, что́бы купи́ть проду́кты. _____

3. Сейча́с Воло́дя (говори́ть) с Ната́шей. _____

4. Когда́ Ната́ша была́ в магази́не, продаве́ц (показа́ть) ей кра́сные перча́тки. _____

5. Вчера́ сапоги́ (сто́ить) четы́ре ты́сячи, сего́дня они́ (сто́ить) во́семь ты́сяч, а за́втра они́ (сто́ить) де́сять ты́сяч.
_____, _____, _____

6. Сейча́с Ната́ша (смотре́ть) на перча́тки. _____

7. Воло́дя не (знать), ско́лько сейча́с вре́мени. _____

8. Сейча́с Ната́ша (покупа́ть) ша́пку, сапоги́ и перча́тки, а продаве́ц (счита́ть), ско́лько всё (сто́ить).
_____, _____, _____

9. Когда́ продаве́ц посчита́ла, Ната́ша (заплати́ть) в ка́ссу. _____

10. Хотя́ ша́пка сто́ила до́рого, Ната́ша (реши́ть) взять её. _____

Exercício D

Numa folha separada, traduza para o português o seguinte texto.

Бори́с рабо́тает недалеко́ от своего́ до́ма в Москве́. У него́ есть маши́на, но он хо́дит на рабо́ту пешко́м. Ка́ждое у́тро по пути́ в о́фис он покупа́ет газе́ту. Но вчера́ газе́т не́ было. Что он сде́лал? Он купи́л кни́гу. Он о́чень лю́бит чита́ть газе́ты, кни́ги и журна́лы. Он лю́бит кино́, но совсе́м не лю́бит смотре́ть телеви́зор: у него́ да́же телеви́зора нет.

Сейчас зима. На улице холодно. Но Борису не холодно, когда он ходит на работу. У него тёплое пальто, шапка, шерстяные перчатки и пара хороших сапог.

журнал	jur-nal	revista
читать	tchi-tat'	ler
кино	ki-nô	cinema
даже	da-je	mesmo
телевизор	ti-li-vi-zar	televisão
совсем	saf-siêm	completamente
пара	pa-ra	par
улица	u-li-tsa	rua
на улице	na-u-li-tse	lá fora, na rua
пальто	pal'-tô	sobretudo
пешком	pich-kom	a pé

Passe as frases seguintes para o russo.

1. Toda manhã eu compro o jornal a caminho do trabalho.

2. Neste momento ela está conversando com o Ivan.

3. Posso dar uma olhada naquele gorro, por favor?

4. Eu vou levar, mesmo sendo caro.

5. Mostre-me aquelas luvas, por favor.

6. Posso dar uma olhada naquele sobretudo, por favor?

Exercício E

Lição 8

7. Hoje nós temos um pouco de tempo livre.
_____

8. Onde fica o caixa?
_____

9. O caixa é ali, à esquerda.
_____

Verdadeiro ou falso?

1. У Наташи много работы.
2. Чёрные сапоги в углу стоят восемь тысяч рублей.
3. В России не очень холодно зимой.
4. Наташе хочется купить красные перчатки.
5. Наташа покупает чёрные перчатки.
6. Шапка стоит пять тысяч.
7. Наташа платит в кассу.
8. В России нужно иметь тёплые вещи, чтобы не замёрзнуть зимой.

Exercício F

Visite www.berlitzpublishing.com para atividades extras na internet – vá para a seção de downloads e conecte-se ao mundo em russo!

Lição 9

ОБРÁТНО В МОСКВУ́ ПÓЕЗДОМ
a-brat-na vmask-vu po-iez-dam
DE VOLTA A MOSCOU DE TREM

Сегóдня пя́тница. Весь день прошёл в делáх и спéшке. А сейчáс рабóта закóнчена. Всё сдéлано. Порá éхать домóй!
sie-vôd-nia piát-ni-tsa. viês' diên' pra-chôl vdie-lakh i spiêch-kie. a sei-tchas ra-bô-ta za-kon-tchie-na. fsiô sdiê-la-na. pa-rá iê-khat' da-môi
Hoje é sexta-feira. O dia todo foi gasto trabalhando e às pressas. Mas agora o trabalho terminou. Tudo está feito. É hora de ir para casa!

Натáша прилетéла в Санкт-Петербýрг самолётом. Но обрáтный билéт на самолёт ей купи́ть не удалóсь. Нé было мест. Поэ́тому онá купи́ла билéт на пóезд. Э́тот пóезд называ́ется "Крáсная Стрелá". Он идёт из Санкт-Петербýрга в Москвý кáждую ночь.
na-ta-cha pri-lie-tiê-la fsankt-pie-tier-burk sa-ma-liô-tam. no a-brat-nyi bi-liêt na sa-ma-liôt iêi ku-pit' niê u-da-los'. niê-by-la miêst. pa-é-ta-mu a-ná ku-pi-la bi-liêt na pô-iest. é-tat pô-iest na-zy-va-ie-tsa kras-na-ia

Lição 9

strie-la. on i-diôt is-sankt-pie-tier-bur-ga vmask-vu kaj-du-iu notch
Natacha voou para São Petersburgo. Mas ela não conseguiu comprar uma passagem de volta. Não havia assento. Então ela comprou uma passagem de trem. Esse trem é chamado de "Flecha Vermelha". Ele vai de São Petersburgo para Moscou todas as noites.

В шесть часо́в ве́чера она́ хорошо́ пообе́дала с Воло́дей. Пото́м они́ немно́го гуля́ли по на́бережной Невы́. Зате́м Воло́дя проводи́л Ната́шу в гости́ницу. В гости́нице они́ попроща́лись.
fchest' tcha-ssof viê-tchie-ra a-ná kha-ra-chô pa-a-biê-da-la sva-lô-diei. pa-tom a-ni nim-no-ga gu-liá-li pa na-bie-riej-nai nie-vy. za--tiêm va-lô-dia pra-va-dil na-ta-chu vgas-ti-ni-tsu. vgas-ti-ni-tse a-ni pa-pra-chtcha-lis'
Às seis da tarde ela jantou muito bem com Volódia. Depois eles passearam um pouco às margens do Nievá. Depois disso, Volódia acompanhou Natacha ao hotel. Eles se despediram no hotel.

Сейча́с де́вять часо́в ве́чера. Ната́ша уже́ в по́езде, в двухме́стном купе́. Она́ разгова́ривает со свои́м попу́тчиком.
sei-tchás diê-viat' tcha-ssof viê-tchie-ra. na-ta-cha u-jê fpo-iez-die vdvukh-miêst-nam ku-pê. a-ná raz-ga-va-ri-va-iet sas-va-im pa-pu-tchi-kam
Agora são nove horas da noite. Natacha já está no trem num compartimento de dois lugares. Ela está conversando com seu companheiro de viagem.

Ната́ша   До́брый ве́чер!
dô-bryi viê-tchier
Boa noite.

Игорь   До́брый ве́чер! Нам е́хать вме́сте. Дава́йте знако́миться. Я – И́горь Григо́рьевич Милосла́вский.
dô-bryi viê-tchier. nam iê-khat' vmiês-tiê. da-vai-tiê zna-kô-mi-tsa. iá i-gar' gri-gor'-ie-vitch mi-las-lavs-kii
Boa noite. Nós estamos viajando juntos. Vamos nos apresentar. Meu nome é Igor Grigorievítch Miloslávski.

Ната́ша   А я Ната́лья Петро́вна Ивано́ва... Вы мо́жете чуть-чуть откры́ть окно́?
a iá na-tal'-ia pie-trôv-na i-va-nô-va... vy mo-je-tie tchut'-tchut' at-kryt' ak-nô?
E eu sou Natália Pietróvna Ivanóva... você pode abrir a janela um pouco?

120

Lição 9

Игорь   Да, конечно. Здесь ужа́сно жа́рко…Вы живёте в Санкт-Петербу́рге?
da ka-niêch-na. zdiês' u-jas-na jar-ka. vy ji-viô-tie fsankt-pie-tier-bur-guie
Sim, claro. Está terrivelmente quente aqui. Você mora em São Petersburgo?

Ната́ша   Нет, я была́ здесь в командиро́вке то́лько три дня. Я живу́ в Москве́. А вы?
niêt iá by-la zdiês' fka-man-di-rof-kie tol'-ka tri dniá. iá ji-vu vmask-viê. a vy?
Não, eu estive aqui por três dias numa viagem de negócios. Eu moro em Moscou. E você?

Игорь   Я живу́ о́чень далеко́ отсю́да, в Ирку́тске. Я худо́жник и прие́хал посмотре́ть Эрмита́ж.
iá ji-vu ô-tchien' da-lie-kô at-siú-da vyr-kuts-kie. iá khu--doj-nik i pri-iê-khal pas-ma-triêt' er-mi-tach
Eu moro muito longe daqui, em Irkutsk. Sou artista, e vim para ver o Hermitage.

Ната́ша   Я была́ там то́лько оди́н раз. Э́то великоле́пно! Я бы с удово́льствием провела́ там це́лую неде́лю. Но нет вре́мени!
iá by-la tam tol'-ka a-din ras. é-ta vie-li-ka-liêp-na. ia by su-da-vol'-stvi-iem pra-vie-la tam tsê-lu-iu nie-diê-liu. no niêt vriê-mie-ni
Eu só estive lá uma vez. É maravilhoso! Eu passaria uma semana inteira lá com prazer. Mas não há tempo!

Игорь   Жаль! А я был там почти́ ка́ждый день в тече́ние це́лого ме́сяца. И всё равно́ бы́ло ма́ло – хоте́лось ещё бо́льше. Там так мно́го экспона́тов! И все шеде́вры!
jal'. a iá byl tam patch-ti kaj-dyi diên' ftie-tchê-ni-ie tsê--la-va miê-ssie-tsa. i fsiô rav-nô by-la ma-la – kha-tiê-las' ie-chtchô bol'-che. tam tak mnô-ga eks-pa-na-taf. i vsiê che-dê-vry
Que pena! E eu estive lá quase todos os dias durante um mês. Mesmo assim, foi pouco – eu queria ainda mais. Há tantas coisas expostas lá. E são todas obras--primas!

Ната́ша   Да, пра́вда…А как вы пое́дете домо́й?
da prav-da… a kak vy pa-iê-die-tie da-môi?
Sim, é verdade… E como você vai para casa?

Lição 9

Игорь Ох, это сложный вопрос! Из Москвы вылетаю самолётом в Иркутск. Потом из аэропорта поеду на автобусе в центр города. Затем возьму такси или частную машину до начала моей очень длинной улицы. Там дорога такая плохая, что машине не проехать. Даже летом. А сейчас, когда снег...
okh é-ta slôj-nyi va-prôs. iz mask-vy vy-lie-ta-iu sa-ma-liô-tam vyr-kutsk. pa-tom i-za-e-ra-por-ta pa-iê-du na af-tô-bu-ssie ftsen-tr gô-ra-da. za-tiêm vaz'-mu tak-si i-li tchás-nu-iu ma-chi-nu da na-tcha-la ma-iêi ô-tchien' dlin-nai u-li-tsy. tam da-rô-ga ta-ka-ia pla-kha-ia chto ma-chi-nie niê pra-iê-khat'. da-je liê-tam. a sei-tchas kag-dá sniêk...
Oh, essa é uma pergunta difícil! De Moscou, eu vou voar para Irkutsk. Então, do aeroporto, eu vou de ônibus até o centro da cidade. Então eu vou pegar um táxi ou um carro particular até o começo de minha longa rua. O pavimento lá é tão ruim que um carro não pode cruzar. Mesmo no verão. E agora, que há neve...

Наташа А что же вы будете делать?
a chto jê vy bu-die-tie diê-lat'?
Mas então o que você vai fazer?

Игорь К счастью, Бог дал мне две ноги. Это самый надёжный транспорт. Я пойду пешком!
kchtchas-t'iu bog dal mniê dviê na-gui. é-ta sa-myi na-diôj-nyi trans-part. ia pái-du piech-kôm
Felizmente, Deus me deu duas pernas. É o meio de transporte mais confiável. Eu vou andando.

GRAMÁTICA

1. O IMPERATIVO

Nesta lição nós temos o imperativo давайте (*da-vai-tie*) "vamos". Ele é baseado no verbo давать (*da-vat'*), que pode ser traduzido de diversas formas: "dar", "permitir" e "deixar".

Давайте precede geralmente outro verbo:

Давайте знакомиться.
da-vai-tie zna-kô-mi-tsa
Vamos nos apresentar.

Lição 9

Давáйте начнём наш урóк.
da-vai-tie natch-niôm nach u-rok
Vamos começar nossa aula.

Садúтесь, пожáлуйста.
sa-di-ties' pa-ja-lui-sta
Sente-se, por favor.

Посмотрúте.
pas-ma-tri-tie
Veja.

Идúте сюдá.
i-di-tie siu-dá
Venha cá.

Извинúте.
iz-vi-ni-tie
Desculpe.

Покажúте.
pa-ka-ji-tie
Mostre.

Todos os imperativos estão na forma "vós/vocês", que em russo, assim como em português, pode se referir a uma ou mais pessoas. Há também uma forma informal, que você verá abaixo.

A FORMAÇÃO DO IMPERATIVO

Quando a base de um verbo da 1ª ou 2ª conjugação termina numa *vogal* na segunda pessoa do singular no tempo presente, ou futuro do modo perfectivo, o imperativo singular (informal) é formado adicionando-se -й (*-i*), e o modo plural (formal) adicionando-se -йте (*-itiê*) àquela base:

Base	Imperativo	
	Singular	Plural
посчитá- ешь *pa-chtchi-ta-iech'*	посчитáй calcule *pa-chtchi-tai*	посчитáйте calculem *pa-chtchi-tai-tie*
читá- ешь *tchi-ta-iech'*	читáй leia *tchi-tai*	читáйте leiam *tchi-tai-tie*
рабóта- ешь *ra-bô-ta-iech'*	рабóтай trabalhe *ra-bô-tai*	рабóтайте trabalhem *ra-bô-tai-tie*

Lição 9

ду́ма- ешь *du-ma-iech'*	ду́май pense *du-mai*	ду́майте pensem *du-mai-tie*
сто -и́шь *sta-ich'*	сто́й pare *stoi*	сто́йте parem *stoi-tie*

Quando a base termina em consoante, -и (*-i*)/-ите (*i-tie*) são adicionados:

Base	Imperativo	
	Singular	Plural
говор-и́шь *ga-va-rich'*	говори́ fale *ga-va-ri*	говори́те falem *ga-va-ri-tie*
ска́ж-ешь *ska-jech'*	скажи́ diga/conte *ska-ji*	скажи́те digam/contem *ska-ji-tie*
ку́п-ишь *ku-pich'*	купи́ compre *ku-pi*	купи́те comprem *ku-pi-tie*
пока́ж-ешь *pa-ka-jech'*	покажи́ mostre *pa-ka-ji*	покажи́те mostrem *pa-ka-ji-tie*
реш -и́шь *ri-chich'*	реши́ decida *rie-chi*	реши́те decidam *rie-chi-tie*

Verbos reflexivos e recíprocos recebem -йся (*-issia*), -йтесь (*-itiês'*); -ись (*is'*), -итесь (*-itiês'*):

одева́ -ешься *a-die-va-iech-sa*	одева́йся vista-se *a-die-vai-ssia*	одева́йтесь vistam-se *a-die-vai-ties'*
подпи́ш -ешься *pat-pi-chiech-sia*	подпиши́сь assinar *pat-pi-chis'*	подпиши́тесь assinar *pat-pi-chi-ties'*

---

2. ХОТЕТЬ (*kha-tiêt'*) – **QUERER**

Esse é um verbo de 1ª conjugação no singular e um verbo de 2ª conjugação no plural. É importante esforçar-se para aprendê-lo.

Presente	
Singular	Plural
я хочу́ *ia kha-tchu* eu quero	мы хоти́м *my kha-tim* nós queremos

ты хо́чешь *ty khô-tchech'*
tu queres/você quer

он/она́/оно́ хо́чет
on/a-ná/a-nô khô-tchet
ele/ela quer

вы хоти́те *vy kha-ti-tie*
vós quereis/vocês querem

они́ хотя́т *a-ní kha-tiát*
eles querem

Você já terá visto esses exemplos em lições anteriores:

Я пое́ду с ва́ми, е́сли хоти́те.
iá pa-iê-du sva-mi iês-li kha-ti-tie
Eu irei com você se você quiser.

Я хочу́ помо́чь вам…
iá kha-tchu pa-motch vam…
Eu quero ajudar você…

Воло́дя, я хочу́ спроси́ть…
va-lô-dia iá kha-tchu spra-ssit'…
Volódia, eu quero perguntar…

Хоти́те ча́ю?
kha-ti-tie tchá-iu
Você gostaria de um pouco de chá?

O passado de хоте́ть é regular:

Passado

Singular

я хоте́л *ia kha-tiêl*
eu queria

ты хоте́л *ty kha-tiêl*
tu querias/você queria

он хоте́л *on kha-tiêl*
ele queria

она́ хоте́ла *a-ná kha-tiê-la*
ela queria

оно́ хоте́ло *a-nô kha-tiê-la*
isso queria

Plural

мы хоте́ли *my kha-tiê-li*
nós queríamos

вы хоте́ли *vy kha-tiê-li*
vós queríeis/vocês queriam

они́ хоте́ли *a-ní kha-tiê-li*
eles queriam

Lição 9

3. ХО́ЧЕТСЯ (khô-tchie-tsa) – QUERER/TER VONTADE DE

Alguns verbos reflexivos podem ser usados de forma "impessoal" para descrever uma inclinação ou desejo quando eles seguem o caso dativo de я, ты, он, она́, оно́, мы, вы, они́. Uma expressão particularmente útil é хо́чется (khô-tchie-tsa), que é derivada do verbo imperfeito хоте́ться (kha-tiê-tsa) e dá a ideia de "estar com vontade" ou "querendo" fazer alguma coisa.

Мне хо́чется (mniê khô-tchie-tsa), sendo assim, significa "me dá vontade" = "eu quero, estou com vontade de". Na Lição 4, Paul diz:

Я о́чень хочу́ побыва́ть в Санкт-Петербу́рге.
ia ô-tchien' kha-tchu pa-by-vat' fsankt-pie-tier-bur-guie
Eu realmente quero visitar São Petersburgo.

Outra forma de dizer isso seria:

Мне о́чень хо́чется побыва́ть в Санкт-Петербу́рге.
mniê ô-tchien' khô-tchie-tsa pa-by-vat' fsank-pie-tier-bur-guie
Eu realmente quero visitar São Petersburgo.

Da mesma forma:

Мне хо́чется есть.
mniê khô-tchie-tsa iêst'
Eu quero comer = Estou com fome.

Им хо́чется спать.
im khô-tchie-tsa spat'
Eles querem dormir = Eles estão com sono.

Нам хо́чется чита́ть.
nam khô-tchie-tsa tchi-tat'
Nós estamos com vontade de ler.

Note que a forma хо́чется é a mesma para todos os pronomes, tanto no presente quanto no passado (хоте́лось kha-tiê-las'):

Ему́ хоте́лось побыва́ть в…
ie-mu kha-tiê-las' pa-by-vat' v…
Ele queria visitar…

Ей хоте́лось купи́ть перча́тки.
iêi kha-tiê-las' ku-pit' pir-tchat-ki
Ela queria comprar luvas.

Нам хоте́лось пойти́ в кино́.
nam kha-tiê-las' pai-ti fki-nô
Nós queríamos ir ao cinema.

Às vezes, a pessoa é omitida, como nesta lição, quando Igor diz:

И всё равно́ бы́ло ма́ло – хоте́лось ещё бо́льше.
I fsiô rav-nô by-la ma-la – kha-tiê-las' ie-chtchô bol'-che
Mesmo assim, foi pouco – (eu) queria ainda mais.

4. O ASPECTO CONDICIONAL: БЫ (by)-RIA

Na Lição 5, Natacha diz:

Мы хотéли бы создáть совмéстное предприя́тие…
my kha-tiê-li by saz-dat' sav-miêst-na-ie priet-pri-iá-ti-ie…
Nós gostaríamos de formar uma parceria…

Esse é um exemplo do "aspecto" condicional, que possui apenas um tempo verbal em russo. Ele é formado adicionando-se бы (by) à forma passada de um verbo perfectivo ou imperfectivo e pode possuir um significado de presente, futuro ou passado, de acordo com o contexto.

Nesta lição, Natacha diz:

Я бы с удовóльствием провелá там цéлую недéлю.
iá by su-da-vol's-tvi-iem pra-vie-lá tam tsê-lu-iu nie-diê-liu
Eu passaria uma semana inteira lá com prazer.

---

5. NUMERAIS ORDINAIS DO 10º - 20º

décimo primeiro	одѝннадцатый a-di-na-tsa-tyi	décimo segundo	двенáдцатый dvie-na-tsa-tyi
décimo terceiro	тринáдцатый tri-na-tsa-tyi	décimo quarto	четы́рнадцатый tchie-tyr-na-tsa-tyi
décimo quinto	пятнáдцатый piat-na-tsa-tyi	décimo sexto	шестнáдцатый ches-na-tsa-tyi
décimo sétimo	семнáдцатый siem-na-tsa-tyi	décimo oitavo	восемнáдцатый va-ssiem-na-tsa-tyi
décimo nono	девятнáдцатый die-viat-na-tsa-tyi	vigésimo	двадцáтый dva-tsa-tyi

Os numerais ordinais acima são formados removendo-se o sinal brando do final dos numerais cardinais e adicionando-se as terminações de adjetivo -ый (-yi), -ая (a-ia), -ое (a-ie).

Por exemplo:
20 двáдцать…двадцат : (ь) + (ый) = vigésimo двадцáтый
Note a mudança na sílaba tônica.

---

6. NOTA SOBRE A SÍLABA TÔNICA

Na Lição 1 mencionamos que a sílaba tônica muda em determinadas expressões. No diálogo, Natacha não podia comprar uma passagem de avião de volta porque нé было мест (niê-by-la miêst) "não havia assento".

Nesta e em outras construções negativas similares, a sílaba tônica desloca-se para не de был, было, были e a pronúncia é "*niê-byl*", "*niê-by-la*" etc. Exceção: no feminino a tônica fica no "a" final do verbo: она́ не была́ "*a-na niê by-la*".

VOCABULÁRIO

обра́тно (*a-bra-tna*) de volta (direção, movimento)
проходи́ть (impf) (*pra-kha-dit'*) viajar por, passar (tempo)
в дела́х (*vdie-lakh*) a trabalho, trabalhando
спе́шка (*spiêch-ka*) correria, pressa
в спе́шке (*fspiêch-kie*) correndo (daqui para lá)
зако́нчен♂/зако́нчена♀/зако́нчено n. (*za-kon-tchien/za-kon-tchie-na/za-kon-tchie-na*) terminado, acabado (forma curta do adjetivo)
сде́ланный♂/сде́ланная♀/сде́ланное n. (*zdiê-lan-nyi/zdiê-lan-na-ia/zdiê-lan-na-ie*) feito, terminado
сде́лан♂/сде́лана♀/сде́лано n. (*zdiê-lan/zdiê-la-na/zdiê-la-na*) feito, terminado (forma curta)
пора́ (*pa-ra*) é hora
прилета́ть (impf) (*pri-lie-tat'*) voar para, chegar voando
ме́сто (*miês-ta*) lugar, assento
обе́дать (impf) (*a-biê-dat'*) comer, almoçar
пообе́дать (perf) (*pa-a-biê-dat'*) comer, ter almoçado
рестора́н (*ries-ta-ran*) restaurante
бе́лый♂/бе́лая♀/бе́лое n. (*biê-lyi/biê-la-ia/biê-la-ie*) branco
пото́м (*pa-tom*) depois, então
на́бережная (*na-bie-riej-na-ia*) avenida marginal
по на́бережной (*pa na-bie-riej-nai*) pela avenida marginal
зате́м (*za-tiêm*) depois disso, depois que
проводи́ть (perf) (*pra-va-dit'*) acompanhar, levar (a pé), supervisionar
попроща́ться (perf) (*pa-pra-chtcha-tsa*) despedir-se
двухме́стный (*dvukh-miêst-nyi*) de dois lugares
купе́ (*ku-pê*) compartimento
разгова́ривать (impf) (*raz-ga-va-ri-vat'*) conversar, bater papo
попу́тчик♂/попу́тчица♀ (*pa-pu-tchik/pa-pu-tchi-tsa*) companheiro de viagem
Дава́йте знако́миться. (*da-vai-tie zna-kô-mi-tsa*) Vamos nos apresentar.
чуть-чуть (*tchut'-tchut'*) um pouco, um pouquinho
откры́ть (perf) (*at-kryt'*) abrir
ужа́сно (*u-jas-na*) terrivelmente
жа́ркий♂/жа́ркая♀/жа́ркое n. (*jar-kii/jar-ka-ia/jar-ka-iê*) quente
даль (*dal'*) distância

далёкий♂/далёкая♀/далёкое n. (da-_liô_-kii/da-_liô_-ka-ia/da-_liô_-ka-ie)
distante, longe
художник♂/художница♀ (khu-_doj_-nik/khu-_doj_-ni-tsa♀) artista
посмотре́ть (perf.) (pas-ma-_triêt'_) assistir, ver
оди́н раз (a-_din_ ras) uma vez
великоле́пный♂/великоле́пная♀/великоле́пное n. (vie-li-ka-_liêp_-nyi/vie-li-ka-_liêp_-na-ia/vie-li-ka-_liêp_-na-ie) maravilhoso, esplêndido, magnífico
великоле́пно (vie-li-ka-_liêp_-na) maravilhosamente, é maravilhoso/esplêndido/magnífico
провести́ (perf.) (pra-vies-_ti_) passar (tempo)
Жаль! (jal') Que pena!
почти́ (patch-_ti_) quase
тече́ние (tie-_tchê_-ni-ie) curso (de tempo); onda (moda); curso (de um rio etc.)
в тече́ние (ftie-_tchê_-ni-ie) durante
всё равно́ (fsiô rav-_nô_) tanto faz, de qualquer forma
Мне всё равно́. (mniê fsiô rav-_nô_) Para mim tanto faz.
ма́ло (_ma_-la) pouco
экспона́т (eks-pa-_nat_) item de exibição
мно́го экспона́тов (_mnô_-ga eks-pa-_na_-taf) muitos itens expostos, muitos itens exibidos
шеде́вр (che-_dêvr_) obra-prima (do francês, "chef-d'oeuvre")
пра́вда (_prav_-da) verdade; é verdade
сло́жный♂/сло́жная♀/сло́жное n. (_sloj_-nyi/_sloj_-na-ia/_sloj_-na-ie) difícil, complicado
центр (tsentr) centro
го́род (_gô_-rat) cidade
взять (perf.) (vziát') pegar, tomar
Возьму́ такси́. (vaz'-_mu_ tak-_si_) (eu) Vou tomar um táxi.
ча́стный♂/ча́стная♀/ча́стное n. (_tchas_-nyi/_tchas_-na-ia/_tchas_-na-ie) privado, particular
маши́на (ma-_chi_-na) carro
нача́ло (na-_tcha_-la) começo
дли́нный♂/дли́нная♀/дли́нное n. (_dli_-nyi/_dli_-na-ia/_dli_-na-ie) longo
плохо́й♂/плоха́я♀/плохо́е n. (pla-_khôi_/pla-_kha_-ia/pla-_khô_-ie) ruim, mau
тако́й♂/така́я♀/тако́е n. (ta-_kôi_/ta-_ka_-ia/ta-_kô_-ie) tal
прое́хать (perf.) (pra-_iê_-khat') atravessar (por meio de transporte)
Маши́не не прое́хать. (ma-_chi_-nie niê pra-_iê_-khat') Um carro não pode atravessar.
ле́то (_liê_-ta) verão
ле́том (_liê_-tam) no verão
снег (sniêk) neve

Lição 9

счáстье (*chtchas-t'ie*) felicidade
к счáстью (*kchtchas-t'iu*) felizmente
Бог (*bok*) Deus
ногá (*na-gá*) perna, pé
надёжный ♂/надёжная ♀/надёжное *n.* (*na-diôj-nyi/na-diôj-na-ia/na-diôj-na-ie*) confiável
сáмый ♂/сáмая ♀/сáмое *n.* (*sa-myi/sa-ma-ia/sa-ma-ie*) o mais/a mais
трáнспорт (*trans-part*) transporte

EXERCÍCIOS

Exercício A

Abaixo, algumas outras palavras que foram adotadas pela língua russa. Traduza-as para o português.

1. факс _____
2. калькулятор _____
3. бутик _____
4. сноубóрд _____
5. компьютер _____
6. телефóн _____
7. ксéрокс _____
8. музыкáльный центр _____
9. принтер _____
10. кáртридж _____
11. плéер _____
12. скáнер _____
13. дáйвинг _____
14. автомобиль _____

Lição 9

Exercício B

Passe as frases abaixo para o russo e complete-as com informações sobre você quando necessário.

1. Boa noite. Vamos nos apresentar.
   _____

2. Eu me chamo .... E quem é você?
   _____
   _____

3. Eu sou .... (nacionalidade).
   _____

4. Eu nasci em .... (local).
   _____

5. Eu trabalho ....
   _____

6. Eu gosto de ....
   _____

7. Eu não gosto de ....
   _____

8. Eu estou estudando russo ....
   _____

Exercício C

Я хотéл бы… / мне хотéлось бы…

Traduza as frases a seguir para o português.

1. Я хотéл бы откры́ть окно́.
   _____

2. Мы хотéли бы создáть фи́рму в Ми́нске.
   _____

3. Емý хотéлось бы быть там кáждый день.
   _____

4. Онá хотéла бы купи́ть газéту.
   _____

5. Ей хотéлось бы вы́пить минерáльной воды́.
   _____

Lição 9

6. Они хотéли бы пойти по магазинам.

7. Им хотéлось бы жить в Амéрике.

8. Мне хотéлось бы хорошо говорить по-рýсски.

9. Я хотéл бы поéхать домой.

10. Хотéли бы вы работать в Москвé?

Exercício D

Passe as frases seguintes para o presente.

1. Он éхал домой.
2. Она покупáла билéт.
3. Они гуляли по нáбережной Невы.
4. Они прощались в гостинице.
5. Игорь был в двухмéстном купé в пóезде.
6. Натáша и Игорь разговáривали об Эрмитáже.
7. Игорь жил в Иркýтске.
8. Мы обéдали в ресторáне.
9. Что вы бýдете дéлать?

Verdadeiro ou falso?

1. Наташа поехала в Санкт-Петербург поездом.
2. Она купила обратный билет на самолёт.
3. Наташа поедет домой в Москву на поезде "Красная Стрела".
4. Наташа пообедала с Володей в шесть часов вечера.
5. Наташа с Володей плохо пообедали в ресторане.
6. После обеда Наташа с Володей погуляли по набережной Невы.
7. Игорь Григорьевич живёт в Минске.
8. В купе было холодно.
9. Наташа открыла окно.
10. Игорь бухгалтер.
11. Наташа была в Эрмитаже только один раз.
12. Игорь никогда не был в Эрмитаже.

Visite www.berlitzpublishing.com para atividades extras na internet – vá para a seção de downloads e conecte-se ao mundo em russo!

Lição 10

ПИСЬМО́ В АМЕ́РИКУ
pis'-mô va-miê-ri-ku
CARTA PARA A AMÉRICA

Сейча́с Ната́ша нахо́дится в кабине́те своего́ нача́льника. Они́ обсужда́ют письмо́ к Ма́йку Ро́джерсу.
sei-tchás na-ta-cha na-khô-di-tsa fka-bi-niê-tie sva-ie-vô na-tchál'-ni-ka. a-ní ab-suj-dá-iut pis'-mô kmai-ku rod-jer-su
Agora Natacha está no escritório de seu chefe. Eles estão discutindo uma carta para Mike Rogers.

Ната́ша	Вот чернови́к письма́ к господи́ну Ро́джерсу.
	vot tchir-na-vik pis'-ma ggas-pa-di-nu rod-jir-su
	Aqui está um esboço da carta para o sr. Rogers.
Дми́трий	Посмо́трим. Хмм…Зна́чит, он прилета́ет к нам пе́рвого ма́рта?
	pas-mô-trim. khmm... zná-tchit on pri-lie-tá-iet knam piêr-va-va mar-ta
	Vamos ver. Humm... então, ele está vindo nos visitar no dia primeiro de março?
Ната́ша	Да, так мы договори́лись по телефо́ну.
	da tak my da-ga-va-ri-lis' pa-tie-lie-fô-nu
	Sim, foi isso que combinamos pelo telefone.
Дми́трий	А ви́за у него́ уже́ есть?
	a vi-za u nie-vô u-jê iêst'
	E ele já tem um visto?

Lição 10

Наташа	Пока нет, но я пошлю приглашéние с этим письмóм.

pa-<u>ka</u> niêt no iá pach-<u>liú</u> pri-gla-<u>chê</u>-ni-ie <u>sé</u>-tim pis'-<u>mom</u>
Ainda não, mas eu vou mandar o convite com esta carta.

Дмитрий — Где он бу́дет жить?
gdiê on <u>bu</u>-diet jit'
Onde ele vai ficar hospedado?

Наташа — Он остановится в гостинице "Звезда". Для негó ужé заброни́рован нóмер.
on as-ta-<u>nô</u>-vit-tsa vgas-<u>ti</u>-ni-tsie zviez-<u>da</u>. dliá nie-<u>vô</u> u-<u>jê</u> za-bra-<u>ni</u>-ra-van <u>nô</u>-mier
Ele vai ficar no Hotel Zvezdá [Estrela]. Já há um quarto reservado para ele.

Дмитрий — Ско́лько он здесь пробу́дет?
<u>skol'</u>-ka on zdiês' pra-<u>bu</u>-diet
Quanto tempo ele ficará aqui?

Наташа — Это бу́дет зави́сеть от тогó, как пойду́т переговóры. Но, по-мóему, не ме́нее двух неде́ль.
<u>é</u>-ta <u>bu</u>-diet za-<u>vi</u>-ssiet' at-ta-<u>vô</u> kak pai-<u>dut</u> pie-rie-ga-<u>vô</u>--ry. no pa-<u>mô</u>-ie-mu niê <u>miê</u>-nie-ie dvukh nie-<u>diêl'</u>
Isso vai depender de como as negociações vão se desenrolar. Mas, em minha opinião, não menos do que duas semanas.

Дмитрий — Ну, хорошо́. Спаси́бо. А! Оди́н вопро́с! Вы называ́ете его́ в письме́ "Майк". Вы с ним уже́ встреча́лись ра́ньше?
nu kha-ra-<u>chô</u> spa-<u>ssi</u>-ba. a. a-<u>din</u> va-<u>prôs</u>. vy na-zy-va-ie-tiê ie-<u>vô</u> <u>fpis</u>-miê maik. vy snim u-<u>jê</u> fstrie-<u>tchá</u>-lis' <u>ran'</u>-che
Tudo bem, então. Obrigado. Ah! Uma pergunta! Você o chama de "Mike" na carta. Já o conheceu?

Наташа — Да нет. Мы не́сколько раз говори́ли по телефо́ну. Но америка́нцы таки́е коммуника́бельные и просты́е! Он сра́зу же на́чал называ́ть меня́ "Ната́ша". А когда́ я обраща́юсь к нему́ "Ми́стер Ро́джерс", он всегда́ смеётся: "Я ещё не совсе́м ста́рый! Зови́те меня́ Майк!"
da niêt. my <u>niês</u>-kal'-ka ras ga-va-<u>ri</u>-li pa-tie-lie-<u>fo</u>-nu. no a-mie-ri-<u>kan</u>-tsy ta-<u>ki</u>-ie ka-mu-ni-<u>ka</u>-biel-ny-ie i pras-<u>ty</u>-ie. On <u>sra</u>-zu jê <u>na</u>-tchal na-zy-<u>vat'</u> mie-<u>niá</u> na-<u>ta</u>-cha. a kag-<u>dá</u> iá a-bra-<u>chtcha</u>-ius' knie-<u>mu</u> <u>mis</u>-têr <u>rod</u>-jers on fsieg-<u>da</u> smie-<u>iô</u>-tsa: ia ie-<u>chtchô</u> niê saf-<u>siêm</u> <u>stá</u>-ryi. za-<u>vi</u>-tie mie-<u>niá</u> maik

Lição 10

> Ah, não. Nós conversamos algumas vezes pelo telefone. Mas os americanos são tão comunicativos e informais! Ele começou a me chamar de "Natacha" na hora. E, quando eu o chamo de "Sr. Rogers" ele sempre ri. "Eu não sou tão velho! Me chame de 'Mike'."
>
> Дмитрий Ну, ла́дно. Спаси́бо, Ната́лья Петро́вна.
> *nu lad-na. spa-ssi-ba na-tal'-ia pie-trov-na*
> Bem, tudo bem. Obrigado, Natália Pietróvna.

ВОТ ПИСЬМО́ НАТА́ШИ МА́ЙКУ:
vot pis'-mô na-ta-chi mai-ku
AQUI ESTÁ A CARTA DE NATACHA PARA MIKE:

> Моско́вский Центра́льный Банк
> Росси́я
> 115726 Москва́
> ул Ле́нина, 54
>
> Дорого́й Майк,
> *da-ra-gôi maik*
> Caro Mike,
>
> Я и мои́ колле́ги наде́емся, что Ваш визи́т состои́тся, как мы и договори́лись, 1-го ма́рта.
> *iá i ma-i kal-liê-gui na-diê-iem-sia chto vach vi-zit sas-ta-i-tsa kak my i da-ga-va-ri-lis' piêr-va-va mar-ta*
> Meus colegas e eu esperamos que sua visita aconteça como combinado, no dia primeiro de março.
>
> Я бу́ду встреча́ть Вас в аэропорту́ Шереме́тьево-2. В рука́х у меня́ бу́дет табли́чка с Ва́шим и́менем. Но́мер в гости́нице бу́дет зака́зан для Вас зара́нее.
> *iá bu-du fstrie-tchat' vas va-e-ra-par-tu che-rie-miê-t'ie-va dva. vru-kakh u mie-niá bu-diet ta-blí-tchka sva-chim í-mi-niem. no-mier vgas-ti-ni-tse bu-diet za-ka-zan dliá vas za-ra-nie-ie*
> Eu vou encontrá-lo no aeroporto Sheremetyev 2. Estarei segurando uma placa com seu nome. Um quarto de hotel já terá sido reservado para você com antecedência.
>
> Посыла́ю Вам официа́льное приглаше́ние. Оно́ необходи́мо для получе́ния ви́зы. Вы должны́ обрати́ться за ви́зой в Росси́йское ко́нсульство. Там Вам вы́дадут две анке́ты, кото́рые на́до бу́дет запо́лнить (да́та и ме́сто рожде́ния, дома́шний а́дрес, ме́сто рабо́ты и т.п.).

pa-ssy-la-iu vam a-fi-tsi-al'-na-ie pri-gla-chê-ni-ie. a-nô ni-ap-kha-di-ma dliá pa-lu-tchê-ni-ia vi-zy. vy dalj-ny a-bra-ti-tsa za-vi-zai vra-ssíi-ska-ie kôn-sul'-stva. tam vam vy-da-dut dviê an-kiê-ty ka-tô-ry-ie na-da bu-diet za-pol-nit' (da-ta i miês-ta raj-diê-ni-ia da-mach-nii a-dries miês-ta ra-bô-ty i tê pê)

Estou mandando para você um convite oficial. Ele é necessário para conseguir um visto. Você deve dar entrada para o visto no Consulado da Rússia. Lá, eles vão te dar dois formulários que precisam ser preenchidos (data e local de nascimento, endereço, lugar de trabalho etc.).

Оформле́ние ви́зы не должно́ заня́ть мно́го вре́мени.
a-far-mliê-ni-ie vi-zy niê dalj-nô za-niát' mnô-ga vrie-mie-ni
O processo pelo visto não deve demorar muito.

Ждём встре́чи с Ва́ми.
jdiôm fstriê-tchi sva-mi
Espero vê-lo em breve.

С и́скренним уваже́нием,
sis-krin-nim u-va-jê-ni-iem
Com os mais sinceros respeitos,

Ната́ша.
Natacha.

GRAMÁTICA

1. ENDEREÇOS RUSSOS

Abaixo, o endereço do banco novamente, agora com os sinais de sílaba tônica. O único lugar em que você achará esses sinais em textos russos para nativos será em dicionários.

Моско́вский Центра́льный Банк
Росси́я
115726 Москва́
ул Ле́нина, 54

Quase todos os russos que vivem em cidades moram em apartamentos. Um prédio de apartamentos é chamado de дом (*dom*), que pode significar "lar", "casa" ou "prédio". Um apartamento, um escritório ou mesmo uma loja fica em um дом.
Natacha mora em um apartamento. Seu endereço é:

Росси́я,	Rússia,
117192 Москва́,	117192 Moscou,
ул. Ми́ра,	Rua da Paz
дом 55, ко́рпус 6, кварти́ра 15,	Prédio 55, Bloco 6, Apartamento 15
Ивано́вой Н. П.	(Para) Ivánova N. P.

Lição 10

117192 é o código postal em Moscou. ул. é a abreviação de у́лица (*u-li-tsa*), rua. Дом 55 é o prédio em que Natacha vive. No entanto, pode haver muitos prédios na rua da Paz com o mesmo número! Por isso, o endereço possui o ко́рпус (*kor-pus*) ou número do bloco, 6. Ele é seguido pelo número do apartamento, 15. Então o nome da família de Natacha, Ивано́ва, é dado no caso dativo, Ивано́вой, pois a carta é endereçada *para* ela.

Observação: em cartas, Вы é geralmente escrito com letra maiúscula.

2. MESES DO ANO

Os meses do ano são todos masculinos e só começam com letra maiúscula se estiverem no início da frase, assim como no português.

янва́рь *ian-var'* janeiro	май *mai* maio	сентя́брь *sien-tiábr'* setembro
февра́ль *fie-vral'* fevereiro	ию́нь *i-iún'* junho	октя́брь *ak-tiábr'* outubro
март *mart* março	ию́ль *i-iúl'* julho	ноя́брь *na-iábr'* novembro
апре́ль *a-priêl'* abril	а́вгуст *av-gust* agosto	дека́брь *die-kabr'* dezembro

Note como a sílaba tônica muda quando os meses aparecem no caso prepositivo:

в январе́ *vien-va-riê*	в феврале́ *ffie-vra-liê*	в ма́рте *vmar-tie*	в апре́ле *va-priê-lie*
в ма́е *vma-ie*	в ию́не *vi-iú-nie*	в ию́ле *vi-iú-lie*	в а́вгусте *vav-gus-tie*
в сентябре́ *fsien-tia-briê*	в октябре́ *vak-tia-briê*	в ноябре́ *vna-ia-briê*	в декабре́ *vdie-ka-briê*

3. DATAS EM RUSSO

Ao iniciar a data corrente, os russos usam a forma neutra do numeral ordinal, seguida pelo nome do mês *no genitivo*. Isso ocorre porque a palavra neutra числó (*tchis-lô*) – data – é subentendida: пéрвое (числó) января́, o primeiro (dia) de janeiro.

Abaixo, alguns exemplos:

пéрвое января́ o primeiro de janeiro
piêr-va-ie ian-va-riá

вторóе февраля́ o segundo de fevereiro
fta-rô-ie fie-vra-liá

трéтье мáрта o terceiro de março
triê-t'ie mar-ta

четвёртое апрéля o quarto de abril
tchiet-viôr-ta-ie a-priê-lia

деся́тое октября́ o décimo de outubro
die-ssiá-ta-ie ak-tia-briá

Para indicar a data em que algo acontecerá ou já aconteceu ("no primeiro de..." etc.), a forma genitiva do numeral ordinal é usada, seguida pela forma genitiva do mês. Nesta lição, Natacha pergunta:

...он прилетáет к нам пéрвого мáрта?
...on pri-lie-ta-iet knam piêr-va-va mar-ta
...ele está vindo no dia primeiro de março?

пéрвого é o genitivo de пéрвое.

Abaixo, alguns exemplos:

пя́того мáя
piá-ta-va ma-ia
no dia cinco de maio

седьмóго ию́ля
sied'-mô-va i-iu-lia
no dia sete de julho

девя́того сентября́
die-viá-ta-va sien-tia-briá
no dia nove de setembro

двенáдцатого декабря́
dvie-na-tsa-ta-va die-ka-briá
no dia doze de dezembro

Lição 10

VOCABULÁRIO

обсуждáть (impf.) (*ap-suj-dat'*) discutir
черновик (*tchier-na-vik*) esboço
éсли (*iês-li*) se
вноси́ть (impf.) (*vna-ssit'*) levar para dentro, registrar
изменéние (*iz-mie-niê-ni-ie*) mudança
компью́тер (*kam-piú-tier*) computador
догова́риваться (impf.) (*da-ga-va-ri-va-tsa*) concordar
договори́ться (perf.) (*da-ga-va-ri-tsa*) concordar
телефóн (*tie-lie-fon*) telefone
по телефóну (*pa tie-lie-fô-nu*) no telefone, por telefone
ви́за (*vi-za*) visto
покá (*pa-ka*) até, por enquanto
покá нет (*pa-ka niêt*) ainda não
посылáть (impf.) (*pa-ssy-lat'*) enviar
приглашéние (*pri-gla-chê-ni-ie*) convite
остана́вливать (impf.) (*as-ta-na-vli-vat'*) parar (alguém/algo)
останови́ть (perf.) (*as-ta-na-vit'*) parar (alguém/algo)
остана́вливаться (impf.) (*as-ta-na-vli-va-tsa*) parar, ficar, hospedar-se
останови́ться (perf.) (*as-ta-na-vi-tsa*) parar, ficar, hospedar-se
звездá (*zviez-da*) estrela
брони́ровать (impf.) (*bra-ni-ra-vat'*) reservar
заброни́ровать (perf.) (*za-bra-ni-ra-vat'*) reservar
Скóлько? (*skol'-ka*) Quanto/quanto tempo?
пробы́ть (perf.) (*pra-byt'*) ficar, viver por (certo período de tempo)
Скóлько врéмени он здесь пробу́дет? (*skol'-ka vriê-mie-ni on zdiês' pra-bu-diêt*) Quanto tempo ele ficará aqui?
зави́сеть (impf.) (*za-vi-ssiet'*) depender (de)
зави́сеть от тогó, как... (*za-vi-ssiet' at-ta-vô kak...*) depende de como...
переговóры (*pi-ri-ga-vô-ry*) negociações, conversas
иду́т переговóры (*i-dut pie-rie-ga-vô-ry*) as negociações estão acontecendo
по-мóему (*pa-mô-ie-mu*) para mim, na minha opinião
не мéнее (*nie-miê-nie-ie*) não menos
называ́ть (*na-zy-vat'*) chamar, dirigir-se (a alguém)
Да нет. (*da niêt*) Ah, não.
нéсколько (*niês-kal'-ka*) alguns, diversos
нéсколько раз (*niês-kal'-ka ras*) algumas vezes
коммуника́бельный ♂/коммуника́бельная ♀/коммуника́бельное *n*. (*ka-mu-ni-ka-bil'-nyi/ka-mu-ni-ka-bil'-na-ia/ka-mu-ni-ka-bil'-na-ie*) comunicativo
простóй ♂/простáя ♀/простóе *n*. (*pras-tôi/pras-ta-ia/pras-tô-ie*) simples, direto, informal, natural

сразу (*sra-zu*) imediatamente, direto
же (*jê*) não há um significado específico: serve para enfatizar outra palavra
обращаться (impf.) (*a-bra-chtcha-tsa*) dirigir-se (a alguém)
обратиться (perf.) (*a-bra-ti-tsa*) dirigir-se (a alguém)
совсем (*saf-siêm*) completamente
звать (*zvat'*) chamar (usar um nome)
зовите (*za-vi-tie*) chame (imperativo)
ладно (*lad-na*) tudo bem, OK
коллега (*kal-liê-ga*) colega (homem ou mulher)
надеяться (impf.) (*na-diê-ie-tsa*) desejar, esperar
визит (*vi-zit*) visita
состояться (perf.) (*sas-ta-iá-tsa*) acontecer
встреча (*fstriê-tcha*) encontro
встречать (impf.) (*fstri-tchat'*) encontrar
встретить (perf.) (*fstriê-tit'*) encontrar
в руках (*vru-kakh*) nas mãos
табличка (*ta-bli-tchka*) placa, placa pequena
с именем (*si-mie-niem*) com o primeiro nome
заказ (*za-kaz*) pedido
заказан (*za-ka-zan*) reservado
заказывать (impf.) (*za-ka-zy-vat'*) reservar
заказать (perf.) (*za-ka-zat'*) reservar, pedir
рано (*ra-na*) cedo
заранее (*za-ra-nie-ie*) com antecedência, mais cedo
официальный ♂/официальная ♀/официальное n. (*a-fi-tsi-al'-nyi/a-fi-tsi-al'-na-ia/a-fi-tsi-al'-na-ie*) oficial
необходимый ♂/необходимая ♀/необходимое n. (*nie-ap-kha-di-myi/nie-ap-kha-di-ma-ia/nie-ap-kha-di-ma-ie*) inadiável, necessário
необходимо (*ni-ap-kha-di-ma*) inadiável, necessário (forma curta)
получение (*pa-lu-tchê-ni-ie*) aquisição, obtenção
российский ♂/российская ♀/российское n. (*ra-ssiis-kii/ra-ssiis-ka-ia/ra-ssiis-ka-ie*) russo (pertencente ao Estado russo)
консульство (*kon-sul's-tva*) consulado
выдавать (impf.) (*vy-da-vat'*) dar, enviar
выдать (perf.) (*vy-dat'*) dar, enviar
анкета (*an-kiê-ta*) formulário, questionário
заполнять (impf.) (*za-pal-niát'*) preencher, completar (um formulário)
заполнить (perf.) (*za-pol-nit'*) preencher, completar (um formulário)
дата (*da-ta*) data
рождение (*raj-diê-ni-ie*) nascimento
домашний ♂/домашняя ♀/домашнее n. (*da-mach-nii/da-mach-nia-ia/da-mach-nie-ie*) de casa, caseiro
место работы (*miês-ta ra-bô-ty*) lugar de trabalho
оформление (*a-farm-liê-ni-ie*) preparação, processamento

> занима́ть (impf.) (*za-ni-mat'*) tomar, ocupar
> заня́ть (perf.) (*za-niát'*) tomar, ocupar
> ждать (impf.) (*jdat'*) esperar, aguardar
> и́скренний ♂/и́скренняя ♀/и́скреннее *n.* (*is-krie-nii/is-krie-nia-ia/is-krie-nie-ie*) sincero
> уваже́ние (*u-va-jê-ni-ie*) respeito

EXERCÍCIOS

Exercício A

Traduza as frases imperativas abaixo para o português.

1. Сего́дня воскресе́нье, вчера́ была́ суббо́та, а за́втра бу́дет понеде́льник.

2. Рабо́та зако́нчена. Иди́те домо́й.

3. Вчера́ ве́чером Ива́н прилете́л в Москву́ самолётом.

4. Мне не удало́сь купи́ть перча́тки.

5. Как называ́ется э́тот по́езд?

6. В де́сять часо́в утра́ я пил ко́фе в рестора́не с Ната́шей.

7. Мо́жно закры́ть дверь? Здесь ужа́сно хо́лодно.

8. Влади́мир ходи́л в Эрмита́ж почти́ ка́ждый день в тече́ние це́лой неде́ли.

9. Вино́ бы́ло хоро́шее – хоте́лось ещё бо́льше.

10. У меня́ нет свое́й маши́ны, но у меня́ есть своя́ отде́льная кварти́ра.

11. Майк живёт о́чень далеко́ от Москвы́ – в Аме́рике.

12. Я бы с удово́льствием жил в Филаде́льфии.

13. Как они́ пое́дут домо́й?

14. Что вы бу́дете де́лать за́втра ве́чером?

15. Вчера́ мы купи́ли но́вую маши́ну.

Passe os imperativos abaixo para o russo e marque a sílaba tônica.

1. Venha aqui _____
2. Sente-se _____
3. Desculpe-me _____
4. Mostre-me _____
5. Pense _____
6. Decida _____
7. Vista-se _____
8. Não fume _____
9. Não assine _____
10. Leia _____
11. Trabalhe _____
12. Não compre _____
13. Não grite _____
14. Não vista _____
15. Não pague _____

Exercício B

Lição 10

Exercício C

Complete as lacunas com as formas apropriadas do tempo presente de хотéть, "querer", e destaque a sílaba tônica.

1. Я .... купи́ть маши́ну.
2. Мой оте́ц и мать .... купи́ть отде́льную кварти́ру.
3. Майк .... прие́хать к нам в Москву́.
4. Мы .... пообе́дать с ва́ми.
5. Воло́дя и Ната́ша .... подписа́ть контра́кт с америка́нской фи́рмой.
6. Ты .... пить?
7. Она́ .... поговори́ть с ва́ми.
8. Они́ .... гуля́ть по на́бережной Невы́.

Exercício D

Dê a forma masculina dos numerais ordinais equivalentes aos numerais cardinais.
Por exemplo:
оди́н: пе́рвый

1. два _____
2. три _____
3. четы́ре _____
4. четы́рнадцать _____
5. пять _____
6. пятна́дцать _____
7. шесть _____
8. семь _____
9. во́семь _____
10. де́вять _____

Exercício E

Verdadeiro ou falso?

1. Ната́ша с Ники́той обсужда́ли письмо́ к господи́ну Ро́джерсу.
2. У них не́ было черновика́ письма́.
3. Майк прилета́ет к ним пе́рвого ма́рта.
4. У Майка ви́за уже́ есть.

5. В Москве́ Майк бу́дет жить у Ната́ши.
6. Ната́ша сказа́ла, что Майк бу́дет жить в Москве́ не ме́нее двух неде́ль.
7. Ната́ша называ́ет Ма́йка в письме́ "Господи́н Ро́джерс".
8. Ната́ша уже́ встреча́лась с Ма́йком ра́ньше.
9. Ната́ша бу́дет встреча́ть Ма́йка в аэропорту́.
10. Она́ посыла́ет Ма́йку официа́льное приглаше́ние.

> Visite www.berlitzpublishing.com para atividades extras na internet – vá para a seção de downloads e conecte-se ao mundo em russo!

Nós chegamos ao fim da Lição 10. Agora, você já deve ser capaz de ler e comunicar-se em russo sem precisar da transcrição fonética e, por isso, a partir da Lição 11, você encontrará apenas o texto em cirílico e a tradução para o português. Se tiver qualquer dificuldade, veja novamente o guia de pronúncia na Lição 1.

Lição

11 REVISÃO: LIÇÕES 7-10

A. Ouça mais uma vez o diálogo da Lição 7 e repita-o.

Diálogo 7 НА РАБО́ТЕ

Воло́дя рабо́тает недалеко́ от гости́ницы "Нева́". Ната́ша идёт к нему́ на рабо́ту пешко́м. По пути́ она́ покупа́ет газе́ту. Она́ прихо́дит то́чно в полпя́того…

Воло́дя	Здра́вствуйте, Ната́ша!
Ната́ша	Здра́вствуйте, Воло́дя! Как дела́?
Воло́дя	Норма́льно. А что но́вого у вас?
Ната́ша	У меня́ всё по-ста́рому. Как всегда́ мно́го рабо́ты.
Воло́дя	Хоти́те ча́ю? И́ли ко́фе?
Ната́ша	Нет, спаси́бо. Я о́чень мно́го пила́ ко́фе сего́дня. Мо́жно минера́льную во́ду?
Воло́дя	Коне́чно! Вот минера́льная вода́, а вот ко́пии рекла́мных проспе́ктов из Аме́рики.

Наташа	Спасибо. Хмм…Интересно. Я думаю, это как раз то, что нам нужно…Здесь жарко. Можно открыть окно?
Володя	Конечно. Я открою.
Наташа	Когда вы сможете приехать к нам в Москву? Мы с вами должны обсудить вопрос о совместном предприятии с моим новым начальником Никитой Сергеевичем Калининым.
Володя	Какое сегодня число? Двадцать первое?
Наташа	Двадцать первое ноября, вторник.
Володя	Я смогу приехать к вам через неделю. Скажем, в среду, двадцать девятого.
Наташа	Отлично! Я знаю, что Никита Сергеевич будет свободен в среду.

B. Traduza o diálogo da Lição 7 para o português. Depois confira sua tradução com a nossa nas páginas 88-90.

C. Ouça mais uma vez o diálogo da Lição 8 e repita-o.

Diálogo 8   НАТАША ДЕЛАЕТ ПОКУПКИ.

Как мы уже знаем, у Наташи много работы. Конечно, в Москве она покупает продукты в магазинах. Но у неё почти нет времени ходить по магазинам, чтобы купить одежду, обувь и другие вещи. Сегодня она всё ещё в Санкт-Петербурге. У неё есть немного свободного времени. Поэтому она решила пойти по магазинам и купить себе тёплую шапку, перчатки и сапоги. У нас в России холодно зимой! Нужно иметь тёплые вещи, чтобы не замёрзнуть. Сейчас Наташа в магазине "Гостиный Двор". Она говорит с продавцом…

Наташа	Пожалуйста, покажите мне эти сапоги.
Продавец	Какие?
Наташа	Вот те чёрные, в углу.
Продавец	Вот эти?
Наташа	Да, спасибо. Сколько они стоят?
Продавец	Восемь тысяч.
Наташа	Ой, дорого! У вас есть подешевле?
Продавец	Да. Вот эти стоят четыре тысячи.
Наташа	Хорошо. А можно посмотреть эти перчатки?

Продавец	Чёрные?
Наташа	Нет, красные, пожалуйста.
Продавец	Пожалуйста.
Наташа	Спасибо. Думаю, эти мне подойдут. И ещё покажите мне, пожалуйста, шапку.
Продавец	Меховую или шерстяную?
Наташа	Красную шерстяную. Сколько она стоит?
Продавец	Две тысячи.
Наташа	Я возьму её, хоть и дорого. Она такая красивая и тёплая! И, конечно, сапоги и перчатки. Посчитайте, пожалуйста, всё вместе.
Продавец	Шапка – две тысячи, перчатки – одна тысяча и четыре тысячи за сапоги. Всего семь тысяч.
Наташа	Платить вам?
Продавец	Нет, в кассу.
Наташа	А где касса?
Продавец	Вон там, налево.
Наташа	Спасибо.

D. Agora traduza o diálogo da Lição 8 para o português. Depois confira sua tradução com a nossa nas páginas 103-106.

E. Ouça mais uma vez o diálogo da Lição 9 e repita-o.

Diálogo 9   ОБРАТНО В МОСКВУ ПОЕЗДОМ

Сегодня пятница. Весь день прошёл в делах и спешке. А сейчас работа закончена. Всё сделано. Пора ехать домой!
Наташа прилетела в Санкт-Петербург самолётом. Но обратный билет на самолёт ей купить не удалось. Не было мест. Поэтому она купила билет на поезд. Этот поезд называется "Красная Стрела". Он идёт из Санкт-Петербурга в Москву каждую ночь.
В шесть часов вечера она хорошо пообедала с Володей. Потом они немного гуляли по набережной Невы. Затем Володя проводил Наташу в гостиницу. В гостинице они попрощались.
Сейчас девять часов вечера. Наташа уже в поезде, в двухместном купе. Она разговаривает со своим попутчиком.

Наташа	Добрый вечер!
Игорь	Добрый вечер! Нам ехать вместе. Давайте знакомиться. Я – Игорь Григорьевич Милославский.

Наташа — А я Наталья Петровна Иванова...Вы можете чуть-чуть открыть окно?

Игорь — Да, конечно. Здесь ужасно жарко...Вы живёте в Санкт-Петербурге?

Наташа — Нет, я была здесь в командировке только три дня. Я живу в Москве. А вы?

Игорь — Я живу очень далеко отсюда, в Иркутске. Я художник и приехал посмотреть Эрмитаж.

Наташа — Я была там только один раз. Это великолепно! Я бы с удовольствием провела там целую неделю. Но нет времени!

Игорь — Жаль! А я был там почти каждый день в течение целого месяца. И всё равно было мало – хотелось ещё больше. Там так много экспонатов! И все – шедевры!

Наташа — Да, правда...А как вы поедете домой?

Игорь — Ох, это сложный вопрос! Из Москвы вылетаю самолётом в Иркутск. Потом из аэропорта поеду на автобусе в центр города. Затем возьму такси или частную машину до начала моей очень длинной улицы. Там дорога такая плохая, что машине не проехать. Даже летом. А сейчас, когда снег...

Наташа — А что же вы будете делать?

Игорь — К счастью, Бог дал мне две ноги. Это самый надёжный транспорт. Я пойду пешком!

F. Traduza o diálogo da Lição 9 para o português e confira sua tradução com a nossa nas páginas 119-122.

G. Ouça mais uma vez o diálogo da Lição 10 e repita-o.

Diálogo 10 ПИСЬМО В АМЕРИКУ

Сейчас Наташа находится в кабинете своего начальника. Они обсуждают письмо к Майку Роджерсу.

Наташа — Вот черновик письма к господину Роджерсу.

Дмитрий — Посмотрим. Хмм...Значит, он прилетает к нам первого марта?

Наташа — Да, так мы договорились по телефону.

Дмитрий — А виза у него уже есть?

Наташа	Пока нет, но я пошлю приглашение с этим письмом.
Дмитрий	Где он будет жить?
Наташа	Он остановится в гостинице "Звезда". Для него уже забронирован номер.
Дмитрий	Сколько он здесь пробудет?
Наташа	Это будет зависеть от того, как пойдут переговоры. Но, по-моему, не менее двух недель.
Дмитрий	Ну, хорошо. Спасибо. А! Один вопрос! Вы называете его в письме "Майк". Вы с ним уже встречались раньше?
Наташа	Да нет. Мы несколько раз говорили по телефону. Но американцы такие коммуникабельные и простые! Он сразу же начал называть меня "Наташа". А когда я обращаюсь к нему "Мистер Роджерс", он всегда смеётся: "Я ещё не совсем старый! Зовите меня 'Майк'!"
Дмитрий	Ну, ладно. Спасибо, Наталья Петровна.

H. Leia em voz alta a carta de Natacha.

ВОТ ПИСЬМО НАТАШИ МАЙКУ:
Московский Центральный Банк
Россия
115726 Москва
ул Ленина, 54

Дорогой Майк,
Я и мой коллеги надеемся, что Ваш визит состоится, как мы и договорились, 1-го марта.
Я буду встречать Вас в аэропорту Шереметьево-2. В руках у меня будет табличка с Вашим именем. Номер в гостинице будет заказан для Вас заранее.
Посылаю Вам официальное приглашение. Оно необходимо для получения визы. Вы должны обратиться за визой в Российское консульство. Там Вам выдадут две анкеты, которые надо будет заполнить (дата и место рождения, домашний адрес, место работы и т.п.).
Оформление визы не должно занять много времени.
Ждём встречи с Вами.
С искренним уважением,
Наташа.

I. Traduza a carta e confira sua versão com a nossa nas páginas 136-137.

J. Escreva a forma correta das palavras dadas em parênteses:

1. Воло́дя (рабо́тать) о́чень далеко́ от (гости́ница) "Нева́".

   _____, _____

2. Пол пи́шет (кни́га). _____

3. Ра́ньше Бори́с (пить) ча́й по (у́тро), а тепе́рь он (пить) ко́фе.

   _____, _____, _____

4. Хоти́те (ча́й), (ко́фе), (во́дка) и́ли (минера́льная вода́)?

   _____, _____, _____, _____

5. У меня́ нет (вре́мя) стоя́ть в (о́чередь). _____,

   _____

6. Я о́чень рад познако́миться с (вы). _____

7. Они́ (быть) ждать (вы) в (гости́ница). _____,

   _____, _____

8. Я возьму́ (э́та газе́та) с (себя́). _____, _____,

9. Я бы с (удово́льствие) провела́ (це́лая неде́ля) в (Эрмита́ж).

   _____, _____, _____

> Visite www.berlitzpublishing.com para atividades extras na internet – vá para a seção de downloads e conecte-se ao mundo em russo!

Lição 12

МАЙК Е́ДЕТ В РОССИ́Ю
MIKE VAI PARA A RÚSSIA

Майк прилете́л из Нью-Йо́рка в Москву́ ночны́м ре́йсом. Самолёт приземли́лся в три часа́ дня по моско́вскому вре́мени.
Mike voou de Nova York para Moscou num voo noturno. O avião pousou às três horas da tarde, no horário de Moscou.

Майк прошёл че́рез пограни́чный контро́ль и тамо́женный досмо́тр. В за́ле прибы́тия бы́ло о́чень мно́го наро́ду. Пассажи́ры с трудо́м проти́скивались сквозь толпу́. Майк сра́зу уви́дел табли́чку со свои́м и́менем…
Mike passou pelo posto de imigração e pela inspeção da alfândega. No saguão de chegada havia muita gente. Passageiros se espremiam com dificuldade na multidão. Mike logo viu a placa com seu nome…

    Майк   Ната́ша?
              Natacha?

    Ната́ша   Да. А вы, наве́рное, Майк? Добро́ пожа́ловать в Москву́!
              Sim. E você deve ser Mike? Bem-vindo a Moscou!

Lição 12

Майк Я о́чень рад встре́титься с ва́ми.
Muito prazer em conhecê-la.

Ната́ша Мы так мно́го говори́ли по телефо́ну! И, наконе́ц, мы встре́тились ли́чно. А э́то для вас!
Nós conversamos tanto pelo telefone! E, finalmente, nos conhecemos pessoalmente. Isto é para você!

Она́ даёт ему́ буке́т цвето́в.
Ela lhe dá um buquê de flores.

Майк Цветы́? Как прия́тно! Большо́е спаси́бо.
Flores? Que simpático! Muito obrigado.

Ната́ша Здесь так мно́го люде́й и так шу́мно. Мы лу́чше поговори́м в маши́не.
Há muita gente aqui e está tão barulhento. Poderemos conversar melhor no carro.

Они́ выхо́дят из аэропо́рта и садя́тся в маши́ну.
Eles saem do aeroporto e entram em um carro.

Ната́ша Как вы долете́ли?
Como foi seu voo?

Майк Прекра́сно! Я о́чень хорошо́ пообе́дал, вы́пил два стака́на джи́на с то́ником, и всё остально́е вре́мя спал.
Ótimo! Tive um almoço saboroso, bebi dois copos de gim-tônica e dormi o resto do tempo.

Ната́ша Зна́чит, вы не о́чень уста́ли?
Então você não está muito cansado?

Майк Совсе́м не уста́л. Но я бы хоте́л приня́ть душ. Я немно́го вспоте́л. В аэропорту́ бы́ло о́чень жа́рко.
Não estou nem um pouco cansado. Mas gostaria de tomar um banho. Estou um pouco grudento (literalmente, eu suei um pouco). Estava muito quente no aeroporto.

Ната́ша Я предлага́ю пое́хать пря́мо в гости́ницу, что́бы вы смогли́ освежи́ться, распакова́ть чемода́ны и устро́иться. А о́коло 7 часо́в ве́чера мы зае́дем за ва́ми и пое́дем обе́дать.
Sugiro irmos direto para o hotel, para que você possa se refrescar, desfazer as malas e se acomodar. E por volta das sete horas nós iremos buscá-lo e vamos jantar.

Майк Мы?
Nós?

Lição 12

Наташа   Я приеду с моим начальником. Он очень хочет встретиться с вами.
Eu virei com meu chefe. Ele quer muito conhecer você.

Майк   Это новый начальник?
É o novo chefe?

Наташа   Да. Он работал в отделении нашего банка в Варшаве. Он приехал к нам примерно шесть месяцев назад.
Sim. Ele trabalhou na filial do banco de Varsóvia. Veio trabalhar conosco faz uns seis meses.

Машина быстро мчалась по Тверской – бывшей улице Горького. Вдруг Майк спросил:
O carro passou rápido pela (rua) Tvierskáia – antiga rua Górki. De repente Mike perguntou:

Майк   Что это?
O que é aquilo?

Наташа   Это московский Кремль. Мы недалеко от Красной площади. А вот и ваша гостиница.
É o Krêmlin de Moscou. Estamos perto da Praça Vermelha. E aqui está seu hotel.

GRAMÁTICA

1. ADVÉRBIOS RUSSOS

Você já conhece alguns advérbios russos:

ADVÉRBIOS DE TEMPO

днём **de dia, no dia**
утром **de manhã**
вечером **de tarde**
ночью **de noite**
весной **na primavera, de** весна
летом **no verão, de** лето
осенью **no outono, de** осень
зимой **no inverno, de** зима

Abaixo, outros advérbios de tempo úteis:

сегодня **hoje**
когда **quando**; когда-нибудь **quando der; algum dia**
никогда **nunca**
иногда **às vezes**

давно́ há muito tempo
до́лго longo, longamente, por muito tempo
ра́но cedo
по́здно tarde
обы́чно geralmente
опя́ть novamente, de novo
пото́м então, depois
сейча́с agora, neste momento
ско́ро rapidamente
сра́зу direto, já
тепе́рь agora
тогда́ então
снача́ла primeiramente
сно́ва mais uma vez, de novo
уже́ já
вчера́ ontem
за́втра amanhã

ADVÉRBIOS DE LUGAR

Você vai notar que a língua russa preservou os advérbios de direção (aonde, para onde), por exemplo: "Onde" pode ser expresso por где (estático) e куда́ (em direção a).

где onde
нигде́ em lugar nenhum
где́-нибудь em qualquer lugar, em algum lugar
бли́зко próximo, perto
далеко́ longe, distante
здесь aqui
там lá
тут aqui
нале́во à esquerda
напра́во à direita
до́ма em casa
внизу́ embaixo
наверху́ acima

ADVÉRBIOS RELACIONADOS A MOVIMENTO

домо́й para casa
куда́ aonde
никуда́ a lugar nenhum
куда́-нибудь a qualquer lugar

> откýда de onde
> тудá para lá
> оттýда de lá
> сюдá para cá
> отсю́да daqui
> вперёд em frente, à frente
> назáд atrás, para trás
> вниз para baixo
> вверх para cima

2. ADVÉRBIOS E A FORMA CURTA DOS ADJETIVOS

Na Lição 7 havia um exemplo da forma curta do adjetivo "livre":

Я знáю, что Никúта Сергéевич бýдет свобóден в срéду.
Eu sei que Nikita Serguéievitch estará livre na quarta.

свобóден ♂/свобóдна ♀/свобóдно *n.* são as formas curtas de свобóдный ♂/свобóдная ♀/свобóдное *n.*

Nós estudaremos a forma curta dos adjetivos na Lição 14. Muitos advérbios russos são iguais à forma curta de adjetivos do gênero neutro, por exemplo:

плóхо mal, de плохóй
скóро rapidamente, de скóрый

A forma curta dos adjetivos é geralmente usada em frases impessoais como predicativo (a parte de uma frase que diz algo sobre o sujeito):

В Россúи хóлодно. Está frio na Rússia.
В Амéрике хорошó. Está bom na América.

3. ADVÉRBIOS NEGATIVOS

Os advérbios negativos нéкогда, нéкуда, нéгде têm um sentido bastante diferente de никогдá, никудá, нигдé, e passam a ideia de algo absolutamente impossível. As frases que usam esses advérbios são construídas de forma diferente: нéкогда, нéкуда, нéгде são usados com o dativo e um infinitivo, enquanto никодá, никудá, нигдé são usados com не e um verbo. Compare os seguintes exemplos:

Мне нéкогда гуля́ть. Eu não tenho tempo para passear.
Я никогдá не гуля́ю. Eu nunca passeio.
Емý нéкуда идтú. Ele não tem para onde ir.
Он никудá не идёт. Ele não vai a lugar algum.
Им нéгде жить. Eles não têm onde morar.
Они нигдé не живýт. Eles não moram em lugar algum.

Abaixo, algumas expressões úteis com advérbios.

У меня́ всё хорошо́.
Estou bem./ Está tudo bem.

Иди́те сюда́.
Venha cá.

Я лечу́ туда́ самолётом.
Eu vou para lá de avião.

Вы до́лго бу́дете в Санкт-Петербу́рге?
Você vai ficar muito tempo em São Petersburgo?

У меня́ то́лько оди́н чемода́н.
Eu tenho apenas uma mala.

Я роди́лся в Аме́рике, но сейча́с живу́ в Росси́и.
Eu nasci na América, mas agora moro na Rússia.

У меня́, как всегда́, мно́го рабо́ты.
Eu tenho muito trabalho, como sempre.

VOCABULÁRIO

ночно́й ♂/ночна́я ♀/ночно́е n. noturno
рейс voo
благополу́чно em segurança
приземли́ться (perf.) pousar, aterrissar
по моско́вскому вре́мени pelo/de acordo com o horário de Moscou
грани́ца fronteira/limite (substantivo)
пограни́чный de fronteira (adjetivo)
контро́ль ♂ controle/monitoramento/checagem
тамо́женный досмо́тр inspeção da alfândega (тамо́жня alfândega)
зал sala, salão
прибы́тие chegada
наро́д pessoas, povo
мно́го наро́ду muita gente
прибыва́ть (impf.) chegar
прибы́вший ♂/прибы́вшая ♀/прибы́вшее n. chegado (em português "chegando"), que chegou
пассажи́р passageiro
труд trabalho, profissão
с трудо́м com dificuldade
проти́скиваться (impf.) espremer-se
сквозь através
толпа́ multidão
сра́зу imediatamente

Lição 12

табли́чка placa, sinal (como aqueles que as pessoas levam em aeroportos com o nome dos passageiros)
наве́рное talvez; provavelmente
добро́ пожа́ловать bem-vindo
ли́чно pessoalmente, em pessoa
буке́т buquê
цвето́к flor
лю́ди pessoas, gente
шум barulho
Шу́мно. Está barulhento.
лу́чше melhor
зда́ние prédio
аэровокза́л terminal aéreo
сади́ться (impf.) sentar-se
сади́ться в маши́ну pegar um carro, sentar num carro
ожида́ть (impf.) esperar
долете́ть (perf.) voar para, voar até
стака́н copo
джин gim
то́ник tônica
остально́й ♂/остальна́я ♀/остально́е n. restante
спать (impf.) dormir
уставáть (impf.) cansar-se
уста́ть (perf.) cansar-se
совсе́м не de maneira nenhuma
душ banho, chuveiro
приня́ть душ (perf.) tomar banho
немно́го não muito, um pouco
вспоте́ть (perf.) suar, transpirar, ficar suado
жа́рко quente
предлага́ть (impf.) sugerir
пря́мо direto, em frente
освежи́ться (perf.) refrescar-se
распакова́ть (perf.) desempacotar, desfazer (as malas)
устра́иваться (impf.) arrumar-se, alojar-se, organizar-se
устро́иться (perf.) arrumar-se, alojar-se, organizar-se
заезжа́ть (impf.) passar para, ir buscar
зае́хать за (perf.) passar para, ir buscar
приезжа́ть (impf.) chegar
прие́хать (perf.) chegar
неда́вно há não muito tempo, recentemente
переводи́ть (impf.) traduzir, transferir
перевести́ (perf.) traduzir, transferir
отделе́ние seção, divisão
приме́рно aproximadamente, em torno de

Lição 12

бы́стро rapidamente (o nome bistrô, ou restaurante pequeno, origina-se dessa palavra)
мча́ться (impf.) correr
Тверска́я uma rua de Moscou (Tviêr, uma cidade no caminho para São Petersburgo)
по Тверско́й pela Tvierskáia (rua)
бы́вший ♂/бы́вшая ♀/бы́вшее *n.* anterior
вдруг de repente
спра́шивать (impf.) perguntar
спроси́ть (perf.) perguntar
кремль ♂ castelo, forte, Krêmlin (muitas cidades possuem um)
Кра́сная пло́щадь Praça Vermelha

EXERCÍCIOS

Traduza as palavras abaixo para o português. Note que palavras em português iniciadas por "h" geralmente começam com a letra "г" em russo.

Exercício A

1. венде́тта _____
2. вентиля́ция _____
3. газ _____
4. га́мбургер _____
5. га́нгстер _____
6. гандика́п _____
7. гара́ж _____
8. мегалома́ния _____
9. раси́зм _____

Traduza as frases abaixo para o português.

Exercício B

1. В Росси́и хо́лодно зимо́й, а жа́рко ле́том.
   _____

2. Я рабо́таю днём, а сплю но́чью.
   _____

3. Вчера́ они́ бы́ли в Нью-Йо́рке, а за́втра бу́дут в Москве́.
   _____

Lição 12

4. Я никогда́ не́ был в Аме́рике, но хочу́ пое́хать туда́ когда́-нибу́дь.

5. Здесь хорошо́, а там лу́чше.

6. Банк напра́во, а гости́ница нале́во.

7. Сейча́с я иду́ домо́й. До́ма я бу́ду смотре́ть телеви́зор.

8. Куда́ вы?

9. Отку́да вы?

Exercício C

Coloque as palavras em parênteses na forma correta.

1. (День) я рабо́таю, а (ночь) я сплю. _____, _____

2. В (зал) бы́ло мно́го (наро́д). _____, _____

3. Она́ не ви́дела (табли́чка) со (своё и́мя). _____, _____

4. Он был о́чень рад встре́титься с (она́). _____

5. Она́ была́ о́чень ра́да встре́титься с (он). _____

6. Я бы (хоте́ть) приня́ть душ. _____

7. Он вы́пил два (стака́н джин) с (то́ник). _____, _____

8. Они́ бы́стро е́хали по (Тверска́я у́лица). _____

9. Я живу́ недалеко́ от (Кра́сная пло́щадь). _____

Lição 12

Exercício D

Passe as frases seguintes para o russo.

1. Desculpe-me, mas o que é isso?
   _____

2. Há muitas pessoas aqui.
   _____

3. Eu não estou nem um pouco cansado.
   _____

4. Você está muito cansada, Natacha?
   _____

5. Essa é nossa nova aluna?
   _____

6. Eu quero muito conhecer você.
   _____

7. Ela trabalha em nossa filial em Washington.
   _____

8. Ela chegou há cerca de cinco meses.
   _____

9. Ele voou de Nova York para Moscou num voo noturno.
   _____

Exercício E

Verdadeiro ou falso?

1. Майк прие́хал в Москву́ ночны́м по́ездом.
2. В за́ле прибы́тия не́ было мно́го наро́ду.
3. Ната́ша встре́тила Ма́йка в за́ле.
4. Майк был не рад встре́титься с Ната́шей.
5. Ната́ша дала́ Ма́йку буке́т цвето́в.
6. В за́ле прибы́тия бы́ло шу́мно.
7. Майк не о́чень хорошо́ пообе́дал в самолёте.
8. По́сле обе́да Майк хорошо́ спал.
9. Майк о́чень уста́л. Ему́ хо́чется спать.

Lição 12

Visite www.berlitzpublishing.com para atividades extras na internet – vá para a seção de downloads e conecte-se ao mundo em russo!

Lição

В ГОСТИ́НИЦЕ
NO HOTEL

13

Гости́ница "Звезда́" нахо́дится недалеко́ от Кра́сной пло́щади. Э́то но́вая ча́стная гости́ница. Она́ небольша́я: в ней всего́ со́рок номеро́в. Майк с Ната́шей подхо́дят к столу́ регистра́ции...

O Hotel Zviezdá (Estrela) fica perto da Praça Vermelha. É um hotel novo, particular. É pequeno: tem apenas quarenta quartos. Mike e Natacha vão até o balcão de registros...

Администра́тор	Здра́вствуйте. Вы зака́зывали но́мер? Boa tarde. Você tem uma reserva? (literalmente, você reservou um quarto?)
Майк	Да, заказа́л. Вот ко́пия электро́нного письма́, в кото́ром вы подтвержда́ете, что зака́з при́нят. Sim, tenho uma reserva. Aqui está uma cópia do e-mail em que você confirma que a reserva foi aceita.
Администра́тор	Хорошо́. Ваш па́спорт, пожа́луйста. Tudo bem. Seu passaporte, por favor.
Майк	Вот он. Aqui está.

163

Lição 13

Администра́тор	Спаси́бо. Вы смо́жете получи́ть его́ за́втра у́тром. Obrigado. Você pode pegá-lo de volta amanhã de manhã.
Майк	Скажи́те, пожа́луйста, в но́мере есть телеви́зор? Diga-me, por favor, há televisão no quarto?
Администра́тор	Коне́чно. Мно́го кана́лов на ру́сском языке́. И есть не́сколько на англи́йском, наприме́р, Си-Эн-Эн. Они́ передаю́т це́лый день по-англи́йски. É claro. Há muitos canais em russo. E há alguns em inglês, CNN, por exemplo. Eles transmitem em inglês o dia todo.
Майк	Зна́ете ли вы, когда́ передаю́т но́вости? Você sabe a que horas é o noticiário?
Администра́тор	Извини́те меня́, то́чно не по́мню. Но вся информа́ция есть в но́мере на ру́сском и на англи́йском языка́х. Desculpe-me, não me lembro exatamente. Mas todas as informações estão no quarto, tanto em russo quanto em inglês.
Майк	Спаси́бо. А как здесь мо́жно постира́ть ве́щи? И есть ли тут химчи́стка? Obrigado. E como faço para lavar roupas aqui? Há um serviço de lavagem a seco aqui?
Администра́тор	Е́сли вы отдади́те нам те ве́щи, кото́рые ну́жно постира́ть и почи́стить, до 12 часо́в дня, они́ бу́дут гото́вы к 8 часа́м утра́ на сле́дующий день. Se você nos entregar o que precisa ser lavado antes do meio-dia, tudo estará pronto às oito da manhã do dia seguinte.
Майк	Прекра́сно! Что ещё? Да! Чуть не забы́л! Есть ли у вас каки́е-нибу́дь англи́йские и́ли америка́нские газе́ты? Ótimo! O que mais? Sim! Quase esqueci! Vocês têm algum jornal inglês ou americano?
Администра́тор	Да, мы получа́ем англи́йскую "Та́ймс" и "Интерна́шнл Гера́льд Трибью́н". Sim, nós recebemos o *Times* inglês e o *International Herald Tribune*.
Майк	Как рабо́тает ваш рестора́н? Когда́ он откры́т? Como funciona o restaurante? Quando ele está aberto?
Администра́тор	У нас нет рестора́на. Но здесь за угло́м, совсе́м бли́зко, есть рестора́н. Nós não temos um restaurante. Mas, virando a esquina, bem próximo, há um restaurante.

Майк	А где мо́жно поза́втракать? E onde posso tomar o café da manhã?
Администра́тор	У нас есть буфе́т с лёгкими заку́сками и пи́ццей на второ́м этаже́. Меню́ есть в ва́шем но́мере. Вы мо́жете позвони́ть го́рничной и заказа́ть за́втрак пря́мо в но́мер, е́сли хоти́те. Nós temos um bufê com aperitivos e pizza no segundo andar. O cardápio está em seu quarto. Você pode ligar para o serviço de quarto e pedir o café da manhã (para ser entregue) diretamente no quarto, se quiser.
Майк	Спаси́бо. Вы о́чень помогли́ мне. Obrigado. Você foi de grande ajuda.

GRAMÁTICA

1. PERGUNTAS COM ЛИ

Você já sabe que uma afirmação pode se tornar uma interrogativa apenas mudando a entonação (Lição 2). Perguntas também podem ser formadas usando-se a partícula ли.

No diálogo, Mike pergunta:

И есть ли тут химчи́стка?
Há um serviço de lavagem a seco aqui?

Em perguntas com ли, o sujeito e o verbo são geralmente invertidos e coloca-se o ли entre eles:

Тут есть химчи́стка. (afirmação)
Há um serviço de lavagem a seco aqui.

Тут есть химчи́стка? (entonação de pergunta)
Há um serviço de lavagem a seco aqui?

Есть ли тут химчи́стка? (pergunta com ли)
Há um serviço de lavagem a seco aqui?

Da mesma forma:

У вас есть америка́нские газе́ты.
Você tem jornais americanos.

У вас е́сть америка́нские газе́ты?
Você tem jornais americanos?

Есть ли у вас америка́нские газе́ты?
Você tem jornais americanos?

Lição 13

Se um ponto em particular precisa ser enfatizado, isso pode ser feito por meio da entonação ou usando-se ли, colocando o objeto a ser enfatizado no começo da frase. Compare os sentidos nas frases seguintes:

Майк дал паспорт администрáтору.
Mike deu o passaporte à recepcionista.

Майк дал паспорт администрáтору?
Mike deu o passaporte à recepcionista?

Свой ли пáспорт Майк дал администрáтору?
Foi *seu* passaporte que Mike deu à recepcionista? (em oposição ao passaporte de outra pessoa)

Майк дал паспорт администрáтору вчерá.
Mike deu o passaporte à recepcionista ontem.

Майк дал паспорт администрáтору вчерá?
Mike deu o passaporte à recepcionista ontem?

Вчерá ли Майк дал пáспорт администрáтору?
Foi *ontem* que Mike deu o passaporte à recepcionista? (em oposição a algum outro dia)

---

2. O PERFECTIVO E O IMPERFECTIVO: ЗАКАЗÁТЬ, ЗАКÁЗЫВАТЬ RESERVAR; PEDIR

No começo desta lição, o администрáтор perguntou: Вы закáзывали нóмер? "Você reservou um quarto?". Este é um exemplo útil do uso de um verbo imperfectivo.

O aspecto imperfeito é usado aqui, pois o администрáтор não sabe se o processo de fazer uma reserva foi bem-sucedido (completo), ou ainda não teve sucesso (incompleto).

Então, quando Mike responde: Да, заказáл (usando o verbo perfectivo), ele confirma que o processo foi completado.

Se, no entanto, a confirmação não tivesse sido recebida e ainda houvesse dúvidas quanto à reserva, Mike teria respondido:

Да, я закáзывал нóмер, ou simplesmente Закáзывал, porque ele saberia que o processo de reservar um quarto teria começado, mas não sabia do resultado.

3. SUBSTANTIVOS COM NUMERAIS E A DECLINAÇÃO DOS NUMERAIS CARDINAIS DE 1 A 4

Em russo, todos os numerais cardinais são declinados.

ОДИ́Н ♂ /ОДНА́ ♀ /ОДНО́ *n.*
Há três formas do número "um" em russo:

Оди́н é a forma masculina: оди́н вопро́с, оди́н стол, оди́н студе́нт.

Одна́ é a forma feminina: одна́ кни́га, одна́ газе́та, одна́ студе́нтка.

Одно́ é a forma neutra: одно́ окно́, одно́ сло́во, одно́ по́ле.

Оди́н ♂ /одна́ ♀ /одно́ *n.* concordam com o substantivo que qualificam tanto em gênero quanto em caso. São declinados como se segue:

	Masculino	Feminino	Neutro
Nom.	оди́н вопро́с	одна́ кни́га	одно́ сло́во
Ac.	оди́н вопро́с	одну́ кни́гу	одно́ сло́во
Gen.	одного́ вопро́са	одно́й кни́ги	одного́ сло́ва
Dat.	одному́ вопро́су	одно́й кни́ге	одному́ сло́ву
Inst.	одни́м вопро́сом	одно́й кни́гой	одни́м сло́вом
Prep.	одно́м вопро́се	одно́й кни́ге	одно́м сло́ве

Há uma forma plural de оди́н, que é usada apenas com substantivos que só existem no plural, como часы́ (relógio) ou очки́ (óculos).

Outra forma plural de оди́н deve ser estudada. Às vezes оди́н pode significar "sozinho" tanto no singular quanto no plural:

Она́ была́ одна́. Ela estava sozinha.

Он оди́н. Ele está sozinho.

Мы бы́ли одни́. Nós estávamos sozinhos.

Они́ прие́хали домо́й одни́. Eles vieram para casa sozinhos.

ДВА ♂ /ДВЕ ♀ /ДВА *n.*

Substantivos que seguem два (masculino ou neutro) ou две (feminino) ficam no genitivo singular:

два вопро́са, два стола́, два студе́нта
две кни́ги, две газе́ты, две студе́нтки
два сло́ва, два окна́, два по́ля

Lição 13

ТРИ, ЧЕТЫРЕ

Os números três e quatro são os mesmos para todos os gêneros. Como o dois, eles também são precedidos de substantivos no genitivo singular:

три вопро́са, три стола́, четы́ре студе́нта
три кни́ги, четы́ре газе́ты, три студе́нтки
четы́ре сло́ва, три окна́, четы́ре по́ля

Os numerais 2, 3 e 4 são declinados como se segue:

Nom.	два	две	три	четы́ре
Ac.¹	двух	двух	трёх	четырёх
Acc.	два	две	три	четы́ре
Gen.	двух	двух	трёх	четырёх
Dat.	двум	двум	трём	четырём
Inst.	двумя́	двумя́	тремя́	четырьмя́
Prep.	двух	двух	трёх	четырёх

VOCABULÁRIO

администра́тор recepcionista; administrador
пло́щадь ♀ praça
ча́стный ♂/ча́стная ♀/ча́стное n. privado, pessoal, particular
небольшо́й ♂/небольша́я ♀/небольшо́е n. pequeno
всего́ ao todo, total, apenas
подходи́ть (impf.) aproximar-se, ir até
регистра́ция registro
стол регистра́ции guichê de recepção
зака́зывать (impf.) pedir, reservar
заказа́ть (perf.) pedir, reservar
ко́пия cópia
электро́нное письмо́ e-mail
подтвержда́ть (impf.) confirmar
подтверди́ть (perf.) confirmar
зака́з pedido, ordem
принима́ть (impf.) aceitar
приня́ть (perf.) aceitar
получа́ть (impf.) receber

---

[1] Quando se refere a seres humanos.

получи́ть (perf.) receber
телеви́зор aparelho de televisão
кана́л canal
переда́ча transmissão, programa
смотре́ть переда́чу assistir a um programa
передава́ть (impf.) transmitir
но́вости noticiário, notícias
то́чно exatamente
по́мнить (impf.) lembrar
информа́ция informação
стира́ть (impf.) lavar (roupas)
постира́ть (perf.) lavar (roupas)
химчи́стка lavagem a seco
пробы́ть (perf.) estar, ficar
отда́ть (perf.) dar, devolver, entregar de volta
чи́стить (impf.) limpar
почи́стить (perf.) limpar
до 12 часо́в дня antes do meio-dia
гото́вый ♂/гото́вая ♀/гото́вое n. pronto
гото́в ♂/гото́ва ♀/гото́во n. pronto (forma curta do adjetivo)
сле́дующий ♂/сле́дующая ♀/сле́дующее n. próximo, seguinte
Что ещё? O que mais?
забыва́ть (impf.) esquecer
забы́ть (perf.) esquecer
Чуть не забы́л! Eu quase esqueci!
како́й-нибу́дь ♂/кака́я-нибу́дь ♀/како́е-нибу́дь n. algum, qualquer
приходи́ть (impf.) vir, chegar
за угло́м dobrando a esquina
бли́зко perto, próximo (adjetivo)
за́втракать (impf.) tomar o café da manhã
поза́втракать (perf.) tomar o café da manhã
обе́д almoço
за́втрак café da manhã
буфе́т bufê
заку́ска aperitivo
лёгкие заку́ски petiscos
пи́цца pizza
меню́ cardápio
звони́ть (impf.) telefonar, chamar
позвони́ть (perf.) telefonar, chamar
го́рничная empregada, arrumadeira (serviço de quarto)
Мо́жно? Posso? É possível?

Lição 13

EXERCÍCIOS

Exercício A

Traduza as frases abaixo para o português:

1. Мой дом нахо́дится недалеко́ от гости́ницы "Звезда́".

2. Скажи́те, пожа́луйста, где регистра́ция?

3. Я заказа́л но́мер по электронной почте.

4. Вы подтверди́ли, что зака́з при́нят.

5. Вот мой па́спорт. Когда́ я смогу́ получи́ть его́?

6. В но́мере е́сть ра́дио, телеви́зор и телефо́н?

7. Когда́ передаю́т но́вости по-англи́йски?

8. Я хочу́ купи́ть и англи́йские, и америка́нские газе́ты.

9. Я хочу́ за́втракать в но́мере.

Exercício B

Coloque as palavras entre parênteses na forma correta:

1. Вот ко́пия (письмо́), в кото́ром вы подтвержда́ете, что зака́з при́нят. _____

2. В (но́мер) есть телеви́зор? _____

3. Есть кана́л, по (кото́рый) мо́жно смотре́ть переда́чи по-англи́йски. _____

4. Вся информа́ция есть в (но́мер) на (ру́сский) и на (англи́йский) языка́х. _____, _____, _____

170

5. Сейчас они (получать) американские (газета) каждый день. _____, _____

6. У них нет (ресторан), но у них есть хороший буфет. _____

7. Меню есть в (ваш) номере. _____

8. (Знать) ли вы когда (передавать) новости? _____, _____

Passe as frases seguintes para o russo:

1. O Hotel Zviezdá não fica longe da minha casa.

2. Eu tenho um carro grande e novo.

3. Há televisão no quarto (de hotel)?

4. A reserva foi aceita?

5. É possível assistir a programas em inglês? [use ли]

6. Nós ficaremos aqui de três a quatro dias.

7. Eu fico aqui por dois dias todo mês.

8. Há serviço de lavagem a seco no hotel?

Exercício C

Lição 13

Exercício D

Veja a lista de preços abaixo. Quanto você terá de pagar ao hotel? Você ficará por sete noites, fará seis jantares e tomará sete cafés da manhã. A palavra обéд é difícil de ser traduzida. Ela se refere ao almoço, mas também diz respeito à refeição mais importante do dia, e por isso nem "almoço" nem "jantar" encerram exatamente seu significado.

ГОСТИ́НИЦА ПЛАНЕ́ТА (planeta)
но́мер (одна́ ночь)...............................четы́ре ты́сячи рубле́й
обе́д..пятьсо́т рубле́й
за́втрак (+ ча́й или ко́фе)....................две́сти рубле́й

Exercício E

Verdadeiro ou falso?

1. Гости́ница "Звезда́" нахо́дится далеко́ от Кра́сной пло́щади.

2. "Звезда́" – но́вая ча́стная гости́ница.

3. Майк дал па́спорт администра́тору.

4. У Ма́йка в но́мере нет телеви́зора.

5. Администра́тор не зна́ет, когда́ передаю́т но́вости по-англи́йски.

6. В гости́нице мо́жно получа́ть америка́нские и англи́йские газе́ты.

7. В Москве́ мо́жно смотре́ть переда́чи Си-Эн-Эн.

8. В гости́нице то́лько оди́н кана́л рабо́тает на англи́йском языке́.

9. Недалеко́ от гости́ницы есть рестора́н.

10. Мо́жно купи́ть лёгкие заку́ски и пи́ццу в буфе́те гости́ницы.

Visite www.berlitzpublishing.com para atividades extras na internet – vá para a seção de downloads e conecte-se ao mundo em russo!

ЭКСКУ́РСИЯ ПО МОСКВЕ́
UM TOUR POR MOSCOU

Lição **14**

В Росси́и хо́лодно зимо́й. Но в после́дние пять-семь лет зи́мы бы́ли не о́чень холо́дные. Скоре́е да́же о́чень нехоло́дные, с температу́рой ча́сто вы́ше нуля́.

Na Rússia faz muito frio no inverno. Mas nos últimos cinco ou sete anos os invernos não têm sido tão frios. Na verdade, nada frios, com a temperatura geralmente acima de 0 °C.

Но никто́ не рад э́тому теплу́; ча́сто быва́ет си́льный ве́тер, идёт снег с дождём…А когда́ температу́ра, ска́жем, ми́нус 20 гра́дусов, и не́бо безо́блачное и голубо́е, и со́лнце сия́ет, и снег искри́тся – здесь чуде́сно!

Mas ninguém fica feliz com esse calor; geralmente o vento é bem forte, e há uma chuva com neve... Mas quando a temperatura está entre, digamos, -20 °C, o céu está azul e sem nuvens, o sol está brilhando e a neve cintilando, é lindo!

А в нача́ле ма́рта пого́да о́чень неусто́йчива. Но́чью – ми́нус 18, а днём – плюс 4! На у́лице сля́коть под нога́ми.

E, no começo de março, o clima varia bastante. À noite -18 °C, mas durante o dia +4 °C! Na rua há neve derretida sob os pés.

Lição 14

Майк приéхал в Москвý в сáмом начáле весны́. Сия́ет сóлнце; по голубóму нéбу плывýт мáленькие бéлые облакá. День так чудéсен, что прóсто невозмóжно сидéть в кóмнате, и они́ с Натáшей реши́ли отпрáвиться на экскýрсию по Москвé.
Mike chegou a Moscou no comecinho da primavera. O sol está brilhando; pequenas nuvens brancas estão flutuando num céu azul. O dia está tão gostoso que é simplesmente impossível ficar dentro de casa, e Mike e Natacha decidem fazer um tour por Moscou.

Натáша — Это Крáсная плóщадь.
Essa é a Praça Vermelha.

Майк — А э́то что за здáние? Цéрковь?
E o que é aquele prédio? Uma igreja?

Натáша — Да, э́то собóр Васи́лия Блажéнного. Совершéнно уникáльное здáние. Бы́ло пострóено при Ивáне Грóзном. Говоря́т, что, когдá строи́тельство бы́ло закóнчено, архитéкторов ослепи́ли.
Sim, é a Catedral de São Basílio. É um prédio absolutamente único. Ele foi construído durante o reinado de Ivan, o Terrível. Dizem que, quando o prédio foi concluído, os arquitetos foram cegados.

Майк — Ослепи́ли? Но почемý?
Cegados? Mas por quê?

Натáша — Чтóбы они́ не могли́ постóить ещё что-нибýдь, бóлее краси́вое.
Para que eles não fossem capazes de construir nada mais bonito depois.

Майк — Ужáсно!
Terrível!

Натáша — Да. В э́той странé бы́ли тирáны: Ивáн Грóзный, Стáлин…И, в то же врéмя, э́то странá рýсской интеллигéнции и вели́ких писáтелей, таки́х как Пýшкин, Толстóй, Достоéвский…
Sim. Houve tiranos neste país: Ivan, o Terrível, Stálin… e ao mesmo tempo é o país da *intelliguentsia* russa e dos grandes escritores, como Púchkin, Tolstói, Dostoiévski…

Майк — Посмотри́те! Как здóрово игрáет сóлнце на тех золоты́х куполáх!
Veja! Como é bonito o sol brilhando naquelas cúpulas douradas!

Натáша — Да. Это Кремль. Он был постóен ещё в 12-ом вéке. Но давáйте вернёмся в маши́ну. Я хочý, чтóбы мы поéхали посмотрéть Новодéвичий.

	Sim. Aquele é o Krêmlin. Ele foi construído ainda no século XII. Mas vamos voltar ao carro. Eu quero ir com você até Novodiévitchii.
Майк	Что это такое? O que é isso?
Наташа	Это монастырь на берегу Москва-реки, построенный ещё до Петра Первого. É um convento às margens do rio Moscou, construído antes mesmo de Pedro, o Grande.

GRAMÁTICA

1. "JUNTO COM"

Veja a seguinte frase:

Они с Наташей решили отправиться на экскурсию.

Literalmente, ela significa "Eles com Natacha decidiram...". Pode significar que uma ou mais pessoas, junto com Natacha, decidiram fazer algo. No texto, no entanto, ela significa "Mike e Natacha decidiram…".

Um erro comum que russos, mesmo aqueles com um bom nível de português, costumam cometer é dizer "nós com o pai...", "nós com Mike...", no lugar de "meu pai e eu...", "Mike e eu...". Isso acontece porque eles estão traduzindo diretamente do russo.

мы с отцом Eu com o pai; nós com o pai (Meu pai e eu)
мы с братом Eu com o irmão; nós com o irmão (Meu irmão e eu)
мы с сестрой Eu com a irmã; nós com a irmã (Minha irmã e eu)
они с Иваном Ele com Ivan; ela com Ivan; eles com Ivan
они с Наташей Ele com Natacha; ela com Natacha; eles com Natacha

Tendo em vista que há mais de uma pessoa envolvida, o verbo fica no plural:

Они с Наташей решили…
мы с отцом поехали…
мы с сестрой любим…
они с Иваном идут…

Apenas aquele que está com o pai, a irmã, Ivan etc. está geralmente fora do contexto.

2. A FORMA CURTA DOS ADJETIVOS

Muitos adjetivos têm uma forma "curta", que pode ter a função de predicativo (a parte da oração que diz algo sobre o sujeito).

Lição 14

Na Lição 7 havia um exemplo da forma curta do adjetivo "livre":

Ники́та Серге́евич бу́дет свобо́ден в сре́ду.
Nikita Serguéievitch estará livre na quarta-feira.

Свобо́ден ♂/свобо́дна ♀/свобо́дно n. são as formas curtas de свобо́дный ♂/ свобо́дная ♀/свобо́дное n.

Outros exemplos do diálogo são:

Пого́да о́чень неусто́йчива. (неусто́йчивый ♂/неусто́йчивая ♀/ неусто́йчивое n.)

День так чуде́сен.
(чуде́сный ♂/чуде́сная ♀/чуде́сное n.)

A forma curta do *masculino singular* é feita retirando-se a terminação -ый, -ой, -ий da forma longa, mantendo-se apenas a base:

краси́вый – краси́в bonito
молодо́й – мо́лод jovem
хоро́ший – хоро́ш bom

Se a base do adjetivo é terminada em duas ou mais consoantes, como no caso de свобо́дный e чуде́сный indicados acima, -о- ou -е- é geralmente acrescentado.

A forma curta do *feminino singular* é feita acrescentando-se -а à base:

краси́вая – краси́ва
молода́я – молода́
хоро́шая – хороша́

A forma curta do *neutro singular* é feita acrescentando-se -о à base:

краси́вое – краси́во
молодо́е – мо́лодо
хоро́ший – хорошо́

A forma curta do plural *para todos os gêneros* é feita acrescentando-se -ы à base (ou -и se a base termina em г, к, х, ж, ч, ш ou щ):

краси́вы
мо́лоды
хороши́

A seguir, algumas formas curtas que devem ser aprendidas. Perceba a mudança na posição da sílaba tônica.

Forma longa	Formas curtas			
Masculino	Masculino	Feminino	Neutro	Plural
больно́й doente	бо́лен	больна́	больно́	больны́

Forma longa	Formas curtas			
Masculino	**Masculino**	**Feminino**	**Neutro**	**Plural**
вели́кий grande	вели́к	велика́	велико́	велики́
дли́нный longo	дли́нен	длинна́	длинно́	длинны́
поле́зный útil	поле́зен	поле́зна	поле́зно	поле́зны
по́лный cheio	по́лон	полна́	полно́	полны́
пра́вый certo	прав	права́	пра́во	пра́вы
прекра́сный esplêndido, lindo	прекра́сен	прекра́сна	прекра́сно	прекра́сны
прия́тный agradável	прия́тен	прия́тна	прия́тно	прия́тны
ску́чный chato	ску́чен	скучна́	ску́чно	скучны́
слы́шный audível	слы́шен	слышна́	слы́шно	слышны́
стра́шный horrível, terrível	стра́шен	страшна́	стра́шно	страшны́
тру́дный difícil, trabalhoso	тру́ден	трудна́	тру́дно	трудны́
удо́бный conveniente, confortável	удо́бен	удо́бна	удо́бно	удо́бны
у́мный inteligente, sábio	умён	умна́	умно́	умны́
холо́дный frio	хо́лоден	холодна́	хо́лодно	холодны́
широ́кий longo, grosso	широ́к	широка́	широко́	широки́

Lição 14

É importante notar que o adjetivo curto é usado apenas para formar o *predicativo* de uma oração, e o adjetivo longo pode ser usado como atributo ou ênfase:

длѝнная доро́га uma estrada longa
Доро́га длѝнная. É uma estrada longa.
Доро́га длинна́. A estrada é longa.

по́лные стака́ны copos cheios
Стака́ны по́лные. São copos cheios.
Стака́ны полны́. Os copos estão cheios.

прекра́сный го́род uma cidade linda
Го́род прекра́сный. É uma cidade linda.
Го́род прекра́сен. A cidade é linda.

A forma curta é usada com muito mais frequência no predicativo do que a forma longa:

Путеше́ствие бы́ло прия́тно. A viagem foi agradável.
Уро́ки бы́ли скучны́. As lições eram chatas.
Пти́цы слышны́ по утра́м. Os pássaros são ouvidos nas manhãs.
Рабо́та была́ трудна́. O trabalho foi difícil.
Маши́на о́чень удо́бна. O carro é muito confortável.
Моя́ мама о́чень умна́. Minha mãe é muito sábia.

3. OS NOMES DAS LETRAS RUSSAS

Primeiro, aprenda a dizer Как э́то пи́шется?
Como se escreve?/ Como se soletra?

Impressa	Pronúncia aproximada	Nome
А а	[a] em carro	a
Б б	[b] em barco	bê
В в	[v] em vaca	vê
Г г	[g] em galho	guê
Д д	[d] em dado	dê
Е е	[iê] em lêmen	iê
Ё ё	[iô] em ioiô	iô
Ж ж	[j] em jujuba	jê
З з	[z] em azar	zê

Lição 14

Impressa	Pronúncia aproximada	Nome
И и	[i] em caminho	i
Й й	[i] em pai	i breve (и кра́ткое)
К к	[c] em casa	ka
Л л	[l] em lago	él
М м	[m] em mal	ém
Н н	[n] em nunca	én
О о	[o] em morro (quando tônica)	ô
П п	[p] em pano	pê
Р р	[r] em grosso	ér
С с	[s] em sal	és
Т т	[t] em tudo	tê
У у	[u] em único	u
Ф ф	[f] em falha	éf
Х х	[kh] em rua	kha
Ц ц	[ts] em quartzo	tsê
Ч ч	[tch] em tipo	tchê
Ш ш	[ch] em chácara	chá
Щ щ	[chtcha] em chato	chtchá
Ъ ъ	Sem som.	sinal duro (твёрдый знак)
Ы ы	Não existe no português.	y
Ь ь	Sem som.	sinal brando (мягкий знак)
Э э	[é] em réu	é
Ю ю	[iu] em tuiuiú	iu
Я я	[iá] em praia	ia

4. PEDINDO INFORMAÇÕES

Muitos estrangeiros não dirigem quando estão na Rússia. Mesmo assim você deve saber que verbos diferentes são usados para ir *a pé* ou por algum *meio de transporte*.

"Como ir até?" *a pé* é Как пройти?
"Como ir até?" por um *meio de transporte* é Как проехать?

Quando perguntar algo para alguém, comece dizendo: Извините (por favor), seguido de: Вы не скажете… (literalmente, "Você não dirá", mas usado como o nosso "Você pode me dizer?").

Para perguntar como chegar até a Embaixada brasileira a pé, você diz:
Извините, вы не скажете, как пройти к Бразильскому посольству?

Se você está dirigindo, diga:
Извините, вы не скажете, как проехать к Бразильскому посольству?

Abaixo, algumas formas de pedir direção quando você está andando:
Извините, вы не скажете, как пройти…
…к гостинице Метрополь? …até o Hotel Metropol?
…к Большому Театру? …até o Teatro Bolshoi?
…к Красной Площади? …até a Praça Vermelha?
…к ближайшему банку? …até o banco mais próximo?

Talvez, você tenha de perguntar onde fica algum outro lugar:
Извините, вы не скажете…
…где здесь находится ближайший туалет?
….onde fica o banheiro mais próximo?
…где здесь находится ближайший телефон-автомат?
…onde fica o telefone público mais próximo?

Abaixo, algumas direções comuns:
vire поверните (ou, mais coloquialmente, сверните)
vire à esquerda поверните налево
vire à direita поверните направо
…na esquina на следующем повороте
…no farol у светофора
em frente/do lado oposto напротив
É do lado oposto ao correio. Это напротив почты.
em frente a перед
É em frente à igreja. Это перед церковью.
atrás за
É atrás do Hotel Metropol. Это за гостиницей Метрополь.
em frente прямо
Siga em frente. Идите прямо.

Lição 14

VOCABULÁRIO

экску́рсия excursão, tour
после́дний ♂/после́дняя ♀/после́днее n. último
скоре́е mais rápido, mais provavelmente
температу́ра temperatura
высоко́ alto
вы́ше mais alto
нуль ♂ zero
Никто́ не рад. Ninguém está feliz.
Тепло́. Está quente.
тепло́ (substantivo neutro) quente
си́льный ♂/си́льная ♀/си́льное n. forte
ве́тер vento
Идёт снег. Está nevando.
дождь ♂ chuva
идёт дождь está chovendo
ми́нус menos, negativo
гра́дус grau (temperatura)
не́бо céu
о́блако nuvem
о́блачный ♂/о́блачная ♀/о́блачное n. nublado
безо́блачный ♂/безо́блачная ♀/безо́блачное n. sem nuvens
голубо́й ♂/голуба́я ♀/голубо́е n. azul-claro
со́лнце sol
сия́ть (impf.) brilhar
искри́ться (impf.) cintilar, faiscar (p. ex. neve)
так tão, assim
неусто́йчивый ♂/неусто́йчивая ♀/неусто́йчивое n. variável
сля́коть ♀ neve úmida, lama
под нога́ми abaixo dos pés
плыть (impf.) nadar, flutuar
бе́лый ♂/бе́лая ♀/бе́лое n. branco
чуде́сный ♂/чуде́сная ♀/чуде́сное n. maravilhoso
чуде́сен ♂/чуде́сна ♀/чуде́сно n. maravilhoso (forma curta do adjetivo)
Невозмо́жно. É impossível.
ко́мната quarto
реша́ть (impf.) decidir
реши́ть (perf.) decidir
отпра́виться (perf.) partir
зда́ние prédio, construção
це́рковь ♀ igreja
собо́р catedral
соверше́нно completamente, absolutamente
уника́льный ♂/уника́льная ♀/уника́льное n. único
стро́ить (impf.) construir
постро́ить (perf.) construir

181

Lição 14

при Ива́не Гро́зном durante o reinado de Ivan, o Terrível
строи́тельство prédio, construção
зако́нчено terminado, concluído
архите́ктор arquiteto
ослепи́ть (perf.) cegar, arrancar os olhos de alguém
бо́лее mais
ужа́сный ♂/ужа́сная ♀/ужа́сное n. terrível
страна́ país
прекра́сный ♂/прекра́сная ♀/прекра́сное n. lindo, bonito
смесь ♀ mistura, poção
интеллиге́нция *intelliguentsia,* intelectuais russos
вели́кий ♂/вели́кая ♀/вели́кое n. grande
писа́тель ♂ escritor
тира́н tirano
игра́ть jogar, brincar
золото́й ♂/золота́я ♀/золото́е n. dourado
ку́пол domo, cúpula
век século
возврати́ться (perf.) voltar, retornar
верну́ться (perf.) voltar, vir de volta
монасты́рь ♂ monastério, convento
бе́рег beira, margem (de um rio ou lago)
река́ rio

EXERCÍCIOS

Exercício A

Traduza as frases a seguir para o português.

1. В Росси́и хо́лодно зимо́й, но в после́дние пять-семь лет зи́мы бы́ли не о́чень холо́дные.

2. Зимо́й в Росси́и температу́ра ча́сто вы́ше нуля́.

3. Ча́сто быва́ет си́льный ве́тер, и идёт снег с дождём.

4. Когда́ не́бо безо́блачное и голубо́е, и со́лнце сия́ет, и снег искри́тся – в Росси́и чуде́сно.

Lição 14

5. В нача́ле ма́рта пого́да о́чень неусто́йчива в Нью-Йо́рке.

6. Майк прие́хал в Москву́ в са́мом нача́ле весны́.

7. Мы реши́ли отпра́виться на экску́рсию по Москве́.

8. Э́то что за зда́ние?

9. Собо́р Васи́лия Блаже́нного – соверше́нно уника́льное зда́ние.

10. Пу́шкин, Толсто́й и Достое́вский бы́ли вели́кие писа́тели.

11. Дава́йте вернёмся в маши́ну.

12. Новоде́вичий – монасты́рь на берегу́ Москва́-реки.

Você está viajando por Moscou. Pergunte como chegar aos seguintes lugares:

Exercício B

1. (de carro) à Galeria Tretiakóv Третьяко́вская галере́я

2. (a pé) à estação de metrô mais próxima метро́

3. (a pé) à loja de departamentos mais próxima универма́г

4. (a pé) à igreja mais próxima це́рковь

5. (de carro) ao hospital mais próximo больни́ца

6. (a pé) à farmácia mais próxima апте́ка

Lição 14

7. (a pé) ao Mausoléu de Lênin Мавзоле́й Ле́нина

8. (de carro) à rua Tvierskáia Тверска́я у́лица

9. (de carro) à universidade университе́т

10. (de carro) ao Hotel Ucrânia гости́ница "Украи́на"

Exercício C

Passe as frases seguintes para o russo.

1. Como você já sabe, o inverno é frio na Rússia.

2. A temperatura frequentemente fica acima de zero.

3. Geralmente há um vento forte.

4. Está nevando.

5. A temperatura está em menos 10 graus.

6. O céu está azul e o sol está brilhando.

7. É maravilhoso aqui!

8. No começo de março o clima varia muito.

9. A temperatura varia rapidamente.

10. À noite fica menos 20, mas durante o dia fica acima de 10.

11. Mike veio para Moscou no comecinho da primavera.
   _____

12. O dia está tão agradável que é simplesmente impossível ficar sentado no hotel.
   _____

13. A catedral foi construída durante o reinado de Ivan, o Terrível.
   _____

14. É um lindo país.
   _____

15. Tolstói foi um grande escritor.
   _____

Exercício D

Verdadeiro ou falso?

1. В после́дние пять-семь лет зи́мы в Росси́и бы́ли о́чень холо́дные.

2. В после́дние пять-семь лет температу́ра зимо́й в Росси́и никогда́ не была́ вы́ше нуля́.

3. Никто́ не рад э́тому теплу́.

4. В нача́ле ма́рта в Росси́и но́чью быва́ет плюс 18, а днём – ми́нус 18.

5. Собо́р Васи́лия Блаже́нного – соверше́нно уника́льное зда́ние.

6. Собо́р Васи́лия Блаже́нного был постро́ен при Ива́не Гро́зном.

7. Новоде́вичий – э́то гости́ница на берегу́ Москва́-реки.

Visite www.berlitzpublishing.com para atividades extras na internet – vá para a seção de downloads e conecte-se ao mundo em russo!

Lição

15 МАЙК У́ЧИТ РУ́ССКИЙ ЯЗЫ́К
MIKE ESTUDA RUSSO

Майк наме́рен приезжа́ть в Росси́ю дово́льно ча́сто. Е́сли дела́ по созда́нию совме́стного предприя́тия с ба́нком пойду́т хорошо́, он мог бы проводи́ть в Москве́ от шести́ ме́сяцев до го́да. Поэ́тому он реши́л всерьёз заня́ться ру́сским языко́м.
Mike pretende vir à Rússia com bastante frequência. Se os assuntos relacionados à parceria com o banco correrem bem, ele poderá passar de seis meses a um ano em Moscou. Por isso, ele decidiu estudar a língua russa com seriedade.

Ната́ша познако́мила его́ с А́нной Ива́новной Смирно́вой, кото́рая согласи́лась дава́ть Ма́йку ча́стные уро́ки. Сейча́с Майк пришёл к ней домо́й и звони́т в дверь…
Natacha apresentou-o a Ana Ivánovna Smirnóva, que concordou em dar aulas particulares a Mike. Mike chega até sua casa e toca a campainha…

А́нна Ива́новна	До́брый ве́чер! Входи́те, пожа́луйста.
	Boa tarde, por favor, entre.
Майк	До́брый ве́чер!
	Boa tarde!

Áнна Ивáновна	Где вы изучáли рýсский?
	Onde você aprendeu russo?
Майк	Я учи́лся в Амéрике, но тепéрь, когдá я бýду подóлгу жить в Москвé, мне нáдо лýчше знать рýсский.
	Eu aprendi na América, mas agora que vou viver um longo tempo em Moscou, é necessário que eu saiba russo melhor.
Áнна Ивáновна	Чем и́менно вы хотéли бы заня́ться?
	O que exatamente você gostaria de estudar?
Майк	Прéжде всегó мне нáдо расши́рить запáс слов. Когдá я смотрю́ телеви́зор, я понимáю довóльно мнóго. А потóм вдруг попадáются однó-два незнакóмых слóва, и я перестаю́ понимáть, теря́ю смысл.
	Antes de tudo, eu preciso ampliar meu vocabulário. Quando vejo televisão, entendo bastante. Mas, então, uma ou duas palavras desconhecidas aparecem de repente, eu deixo de entender e perco o sentido.
Áнна Ивáновна	У вас хорóшее рýсское произношéние. И вы ужé сейчáс неплóхо говори́те по-рýсски. Я увéрена, что мы смóжем расши́рить ваш словáрный запáс.
	Você tem uma boa pronúncia em russo. E você já fala russo muito bem. Tenho certeza de que podemos ampliar seu vocabulário.
Майк	Да, я надéюсь... И ещё однá проблéма – э́то когдá лю́ди говоря́т бы́стро. По телеви́зору я ещё бóлее-мéнее понимáю нóвости, но по рáдио, когдá нет изображéния, почти́ ничегó не понимáю.
	Sim, assim espero... E mais um problema – quando as pessoas falam rapidamente. Na televisão eu ainda entendo o noticiário mais ou menos, mas no rádio, como não há imagens, eu não entendo quase nada.
Áнна Ивáновна	Я дýмаю, что смогý вам помóчь и в э́том тóже. Натáша мне немнóго рассказáла о вáших трýдностях, и я приготóвила прогрáмму, котóрая, я надéюсь, бýдет вам полéзна.
	Acho que posso ajudá-lo com isso também. Natacha me contou um pouco sobre suas dificuldades, e eu preparei um programa que, assim espero, será útil para você.
Майк	Прéжде чем начáть, я хотéл бы вы́яснить всё насчёт оплáты.
	Antes de começar, gostaria de acertar o pagamento.

Lição 15

Áнна Ивáновна	Оплáты? Никакóй оплáты! Вы друг моéй хорóшей знакóмой. Я хочý помóчь вам. Друзья́ для э́того и существýют. Pagamento? Pagamento de jeito nenhum! Você é um amigo de uma grande amiga. Eu quero ajudá-lo. É para isso que servem os amigos.
Майк	Простú́те, но я так не могý. Я настáиваю. Desculpe-me, mas não posso fazer isso. Eu insisto.
Áнна Ивáновна	Ну, спасúбо. Но вы уж тогдá учúтесь хорошó, чтóбы я не зря их получáла! Bem, obrigada. Mas você terá que estudar bastante para que eu mereça isso!

GRAMÁTICA

1. **A PREPOSIÇÃO** ПРИ

При pede o caso prepositivo. Ela pode ser traduzida para o português de diversas formas, de acordo com o contexto:

1. junto a
   Гарáж при дóме. A garagem fica junto à casa.

2. na presença de, na frente de
   Онú сказáли э́то при мне. Eles disseram isso na minha presença.

3. durante, no tempo de, sob (um ditador, governo etc.)
   при коммунúзме durante o comunismo

4. com
   У них все дéньги при себé. Eles têm todo o dinheiro consigo.
   Онá нахóдится при мáтери. Ela está com sua mãe.
   При пóмощи друзéй всё бýдет хорошó. Com a ajuda de amigos, tudo dará certo.

2. **OS VERBOS** ПРИЕЗЖÁТЬ **E** ПРИÉХАТЬ

Приезжáть (impf.) e приéхать (perf.) significam "chegar, vir". No diálogo do começo desta lição, você viu: Майк намéрен приезжáть в Россúю довóльно чáсто. Aqui, o imperfeito приезжáть é usado porque Mike pretende visitar a Rússia frequentemente ou por um período indefinido.

Compare com: Майк намéрен приéхать в Россú́ю в суббóту. Aqui Mike pretende completar o processo de vir à Rússia no sábado. Por isso приéхать é usado.

Lição 15

Tente memorizar a conjugação desses verbos:

	приезжа́ть (impf.)	прие́хать (perf.)
	Presente	
я	приезжа́ю	NÃO
ты	приезжа́ешь	HÁ FORMA
он, она́, оно́	приезжа́ет	DO PERFECTIVO
мы	приезжа́ем	NO PRESENTE
вы	приезжа́ете	
они́	приезжа́ют	
	приезжа́ть (impf.)	прие́хать (perf.)
	Futuro	
я	бу́ду приезжа́ть	прие́ду
ты	бу́дешь приезжа́ть	прие́дешь
он, она́, оно́	бу́дет приезжа́ть	прие́дет
мы	бу́дем приезжа́ть	прие́дем
вы	бу́дете приезжа́ть	прие́дете
они́	бу́дут приезжа́ть	прие́дут

3. КАК E КАКО́Й **COM ADJETIVOS**

Как (como) possui apenas uma forma e é usado com a forma curta do adjetivo; како́й♂/кака́я♀/како́е *n.* são usados com a forma longa:

Как я глуп♂/Как я глупа́♀! (de глу́пый♂/глу́пая♀/глу́пое *n.* "bobo, burro") Como sou burro!/Como sou burra!
Кака́я я глу́пая! Que burra eu sou!

Как ты бле́ден! Como você está pálido!
Како́й ты бле́дный! Como você está pálido!

Как она́ умна́! Como ela é inteligente!
Кака́я она́ у́мная! Como ela é inteligente!

Как оно́ широко́! Como isso é largo!
Како́е оно́ широ́кое! Como isso é largo!

Как мы бедны́! Como nós somos pobres!
Каки́е мы бе́дные! Como nós somos pobres!

4. **DIZENDO AS HORAS**

| uma hora | час (nom.) |
| duas horas | два часа́ (gen. sing.) |

189

Lição 15

três horas	три часá (gen. sing.)
quatro horas	четы́ре часá (gen. sing.)
cinco horas	пять часóв (gen. pl.)
seis horas	шесть часóв (gen. pl.)
de sete a doze horas	7-12 часóв (gen. pl.)
meia-noite	пóлночь
meio-dia	пóлдень

Para "às" de horas, é usada a preposição в seguida do caso acusativo do número (que é o mesmo do nominativo). Dois, três e quatro precedem o genitivo singular de час: часá. De cinco a doze segue-se o genitivo plural de час: часóв.

à uma hora	в час (não é necessário o número)
às duas horas	в два часá
às três horas	в три часá
às quatro horas	в четы́ре часá
às cinco horas	в пять часóв
às seis horas	в шесть часóв
das setes às doze horas	в 7-12 часóв
à meia-noite	в пóлночь
ao meio-dia	в пóлдень

Na Rússia, como em todos os outros lugares, o relógio de 24 horas é usado em situações oficiais. Para distinguir as partes do dia é usado o caso genitivo das palavras do dia: у́тро torna-se утрá; день torna-se дня; вéчер torna-se вéчера; e ночь torna-se нóчи. Em russo, ночь é usado para as horas imediatamente posteriores à meia-noite. Assim:

à uma da manhã	в час нóчи
às duas da tarde	в два часá дня
às três da manhã	в три часá утрá

às quatro da tarde	в четы́ре часа́ дня
às cinco da tarde	в пять часо́в ве́чера
às seis da manhã	в шесть часо́в утра́
às dez da noite	в де́сять часо́в ве́чера

Os russos costumam almoçar – обе́д – no trabalho, entre a uma e as três da tarde, quando muitas lojas e escritórios fecham. Por isso, a expressão по́сле обе́да – "depois do almoço" – geralmente significa "depois das duas horas".

À noite, os russos fazem uma refeição leve у́жин – "jantar" – por volta das sete. Por isso, a expressão по́сле у́жина – "depois do jantar" – geralmente significa "depois das sete".

HORAS E MINUTOS

Os russos pensam nas horas de uma maneira um pouco diferente da nossa. Para eles, a hora entre o meio-dia e a uma é a primeira; a hora entre duas e três é a segunda etc. É por isso que, quando dizem as horas com os minutos *depois*, os russos referem-se aos minutos dessa primeira, segunda etc. hora depois do meio-dia ou da meia-noite.

"Seis e um" é literalmente "um minuto da sétima":
одна́ мину́та седьмо́го.

"Seis e dois" é "dois minutos da sétima":
две мину́ты седьмо́го.

"Seis e dez" é "dez minutos da sétima":
де́сять мину́т седьмо́го.

A fórmula é a seguinte:

Com "um", são usados o nominativo feminino одна́ (numeral cardinal), o nominativo мину́та + седьмо́го (numeral ordinal, gen., masc. sing.).
O mesmo se aplica para números compostos terminados em "um": "vinte e um" etc.:

два́дцать одна́ мину́та седьмо́го

Com "dois", são usados o nominativo feminino do numeral cardinal, две, e o genitivo singular мину́ты + седьмо́го (numeral ordinal, gen., masc., sing.).

O mesmo se aplica para numerais compostos terminados em "dois": "vinte e dois", "trinta e dois" etc.:

тридцать две минуты седьмого

Com "três" e "quatro", são usados a forma nominativa do numeral, три, четы́ре, e o genitivo singular мину́ты + седьмо́го (numeral ordinal, gen. masc. sing.).

Com outros numerais, são usados a forma nominativa do numeral e o genitivo plural мину́т + a hora (numeral ordinal, gen. masc., sing.).

де́сять (numeral cardinal) мину́т (gen., pl. de мину́та) седьмо́го (gen., masc., sing.).

Abaixo, alguns exemplos:

meio-dia e dois	две мину́ты пе́рвого
ao meio-dia e dois	в две мину́ты пе́рвого
uma e cinco	пять мину́т второ́го
à uma e cinco	в пять мину́т второ́го
três e doze	двена́дцать мину́т четвёртого
às três e doze	в двена́дцать мину́т четвёртого
quatro e dez	де́сять мину́т пя́того
às quatro e dez	в де́сять мину́т пя́того
seis e vinte e oito	два́дцать во́семь мину́т седьмо́го
às seis e vinte e oito	в два́дцать во́семь мину́т седьмо́го

QUINZE MINUTOS ЧЕТВЕРТЬ, **MEIA-HORA** ПОЛОВИНА

quatro e quinze	че́тверть пя́того
às quatro e quinze	в че́тверть пя́того
cinco e meia	полови́на шесто́го
às cinco e meia	в полови́не (prepositivo) шесто́го

No caso de "para" tal hora, os russos usam без – "menos" – com os minutos no genitivo. Мину́т é geralmente omitido. A hora é um numeral cardinal, no nominativo.

dois minutos para as doze	без двух (мину́т) двена́дцать
aos dois minutos para as doze	без двух (мину́т) двена́дцать

Note que в não é usado para indicar "às".

Abaixo, alguns outros exemplos:
(aos) cinco para a uma   без пяти́ (мину́т) час
(aos) doze minutos para as três   без двена́дцати (мину́т) три
(aos) dez para as quatro   без десяти́ (мину́т) четы́ре
(aos) vinte e oito minutos para as seis   без двадцати́ восьми́ (мину́т) шесть
(aos) quinze para a uma   без че́тверти час
(aos) quinze para as três   без че́тверти три

VOCABULÁRIO

намерева́ться pretender, ter a intenção de
он наме́рен ele pretende
приезжа́ть (impf.) vir, chegar
прие́хать (perf.) vir, chegar
дово́льно um tanto, bastante
созда́ние estabelecimento, definição
проводи́ть (impf.) acompanhar; passar
провести́ (perf.) acompanhar; passar
реша́ть (impf.) decidir
реши́ть (perf.) decidir
всерьёз seriamente
занима́ться (impf.) participar de; ocupar-se com; estudar
заня́ться (perf.) participar de; ocupar-se com; estudar
заня́ться языко́м estudar uma língua
соглаша́ться (impf.) concordar
согласи́ться (perf.) concordar
дава́ть ча́стные уро́ки dar aulas particulares
звони́ть в дверь tocar a campainha
подо́лгу por um longo tempo, por muito tempo
жить (impf.) viver; morar
мне на́до é necessário para mim; eu preciso
знать saber, conhecer
лу́чше melhor
и́менно precisamente, especialmente
Чем вы хоте́ли бы..? O que você gostaria de…?
пре́жде всего́ primeiramente, antes de tudo
расширя́ть (impf.) ampliar, expandir
расши́рить (perf.) ampliar, expandir
запа́с estoque
смотре́ть телеви́зор assistir à televisão
попада́ться (perf.) ser pego, dar com
незнако́мый ♂/незнако́мая ♀/незнако́мое n. desconhecido
перестава́ть (impf.) cessar, parar
переста́ть (perf.) cessar, parar

Lição 15

понимáть (impf.) entender, compreender
поня́ть (perf.) entender, compreender
теря́ть (impf.) perder
потеря́ть (perf.) perder
смысл sentido, significado
произношéние pronúncia
увéрен ♂/увéрена ♀/увéрено n. convencido
надéяться (impf.) desejar, esperar
по телеви́зору na televisão
бóлее-мéнее mais ou menos
по рáдио pelo rádio, no rádio
изображéние imagem
трýдность dificuldade
готóвить (impf.) preparar, fazer
приготóвить (perf.) preparar, fazer
прогрáмма programa
полéзный ♂/полéзная ♀/полéзное n. útil
прéжде чем antes de
начинáть (impf.) começar, iniciar
начáть (perf.) começar, iniciar
выясня́ть (impf.) esclarecer, descobrir
вы́яснить (perf.) esclarecer, descobrir
насчёт que diz respeito a, sobre
оплáта pagamento
никакóй ♂/никакáя ♀/никакóе n. nenhum
знакóмый ♂/знакóмая ♀ conhecido
существовáть (impf.) existir
прощáть (impf.) perdoar, desculpar
прости́ть (perf.) perdoar, desculpar
настáивать (impf.) insistir
настоя́ть (perf.) insistir
зря por nada, em vão

EXERCÍCIOS

Exercício A

Traduza as frases a seguir para o português.

1. Я намéрен жить в Москвé.

2. Я реши́л всерьёз заня́ться рýсским языкóм.

3. Профéссор согласи́лся давáть мне чáстные урóки.

4. Сейча́с Ната́ша пришла́ к нему́ домо́й и звони́т в дверь.

5. Входи́те, пожа́луйста.

6. Где Майк изуча́л ру́сский? В Аме́рике?

7. Да, но тепе́рь ему́ на́до лу́чше знать ру́сский.

8. Ей на́до расши́рить запа́с слов.

9. Когда́ она́ смо́трит телеви́зор, она́ понима́ет дово́льно мно́го.

10. У него́ хоро́шее ру́сское произноше́ние.

11. Она́ пло́хо говори́т по-ру́сски.

12. У меня́ одна́ пробле́ма.

13. Когда́ лю́ди говоря́т бы́стро, я не понима́ю.

14. Ната́ша пригото́вила обе́д.

15. Кни́га бу́дет вам поле́зна.

Passe as frases abaixo para o russo.

1. Mike poderia passar de seis meses a um ano em Moscou.

2. Eu decidi estudar a língua russa seriamente.

Exercício B

Lição 15

3. Ana concordou em dar aulas particulares para Mike.

_____

4. Onde você aprendeu inglês?

_____

5. Eu não ficarei em Moscou por muito tempo.

_____

6. Nós temos que saber melhor russo.

_____

7. Quando eu assisto à televisão, eu entendo bastante.

_____

8. Eu acho que posso ajudar você.

_____

Exercício C

Который час? Que horas são? Responda em russo.

1.

2.

3.

4.

_____
_____

5.

_____
_____

6. 6:20 AM

_____
_____

7. 7:30 PM

_____
_____

8. 7:40 AM

_____
_____

9. 8:45 PM

_____
_____

10. 9:57 AM

_____
_____

Verdadeiro ou falso?

1. Майк не наме́рен приезжа́ть ча́сто в Росси́ю.

Exercício D

2. Наташа познакомила Майка с Анной Ивановной Смирновой.
3. Анна Ивановна согласилась давать Майку частные уроки.
4. Майк пришёл к Анне домой и позвонил в дверь.
5. Анна спросила, где Майк изучал русский.
6. Теперь, когда Майк будет подолгу жить в Москве, ему надо лучше знать русский.
7. Анна не спросила Майка, чем именно он хотел бы заняться.
8. Прежде всего Майку надо расширить свой запас слов.
9. Когда Майк смотрит телевизор, он понимает довольно много.
10. Когда попадаются одно-два незнакомых слова, Майк совсем перестаёт понимать и теряет смысл.
11. У Майка хорошее русское произношение, и он уже неплохо говорит по-русски.
12. Анна уверена, что они смогут расширить словарный запас Майка.
13. Когда люди говорят быстро по радио, Майк не понимает.
14. По телевизору Майк более-менее понимает новости, но по радио, когда нет изображения, он почти ничего не понимает.
15. Наташа ничего не рассказывала Анне о трудностях Майка.

Visite www.berlitzpublishing.com para atividades extras na internet – vá para a seção de downloads e conecte-se ao mundo em russo!

Lição

REVISÃO: LIÇÕES 12-15

16

A. Ouça novamente o diálogo da Lição 12 e repita-o.

Diálogo 12 МАЙК ЕДЕТ В РОССИЮ

Майк прилетел из Нью-Йорка в Москву ночным рейсом. Самолёт приземлился в три часа дня по московскому времени. Майк прошёл через пограничный контроль и таможенный досмотр. В зале прибытия было очень много народу. Пассажиры с трудом протискивались сквозь толпу. Майк сразу увидел табличку со своим именем…

    Майк   Наташа?

    Наташа   Да. А вы, наверное, Майк? Добро пожаловать в Москву!

    Майк   Я очень рад встретиться с вами.

    Наташа   Мы так много говорили по телефону! И, наконец, мы встретились лично. А это для вас!

Она даёт ему букет цветов.

Lição 16

>Майк Цветы́? Как прия́тно! Большо́е спаси́бо.
>Ната́ша Здесь так мно́го люде́й и так шу́мно. Мы лу́чше поговори́м в маши́не.

Они́ выхо́дят из аэропо́рта и садя́тся в маши́ну.

>Ната́ша Как вы долете́ли?
>Майк Прекра́сно! Я о́чень хорошо́ пообе́дал, вы́пил два стака́на джи́на с то́ником и всё остально́е вре́мя спал.
>Ната́ша Зна́чит, вы не о́чень уста́ли.
>Майк Совсе́м не уста́л. Но я бы хоте́л приня́ть душ. Я немно́го вспоте́л. В аэропорту́ бы́ло о́чень жа́рко.
>Ната́ша Я предлага́ю пое́хать пря́мо в гости́ницу, что́бы вы смогли́ освежи́ться, распакова́ть чемода́ны и устро́иться. А о́коло 7 часо́в ве́чера мы зае́дем за ва́ми и пое́дем обе́дать.
>Майк Мы?
>Ната́ша Я прие́ду с мои́м нача́льником. Он о́чень хо́чет встре́титься с ва́ми.
>Майк Э́то но́вый нача́льник?
>Ната́ша Да. Он рабо́тал в отделе́нии на́шего ба́нка в Варша́ве. Он прие́хал к нам приме́рно шесть ме́сяцев наза́д.

Маши́на бы́стро мча́лась по Тверско́й – бы́вшей у́лице Го́рького. Вдруг Майк спроси́л:

>Майк Что э́то?
>Ната́ша Э́то моско́вский Кремль. Мы недалеко́ от Кра́сной пло́щади. А вот и ва́ша гости́ница.

B. Traduza para o português o diálogo da Lição 12 e confira sua tradução com a nossa nas páginas 152-154.

C. Ouça novamente o diálogo da Lição 13 e repita-o.

Diálogo 13 В ГОСТИ́НИЦЕ

Гости́ница "Звезда́" нахо́дится недалеко́ от Кра́сной пло́щади. Э́то но́вая ча́стная гости́ница. Она́ небольша́я: в ней всего́ со́рок номеро́в. Майк с Ната́шей подхо́дят к столу́ регистра́ции...

Администра́тор	Здра́вствуйте. Вы зака́зывали но́мер?
Майк	Да, заказа́л. Вот ко́пия электро́нного письма́, в кото́ром вы подтвержда́ете, что зака́з при́нят.
Администра́тор	Хорошо́. Ваш па́спорт, пожа́луйста.
Майк	Вот он.
Администра́тор	Спаси́бо. Вы смо́жете получи́ть его́ за́втра у́тром.
Майк	Скажи́те, пожа́луйста, в но́мере есть телеви́зор?
Администра́тор	Коне́чно. Мно́го кана́лов на ру́сском языке́. И есть не́сколько на англи́йском, наприме́р, Си-Эн-Эн. Они́ передаю́т це́лый день по-англи́йски.
Майк	Зна́ете ли вы, когда́ передаю́т но́вости?
Администра́тор	Извини́те меня́, то́чно не по́мню. Но вся информа́ция есть в но́мере на ру́сском и на англи́йском языка́х.
Майк	Спаси́бо. А как здесь мо́жно постира́ть ве́щи? И есть ли тут химчи́стка?
Администра́тор	Е́сли вы отдади́те нам те ве́щи, кото́рые ну́жно постира́ть и почи́стить, до 12 часо́в дня, они́ бу́дут гото́вы к 8 часа́м утра́ на сле́дующий день.
Майк	Прекра́сно! Что ещё? Да! Чуть не забы́л! Есть ли у вас каки́е-нибу́дь англи́йские и́ли америка́нские газе́ты?
Администра́тор	Да, мы получа́ем англи́йскую "Та́ймс" и "Интернэ́шнл Гера́льд Трибью́н".
Майк	Как рабо́тает ваш рестора́н? Когда́ он откры́т?
Администра́тор	У нас нет рестора́на. Но здесь за угло́м, совсе́м бли́зко, есть рестора́н.
Майк	А где мо́жно поза́втракать?
Администра́тор	У нас есть буфе́т с лёгкими заку́сками и пи́ццей на второ́м этаже́. Меню́ есть в ва́шем но́мере. Вы мо́жете позвони́ть го́рничной и заказа́ть за́втрак пря́мо в но́мер, е́сли хоти́те.
Майк	Спаси́бо. Вы о́чень помогли́ мне.

D. Agora traduza o diálogo da Lição 13 e confira sua versão com a nossa nas páginas 163-165.

E. Ouça novamente o diálogo da Lição 14 e repita-o.

Lição 16

Diálogo 14   ЭКСКУ́РСИЯ ПО МОСКВЕ́

В Росси́и хо́лодно зимо́й. Но в после́дние пять-семь лет зи́мы бы́ли не о́чень холо́дные. Скоре́е да́же о́чень не холо́дные, с температу́рой ча́сто вы́ше нуля́.
Но никто́ не рад э́тому теплу́: ча́сто быва́ет си́льный ве́тер, идёт снег с дождём… А когда́ температу́ра, ска́жем, ми́нус 20 гра́дусов, и не́бо безо́блачное и голубо́е, и со́лнце сия́ет, и снег искри́тся – здесь чуде́сно!
А в нача́ле ма́рта пого́да о́чень неусто́йчива. Но́чью – ми́нус 18, а днём – плюс 4! На у́лице сля́коть под нога́ми.
Майк прие́хал в Москву́ в са́мом нача́ле весны́. Сия́ет со́лнце: по голубо́му не́бу плыву́т ма́ленькие бе́лые облака́. День так чуде́сен, что про́сто невозмо́жно сиде́ть в ко́мнате, и они́ с Ната́шей реши́ли отпра́виться на экску́рсию по Москве́.

Ната́ша	Э́то Кра́сная пло́щадь.
Майк	А э́то что за зда́ние? Це́рковь?
Ната́ша	Да, э́то собо́р Васи́лия Блаже́нного. Соверше́нно уника́льное зда́ние. Бы́ло постро́ено при Ива́не Гро́зном. Говоря́т, что, когда́ строи́тельство бы́ло зако́нчено, архите́кторов ослепи́ли.
Майк	Ослепи́ли? Но почему́?
Ната́ша	Что́бы они́ не могли́ постро́ить ещё что-нибу́дь, бо́лее краси́вое.
Майк	Ужа́сно!
Ната́ша	Да. В э́той стране́ бы́ли тира́ны: Ива́н Гро́зный, Ста́лин… И, в то же вре́мя, э́то страна́ ру́сской интеллиге́нции и вели́ких писа́телей, таки́х как Пу́шкин, Толсто́й, Достое́вский…
Майк	Посмотри́те! Как здо́рово игра́ет со́лнце на тех золоты́х купола́х!
Ната́ша	Да. Э́то Кремль. Он был постро́ен ещё в 12-ом ве́ке. Но дава́йте вернёмся в маши́ну. Я хочу́, что́бы мы пое́хали посмотре́ть Новоде́вичий.
Майк	Что э́то тако́е?
Ната́ша	Э́то монасты́рь на берегу́ Москва́-реки́, постро́енный ещё до Петра́ Пе́рвого.

F. Agora traduza o diálogo da Lição 14 e confira sua versão com a nossa nas páginas 173-175.

G. Ouça novamente o diálogo da Lição 15 e repita-o.

Lição 16

Diálogo 15 МАЙК У́ЧИТ РУ́ССКИЙ ЯЗЫ́К.

Майк наме́рен приезжа́ть в Росси́ю дово́льно ча́сто. Е́сли дела́ по созда́нию совме́стного предприя́тия с ба́нком пойду́т хорошо́, он мог бы проводи́ть в Москве́ от шести́ ме́сяцев до го́да. Поэ́тому он реши́л всерьёз заня́ться ру́сским языко́м. Ната́ша познако́мила его́ с А́нной Ива́новной Смирно́вой, кото́рая согласи́лась дава́ть Ма́йку ча́стные уро́ки. Сейча́с Майк пришёл к ней домо́й и звони́т в дверь…

Анна Ива́новна	До́брый ве́чер! Входи́те, пожа́луйста.
Майк	До́брый ве́чер!
Анна Ива́новна	Где вы изуча́ли ру́сский?
Майк	Я учи́лся в Аме́рике, но тепе́рь, когда́ я бу́ду подо́лгу жить в Москве́, мне на́до лу́чше знать ру́сский.
Анна Ива́новна	Чем и́менно вы хоте́ли бы заня́ться?
Майк	Пре́жде всего́ мне на́до расши́рить запа́с слов. Когда́ я смотрю́ телеви́зор, я понима́ю дово́льно мно́го. А пото́м вдруг попада́ются одно́-два незнако́мых сло́ва, и я перестаю́ понима́ть, теря́ю смысл.
Анна Ива́новна	У вас хоро́шее ру́сское произноше́ние. И вы уже́ сейча́с непло́хо говори́те по-ру́сски. Я уве́рена, что мы смо́жем расши́рить ваш слова́рный запа́с.
Майк	Да, я наде́юсь… И ещё одна́ пробле́ма – э́то когда́ лю́ди говоря́т бы́стро. По телеви́зору я ещё бо́лее-ме́нее понима́ю но́вости, но по ра́дио, когда́ нет изображе́ния, почти́ ничего́ не понима́ю.
Анна Ива́новна	Я ду́маю, что смогу́ вам помо́чь и в э́том то́же. Ната́ша мне немно́го рассказа́ла о ва́ших тру́дностях, и я пригото́вила програ́мму, кото́рая, я наде́юсь, бу́дет вам поле́зна.
Майк	Пре́жде чем нача́ть, я хоте́л бы вы́яснить всё насчёт опла́ты.
Анна Ива́новна	Опла́ты? Никако́й опла́ты! Вы друг мое́й хоро́шей знако́мой. Я хочу́ помо́чь вам. Друзья́ для э́того и существу́ют.
Майк	Прости́те, но я так не могу́. Я наста́иваю.
Анна Ива́новна	Ну, что ж, спаси́бо. Но вы уж тогда́ учи́тесь хорошо́, что́бы я не зря их получа́ла!

Lição 15

H. Traduza o diálogo da Lição 15 e confira sua versão com a nossa nas páginas 186-188.

I. Coloque as palavras em parênteses na forma correta.

1. Сейча́с он (находи́ться) в (кабине́т) своего́ (нача́льник).

   _____, _____, _____

2. Мы бу́дем говори́ть по (телефо́н).

   _____

3. Вчера́ (ве́чер) мы (гуля́ть) по (у́лицы) в (це́нтр) (Москва́).

   _____, _____, _____,
   _____, _____

4. Воло́дя с (Ната́ша) обсужда́ли письмо́ к (господи́н Ро́джерс).

   _____, _____

5. В де́сять (час) (ве́чер) я пил (во́дка) в (рестора́н) с (Ива́н).

   _____, _____, _____,
   _____, _____

6. Извини́те, вы не (сказа́ть), как пройти́ к (Америка́нское посо́льство)? _____, _____

7. Извини́те, вы не (сказа́ть), как прое́хать к (Кра́сная Пло́щадь)?

   _____, _____

8. Извини́те, вы не (сказа́ть), как пройти́ к (ближа́йший банк)?

   _____, _____

9. Извини́те, вы не (сказа́ть), где здесь нахо́дится (ближа́йщий туале́т)? _____, _____

10. Поверни́те напра́во на (сле́дующий поворо́т). Э́то перед (це́рковь). _____, _____

Visite www.berlitzpublishing.com para atividades extras na internet – vá para a seção de downloads e conecte-se ao mundo em russo!

	Lição
В РЕСТОРА́НЕ **NO RESTAURANTE**	**17**

Майк про́был в Москве́ уже́ о́коло двух неде́ль. Че́рез пять-шесть дней он возврати́тся в Соединённые Шта́ты. Сего́дня ве́чером он пригласи́л Ната́шу пообе́дать с ним…

Mike já está em Moscou há aproximadamente duas semanas. Ele voltará para os Estados Unidos em cinco ou seis dias. Esta tarde ele convidou Natacha para jantar com ele.

Ната́ша   Большо́е спаси́бо за приглаше́ние, Майк!
Muito obrigada pelo convite, Mike!

Майк   Я уже́ два́жды был здесь. Они́ вку́сно гото́вят. Обе́д из пяти́ блюд с во́дкой, вино́м, шампа́нским и коньяко́м. Что вы хоти́те на заку́ски?
Eu já estive aqui duas vezes. A comida é saborosa. A refeição tem cinco pratos com vodca, vinho, champanhe e conhaque. O que você gostaria de entrada?

Ната́ша   Дава́йте посмо́трим меню́.
Vamos dar uma olhada no cardápio.

205

Lição 17

Майк Есть ры́ба, икра́, колбаса́, сала́ты...
Há peixe, caviar, linguiça, saladas...

Ната́ша Я бы хоте́ла всего́ – понемно́жку.
Eu gostaria de um pouco de tudo.

Майк А пе́рвое? У них здесь о́чень вку́сная соля́нка по-моско́вски.
E para o primeiro prato? Eles têm uma sopa soliánka ao estilo de Moscou muito saborosa aqui.

Ната́ша Я люблю́ соля́нку.
Eu gosto de soliánka.

Майк Хорошо́, две соля́нки. А что на горя́чее? Ры́ба или мя́со?
Bom, duas soliánkas. E como o prato principal (quente)? Peixe ou carne?

Ната́ша А что вы посове́туете?
O que você recomenda?

Майк У них сего́дня осетри́на – э́то о́чень вку́сно!
Hoje eles têm esturjão – é muito gostoso!

Ната́ша Осетри́на мне подхо́дит. А что вы реши́ли, Майк?
Esturjão me agrada. E o que você decidiu, Mike?

Майк Я, пожа́луй, возьму́ мя́со. Здесь о́чень хорошо́ гото́вят котле́ты по-ки́евски... Хотя́ нет. Сего́дня я попро́бую беф-стро́ганов. Говоря́т, он счита́ется лу́чшим в Москве́.
Acho que vou comer carne. Eles preparam um frango à Kiev muito saboroso aqui... Na verdade – não. Hoje vou provar o estrogonofe. Dizem que é considerado o melhor de Moscou.

Ната́ша Э́то впечатля́ет.
Impressionante.

Майк А на десе́рт...
E de sobremesa...

Ната́ша Нет, нет, не сейча́с! Посмо́трим, чего́ нам захо́чется к концу́ обе́да. Вот тогда́ и реши́м.
Não, não, agora não! Vamos ver o que queremos até o fim da refeição. E então vamos decidir.

Майк Что бу́дем пить? Шампа́нское? Коне́чно! А та́кже бока́л бе́лого вина́ к ры́бе и бока́л кра́сного к мя́су.
O que vamos beber? Champanhe? É claro! E também uma taça de vinho branco com o peixe e uma taça de vinho tinto com a carne.

Ната́ша   Замеча́тельно!
           Maravilhoso!

Майк   Официа́нт! Мы гото́вы сде́лать зака́з.
           Garçom! Nós estamos prontos para fazer o pedido.

GRAMÁTICA

1. ЕСТЬ **E** ПИТЬ

Dois verbos comumente usados que você deve aprender são есть "comer" e пить "beber" no modo imperfeito, e съесть e вы́пить no perfeito. Suas conjugações são mostradas na tabela abaixo.
Observação: alunos de russo frequentemente confundem a forma do presente de есть com a de е́хать "ir" (Lição 4). Compare as duas conjugações e familiarize-se com elas!

	IMPERFEITO		PERFEITO	
	есть	пить	съесть	вы́пить
	Presente			
я	ем	пью	O VERBO	
ты	ешь	пьёшь	NO MODO	
он, она́, оно́	ест	пьёт	PERFEITO	
мы	еди́м	пьём	NÃO POSSUI	
вы	еди́те	пьёте	CONJUGAÇÃO	
они́	едя́т	пьют	NO PRESENTE	
	Passado			
я, ты ♂	ел	пил	съел	вы́пил
я, ты ♀	е́ла	пила́	съе́ла	вы́пила
он	ел	пил	съел	вы́пил
она́	е́ла	пила́	съе́ла	вы́пила
оно́	е́ло	пи́ло	съе́ло	вы́пило
мы, вы, они́	е́ли	пи́ли	съе́ли	вы́пили
	Futuro			
я	бу́ду есть	бу́ду пить	съем	вы́пью
ты	бу́дешь есть	бу́дешь пить	съешь	вы́пьешь
он, она́, оно́	бу́дет есть	бу́дет пить	съест	вы́пьет

Lição 17

	IMPERFEITO		PERFEITO	
	есть	пить	съесть	вы́пить
	Futuro (cont.)			
мы	бу́дем есть	бу́дем пить	съеди́м	вы́пьем
вы	бу́дете есть	бу́дете пить	съеди́те	вы́пьете
они́	бу́дут есть	бу́дут пить	съедя́т	вы́пьют
	Imperativo			
	ешь	пей	съешь	вы́пей
	е́шьте	пе́йте	съе́шьте	вы́пейте

2. БРАТЬ E КЛАСТЬ

Os verbos imperfeitos брать "pegar" e класть "colocar" possuem formas perfectivas que derivam de dois radicais diferentes: взять e положи́ть.

	IMPERFEITO		PERFEITO	
	брать	класть	взять	положи́ть
	Presente			
я	беру́	кладу́	O VERBO	
ты	берёшь	кладёшь	NO MODO	
он, она́, оно́	берёт	кладёт	PERFEITO	
мы	берём	кладём	NÃO POSSUI	
вы	берёте	кладёте	CONJUGAÇÃO	
они́	беру́т	кладу́т	NO PRESENTE	
	Passado			
я, ты ♂	брал	клал	взял	положи́л
я, ты ♀	брала́	клала́	взяла́	положи́ла
он	брал	клал	взял	положи́л
она́	брала́	клала́	взяла́	положи́ла
оно́	бра́ло	кла́ло	взяло́	положи́ло
мы	бра́ли	кла́ли	взя́ли	положи́ли
вы	бра́ли	кла́ли	взя́ли	положи́ли
они́	бра́ли	кла́ли	взя́ли	положи́ли

Lição 17

	IMPERFEITO		**PERFEITO**	
	брать	класть	взять	положить
	Futuro			
я	бу́ду брать	бу́ду класть	возьму́	положу́
ты	бу́дешь брать	бу́дешь класть	возьмёшь	поло́жишь
он, она́, оно́	бу́дет брать	бу́дет класть	возьмёт	поло́жит
мы	бу́дем брать	бу́дем класть	возьмём	поло́жим
вы	бу́дете брать	бу́дете класть	возьмёте	поло́жите
они́	бу́дут брать	бу́дут класть	возьму́т	поло́жат
	Imperativo			
	бери́	клади́	возьми́	положи́
	бери́те	клади́те	возьми́те	положи́те

3. O PRONOME INTERROGATIVO

O pronome interrogativo чей? "De quem?" possui três formas no singular, de acordo com o gênero.

	Singular			**Plural**
	Masculino	**Feminino**	**Neutro**	**Todos os gêneros**
Nom.	чей	чья	чьё	чьи
Ac.	чей/чьего́	чью	чьё	чьи/чьих
Gen.	чьего́	чьей	чьего́	чьих
Dat.	чьему́	чьей	чьему́	чьим
Instr.	чьим	чьей/чье́ю	чьим	чьи́ми
Prep.	чьём	чьей	чьём	чьих

Abaixo, alguns exemplos. Perceba que чей aqui é acompanhado de это:

чей	Чей это дом? De quem é esta casa?
чья	Чья это рубáшка? De quem é esta camisa?
чьё	Чьё это яблоко? De quem é esta maçã?
чьи	Чьи это книги? De quem são estes livros?

4. AS PREPOSIÇÕES ÓКОЛО E ЧÉРЕЗ

A preposição óколо significa por volta, aproximadamente ou quase. Ela pede o caso genitivo e é frequentemente usada em expressões que tratam do tempo, como no diálogo desta lição:

Майк пробыл в Москве́ уже́ óколо двух неде́ль.
Mike já está em Moscou há aproximadamente duas semanas.

A preposição че́рез pede o caso acusativo e é usada em expressões de *lugar* (do outro lado, através, por meio de, acima) e *tempo* (em, dentro de, depois):

Lugar:
Мы прилете́ли в Москву́ че́рез Ло́ндон.
Nós voamos para Moscou por Londres.

Я пое́ду домо́й че́рез мост.
Eu irei para casa pela ponte.

Tempo:
Она́ бу́дет до́ма че́рез час.
Ela estará em casa dentro de uma hora.

Че́рез пять-шесть дней он возврати́тся в Соединённые Шта́ты.
Ele voltará aos Estados Unidos em cinco ou seis dias.

5. SUBSTANTIVOS COM NUMERAIS CARDINAIS E COMPOSTOS

Como foi dito na Lição 13, em russo todos os numerais cardinais são declinados. Substantivos antecedidos por оди́н ♂/одна́ ♀/одно́ *n.* "um" ficam na forma nominativa. Substantivos precedidos por два ♂/*n.* ou две ♀ "dois" ficam no genitivo *singular*.

Os numerais три "três" e четы́ре "quatro" possuem a mesma forma para substantivos de todos os gêneros. Da mesma maneira que два ou две, eles são seguidos por substantivos no genitivo *singular*.

Lição 17

À exceção de numerais compostos, todos os outros cardinais a partir de cinco são seguidos por um substantivo no genitivo *plural*. Dessa maneira:

пять часо́в; шестьдеся́т рубле́й

Numerais compostos (vinte e um, trinta e três, cinquenta e seis etc.) são seguidos por um substantivo que é regido pelo último número:

два́дцать один стол
три́дцать два стола́
три́дцать две кни́ги
со́рок три рубля́
со́рок три кни́ги
пятьдеся́т четы́ре рубля́
пятьдеся́т четы́ре кни́ги
шестьдеся́т пять рубле́й
шестьдеся́т шесть ко́пий

6. ЖЕ PARA ÊNFASE

Же pode ser colocado antes de uma palavra para enfatizá-la:

он же aquele homem mesmo
она́ же aquela mulher mesmo
сего́дня же este dia mesmo
И что же э́то тако́е? E o que é isso mesmo?/ E o que raios é isso?

VOCABULÁRIO

пробы́ть (perf.) ficar, passar um tempo, parar (por um tempo)
возвраща́ться (impf.) voltar
возврати́ться (perf.) voltar
Спаси́бо за приглаше́ние. Obrigado pelo convite.
два́жды duas vezes
вку́сно saboroso
вку́сно гото́вить cozinhar bem (literalmente, preparar deliciosamente)
блю́до prato, prato numa refeição
обед из пяти́ блюд uma refeição de cinco pratos
шампа́нское champanhe
конья́к conhaque
зато́ mas, no entanto
ры́ба peixe
икра́ caviar
колбаса́ linguiça
сала́т salada
всего́ понемно́жку um pouco de tudo
соля́нка по-моско́вски sopa soliánka ao estilo de Moscou

211

горя́чий ♂/горя́чая ♀/горя́чее n. quente
горя́чее блю́до prato principal
мя́со carne
сове́товать (impf.) aconselhar, recomendar
посове́товать (perf.) aconselhar, recomendar
осетри́на esturjão
Мне (ему́, им etc.) подхо́дит. Serve-me (lhe, lhes etc.).
пожа́луй talvez, muito provavelmente
брать (impf.) pegar
взять (perf.) pegar
котле́ты croquetes
котле́ты по-ки́евски frango à Kiev (frango recheado com manteiga)
рекомендова́ть (impf.) recomendar
порекомендова́ть (perf.) recomendar
беф-стро́ганов estrogonofe
счита́ться (impf.) considerar-se, considerar
впечатля́ть (impf.) impressionar
десе́рт sobremesa
захоте́ться (perf.) desejar, querer
вы́пить (perf.) beber (até o fim)
буты́лка garrafa
тост brinde (quando bebendo)
дру́жба amizade
за дру́жбу "à amizade"
класть (impf.) colocar
положи́ть (perf.) colocar

EXERCÍCIOS

Exercício A

Traduza as frases a seguir para o português.

1. Мы про́были в Ми́нске уже́ о́коло пяти́ неде́ль.

2. Че́рез три дня я возвраща́юсь в Росси́ю.

3. Вчера́ я пригласи́л его́ пообе́дать со мной.

4. У них сего́дня о́чень вку́сное мя́со.

5. Что вы мне сего́дня посове́туете?

Lição 17

6. Я возьму́ буты́лку кра́сного вина́.

7. Че́рез неде́лю мы возврати́мся в Росси́ю.

8. Сего́дня ве́чером мы пригласи́ли Ива́на пообе́дать с на́ми.

9. Большо́е спаси́бо за приглаше́ние.

10. Мы никогда́ там не́ были.

11. Мо́жно посмотре́ть меню́?

12. Я о́чень люблю́ ры́бу и мя́со.

13. Осетри́на - ры́ба. Э́то о́чень вку́сно!

14. На́ши котле́ты по-ки́евски счита́ются лу́чшими в Москве́.

15. Я хочу́ буты́лку кра́сного вина́ к мя́су и буты́лку бе́лого - к ры́бе.

Passe estas frases para o russo

1. Em seis dias eles retornarão para os Estados Unidos.

2. Eu convidei meus amigos para jantar comigo esta noite.

3. Muito obrigado pelo convite.

Exercício B

4. A refeição tem cinco pratos, com vodca, vinho, champanhe e conhaque.

5. Nós estivemos aqui ontem.

6. Eu nunca estive lá.

7. Seria possível ver o cardápio?

8. Vocês têm peixe?

9. Vocês têm carne?

10. Eu gosto de vinho tinto.

11. O que você recomenda?

12. À nossa amizade!

Exercício C

Coloque as palavras em parênteses na forma correta.

1. Она́ пробыла́ в (Москва́) уже́ о́коло (две неде́ли). _____, _____

2. Вчера́ (ве́чер) мы (пригласи́ть) (Ната́ша) пообе́дать с (мы). _____, _____, _____, _____

3. Обе́д из (четы́ре) блюд с (во́дка, вино́, шампа́нское и конья́к). _____,

4. Ната́ша никогда́ там не (быть). _____

5. У нас нет (ры́ба, икра́, колбаса́, сала́ты). _____

Lição 17

6. У (они́) сего́дня хоро́шая осетри́на, но их беф-стро́ганов счита́ется (лу́чший) в (Москва́). _____, _____, _____

7. Мы посмо́трим, (что) нам захо́чется к (коне́ц) (обе́д). _____, _____, _____

8. Мы (быть) пить (буты́лка) (кра́сное вино́). _____, _____, _____

Verdadeiro ou falso?

1. Майк про́был в Москве́ уже́ о́коло шести́ неде́ль.
2. Че́рез пять-шесть дней Майк возврати́тся в Соединённые Шта́ты.
3. Сего́дня ве́чером Ната́ша пригласи́ла Майка пообе́дать с ней.
4. Майк уже́ был в рестора́не.
5. В рестора́не есть ры́ба, икра́, колбаса́ и сала́ты.
6. Ната́ша лю́бит соля́нку.
7. Осетри́на Ната́ше не подхо́дит.
8. Беф-стро́ганов счита́ется лу́чшим в Санкт-Петербу́рге.

Exercício D

Visite www.berlitzpublishing.com para atividades extras na internet – vá para a seção de downloads e conecte-se ao mundo em russo!

Lição

18 ВÉЧЕР В ТЕÁТРЕ
UMA NOITE NO TEATRO

Наtáша пригласи́ла Мáйка в Моско́вский Худо́жественный Теáтр. Там они́ посмотрéли дрáму Антóна Чéхова "Вишнёвый Сад" в нóвой постанóвке. Спектáкль был великолéпный.
Natacha convidou Mike para o Teatro de Arte de Moscou. Lá eles assistiram a uma nova produção de *O Jardim das Cerejeiras*, de Antón Tchékhov. A apresentação foi magnífica.

Наτáша Вам понрáвилась пьéса?
Você gostou da peça?

Майк Ещё бы! Это бы́ло замечáтельно! Актёры óчень хорошó игрáли. А как в Москвé с билéтами? Трýдно достáть?
Como não! Foi fantástica! Os atores encenaram muito bem. Mas como é comprar ingressos em Moscou? Eles são difíceis de conseguir?

Наτáша По-рáзному. У нас пьéсы Чéхова óчень лю́бят и чáсто прихóдится стоя́ть в óчереди. Обы́чно все билéты бывáют распрóданы за нéсколько днéй до спектáкля и остаю́тся тóлько стоя́чие местá.

	Depende. As peças de Tchékhov são muito populares aqui e geralmente você precisa pegar uma fila. Os ingressos geralmente se esgotam vários dias antes da apresentação e só sobram aqueles das fileiras em pé.
Майк	А вы ча́сто хо́дите в теа́тр? E você vai ao teatro frequentemente?
Ната́ша	Да, но мне бо́льше нра́вится бале́т. Бале́т – моё люби́мое иску́сство. О́чень люблю́ и кино́. Но смотре́ть телеви́зор, по-мо́ему, поте́ря вре́мени. Sim, mas prefiro balé. Balé é meu tipo de espetáculo favorito. Eu também adoro cinema. Mas assistir à televisão é, em minha opinião, uma perda de tempo.
Майк	По пра́вде сказа́ть, бале́т не о́чень люблю́. По-мо́ему, кино́ интере́снее, чем теа́тр. Что сейча́с идёт в кинотеа́трах? Не могли́ бы вы посове́товать, како́й хоро́ший ру́сский фильм я могу́ посмотре́ть? Para dizer a verdade, eu não gosto muito de balé. Em minha opinião, o cinema é mais interessante que o teatro. O que está em cartaz nos cinemas agora? Você poderia me recomendar um bom filme russo que eu possa ver?
Ната́ша	Мой люби́мый ру́сский фильм – э́то "Война́ и Мир" Бондарчука́. Вы смотре́ли? Meu filme russo favorito é *Guerra e Paz,* de Bondartchuk. Você já viu?
Майк	Да. Зна́ете, мно́го лет наза́д я посмотре́л америка́нскую инсцениро́вку рома́на Толсто́го "Война́ и Мир", но ду́маю что ру́сский фильм лу́чше. Sim. Sabe, há muitos anos eu vi a versão americana do romance *Guerra e Paz* de Tolstói, mas acho que o filme russo é melhor.
Ната́ша	Я по́лностью согла́сна с ва́ми. Мы одина́ково ду́маем о мно́гих веща́х, Майк. А сейча́с, ча́ю хоти́те? Concordo completamente com você. Nós pensamos da mesma forma sobre muitas coisas, Mike. E, agora, você gostaria de um pouco de chá?
Майк	Ну что́ вы! Я угощу́ вас бока́лом шампа́нского! Пошли́! De jeito nenhum! Eu a convido para uma taça de champanhe! Vamos!

Lição 18

GRAMÁTICA

1. PRESENTE COM FUNÇÃO DE PRETÉRITO PERFEITO COMPOSTO EM PORTUGUÊS

O tempo presente pode ser usado para uma ação que esteja acontecendo por algum tempo e que *ainda continua*. Compare:

Наташа уже́ пять лет живёт в Москве́.
Natacha *tem vivido* em Moscou por cinco anos. (Ela ainda vive em Moscou.)

Ива́н жил пять лет в Москве́. Ivan *viveu* em Moscou por cinco anos. (Ele não vive mais lá.)

2. ГОД E ЛЕТ COM NÚMEROS

A palavra que significa ano é год. Ela não é usada no genitivo plural (com raras exceções). Em vez disso, o genitivo plural da palavra verão (ле́то) é: лет. Лет é usado para significar "anos" depois de:

- numerais que peçam o *genitivo plural* (cinco, seis etc.) quando eles estão nos casos nominativo ou genitivo;

- numerais dois, três e quatro quando estão no caso genitivo.

Abaixo, alguns exemplos:

один год	Он про́жил здесь то́лько оди́н год.
	Ele viveu aqui apenas por um ano.
два го́да	Она́ изуча́ла ру́сский язы́к два го́да.
	Ela estudou russo por dois anos.
три го́да	Я не́ был в Ми́нске три го́да.
	Eu não visito Minsk há três anos.
четы́ре го́да	Э́тот дом стро́или четы́ре го́да.
	Eles estiveram construindo esta casa durante quatro anos.
пять лет	В Моско́вском университе́те у́чатся пять лет.
	Na Universidade Estatal de Moscou, estuda-se por cinco anos.
шесть лет	Они́ встре́тились то́лько че́рез шесть лет.
	Eles se conheceram apenas depois de seis anos.

3. O GENITIVO PARTITIVO, "UM POUCO DE"

Compare os pares de frases seguintes:

Да́йте мне хлеб, пожа́луйста. Passe-me o pão, por favor.

Да́йте мне хле́ба, пожа́луйста. Passe-me um pouco de pão, por favor.
Переда́й мне соль, пожа́луйста! Passe-me o sal, por favor!
Доба́вь со́ли в суп. Coloque um pouco de sal na sopa.
Вы хоти́те чай и́ли ко́фе? Você gostaria de chá ou café?
Хоти́те ча́ю? Você gostaria de um pouco de chá?

O caso genitivo é usado quando a expressão "um pouco de" é subentendida na frase.

4. O COMPARATIVO

Da mesma forma que o português une o advérbio "mais" com um adjetivo para criar uma forma comparativa, os russos usam o advérbio invariável бо́лее:

бо́лее интере́сный фильм um filme mais interessante
в бо́лее интере́сном фи́льме em um filme mais interessante
бо́лее краси́вая страна́ um país mais bonito
в бо́лее краси́вой стране́ em um país mais bonito
бо́лее краси́вое о́зеро um lago mais bonito
на берегу́ бо́лее краси́вого о́зера às margens de um lago mais bonito

A forma russa para "menos" é ме́нее. Ela pode ser usada exatamente da mesma forma:

ме́нее интере́сный фильм um filme menos interessante
ме́нее интере́сная кни́га um livro menos interessante
ме́нее интере́сное собы́тие um evento menos interessante

Os russos também possuem comparativos formados por apenas uma palavra, que acrescentam -ее ou -е́е à base do adjetivo. Se a palavra formada possui apenas duas sílabas, a tônica cai para o fim (-е́е). Se ela possui três ou mais sílabas, a sílaba tônica é geralmente mantida.

дли́нный longo	длинне́е mais longo
си́льный forte	сильне́е mais forte
краси́вый bonito	краси́вее mais bonito

As exceções são горяче́е (mais quente) e холодне́е (mais frio).

Essa forma também não varia (isto é, não é declinada):

Э́тот фильм интере́снее. Esse filme é mais interessante.
Э́та доро́га длинне́е. Essa estrada é mais longa.
Э́то о́зеро краси́вее. Esse lago é mais bonito.

Perceba que, se o comparativo vem antes do substantivo, a forma бо́лее *deve* ser usada:

Э́то бо́лее интере́сный фильм. Esse é um filme mais interessante.

Depois do substantivo, ambas as formas podem ser usadas:

Этот фильм интере́снее.
Esse filme é mais interessante.

Этот фильм бо́лее интере́сный.
Esse filme é mais interessante.

Algumas formas irregulares que devem ser lembradas são:

большо́й grande	бо́льше maior
мáленький pequeno	мéньше menor
хоро́ший bom	лу́чше melhor
плохо́й mau	ху́же pior

QUE, ЧЕМ

Этот фильм ме́нее интере́сный, чем "Война́ и Мир".
Este filme é menos interessante que *Guerra e Paz*.

Эта кни́га интере́снее, чем друга́я.
Este livro é mais interessante que o outro.

Это о́зеро ме́нее интере́сное, чем Байка́л.
Este lago é menos interessante que o lago Baikal.

MUITO (MAIS), ГОРА́ЗДО/НАМНО́ГО

Этот фильм гора́здо интере́снее, чем "Война́ и Мир".
Esse filme é muito mais interessante que *Guerra e Paz*.

Эта кни́га намно́го интере́снее, чем друга́я.
Este livro é muito mais interessante que o outro.

Это о́зеро гора́здо краси́вее, чем Байка́л.
Esse lago é muito mais bonito que o lago Baikal.

Пить минера́льную во́ду намно́го лу́чше, чем пить во́дку.
Beber água mineral é muito melhor que beber vodca.

5. O SUPERLATIVO

Uma forma simples de formar o superlativo é usando o advérbio invariável наибо́лее "o mais":

Это наибо́лее интере́сный фильм. Esse é o filme mais interessante.
Это наибо́лее краси́вая страна́. Este é o país mais bonito.
Это наибо́лее ску́чное ме́сто. Este é o lugar mais chato.

No entanto, uma forma mais comum do superlativo é formada usando-se са́мый "o mais". Са́мый é declinada como um adjetivo, e concorda em gênero, número e caso com o adjetivo que precede:

Э́то са́мый интере́сный фильм. Esse é o filme mais interessante.
Э́то са́мая интере́сная страна́. Este é o país mais interessante.
Э́то са́мое ску́чное ме́сто. Este é o lugar mais chato.

Compare:

В наибо́лее ску́чных места́х в э́той кни́ге…
Nos lugares mais chatos neste livro…

В са́мых ску́чных места́х в э́той кни́ге…
Nos lugares mais chatos neste livro…

Ainda há outra maneira de formar o superlativo usando o comparativo seguido do genitivo singular ou plural de всё: всего́, всех.

Я бо́льше всего́ люблю́ бале́т.
Eu gosto de balé mais do que tudo.

Бо́льше всех компози́торов я люблю́ Чайко́вского.
De todos os compositores, eu gosto mais de Tchaikóvski.

VOCABULÁRIO

теа́тр teatro
бале́т balé
дра́ма drama
постано́вка produção
спекта́кль ♂ espetáculo/apresentação
великоле́пный ♂ /великоле́пная ♀ /великоле́пное n. magnífico
нра́виться (impf.) gostar
понра́виться (perf.) gostar
Ещё бы! Como não!
замеча́тельный ♂ /замеча́тельная ♀ /замеча́тельное n. excelente
игра́ть (impf.) jogar, encenar
поигра́ть (perf.) jogar, encenar
биле́т ingresso
достава́ть (impf.) obter, pegar
доста́ть (perf.) obter, pegar
По-ра́зному. Depende.
пье́са peça (de teatro)
приходи́ться (impf.) ter que
прийти́сь (perf.) ter que
распро́дан ♂ /распро́дана ♀ /распро́дано n. vendido (esgotado)
за не́сколько дне́й vários dias antes
остава́ться (impf.) restar, sobrar
оста́ться (perf.) restar, sobrar

Lição 18

стоя́чее ме́сто lugar em pé
люби́мый ♂/люби́мая ♀/люби́мое *n.* favorito, querido
иску́сство arte
кино́, кинотеа́тр cinema
поте́ря вре́мени uma perda de tempo
по пра́вде сказа́ть para dizer a verdade
о́пера ópera
пока́зывать (impf.) mostrar, encenar
показа́ть (perf.) mostrar, encenar
инсцениро́вка dramatização, adaptação
рома́н romance
по́лностью completamente
одина́ково da mesma forma, igualmente
Ну что́ вы! De jeito nenhum!
угоща́ть (impf.) convidar, oferecer
угости́ть (perf.) convidar, oferecer
бока́л taça
бо́лее mais
ме́нее menos
гора́здо muito (mais)
намно́го muito (mais)
бо́льше mais
о́зеро lago
страна́ país

EXERCÍCIOS

Exercício A

Traduza as frases a seguir para o português.

1. Я бу́ду приглаша́ть Ната́шу в Большо́й теа́тр на бале́т ка́ждую неде́лю.

2. Вчера́ ве́чером спекта́кль в теа́тре был великоле́пный.

3. Мно́го лет наза́д я жил в А́фрике.

4. Я о́чень хочу́ посмотре́ть фильм "Война́ и Мир".

5. Э́тот фильм интере́снее/бо́лее интере́сный, чем друго́й.

Lição 18

6. Эта книга более интересная, чем другая.

7. Моя жизнь становится всё хуже и хуже.

8. Жизнь моего отца становилась всё лучше и лучше, когда он жил в Америке.

9. Что вам больше нравится, кино или телевидение?

Coloque as palavras em parênteses na forma correta.

Exercício B

1. Вчера вечером мы (пригласить) её в театр на (пьеса).
   _____, _____

2. Много (год) назад я (смотреть) фильм Бондарчука "Война и мир". _____, _____

3. Они (видеть) этот фильм вчера, и он (они) очень (понравиться). _____, _____,
   _____

4. У (мы) пьесы (Чехов) очень (любить). _____,
   _____, _____

5. Вчера (вечер) они (угощать) (я) бокалом (шампанское).
   _____, _____, _____
   _____

6. Скажите (я), что (вы) больше нравится, мясо или рыба?
   _____, _____

7. По (правда) сказать, я не очень люблю (рыба).
   _____, _____

8. Мы всегда одинаково (думать) о (многие) вещах. Смотреть телевизор, по-моему, потеря (время).
   _____, _____, _____

Lição 18

Exercício C

Passe as frases seguintes para o russo.

1. Ivan me convidou para o teatro, para um balé.
   _____

2. A ópera foi magnífica. _____

3. Isso é excelente! _____

4. Há muitos anos, eu morei na Rússia.
   _____

5. Eu vi esse filme também. _____

6. Eu gosto muito de assistir à televisão.
   _____

7. O teatro é mais interessante que ópera e balé.
   _____

8. Você poderia recomendar uma boa peça russa?
   _____

Exercício D

Verdadeiro ou falso?

1. Ната́ша пригласи́ла Ма́йка в Большо́й теа́тр на бале́т.
2. Майк сказа́л, что спекта́кль был замеча́тельный.
3. Мно́го лет наза́д Майк смотре́л фильм "Война́ и мир".
4. Ната́ша не ви́дела э́тот фильм.
5. Ната́ша ча́сто хо́дит в теа́тр.
6. Ната́ше бо́льше нра́вится о́пера.
7. Ната́ша о́чень лю́бит телеви́дение, и ду́мает, что кино́ – э́то поте́ря вре́мени.
8. Майк ду́мает, что ру́сский фильм лу́чше.

> Visite www.berlitzpublishing.com para atividades extras na internet – vá para a seção de downloads e conecte-se ao mundo em russo!

МАЙК ВОЗВРАЩА́ЕТСЯ В АМЕ́РИКУ
MIKE VOLTA PARA A AMÉRICA

Lição **19**

Майк с Ната́шей сидя́т в рестора́не, располо́женном над за́лом вы́лета в Шереме́тьево-2. Они́ прие́хали туда́ о́чень ра́но, и у них доста́точно вре́мени, что́бы вы́пить ко́фе и поговори́ть…

Mike e Natacha estão sentados no restaurante que fica acima da sala de partidas do Sheremétievo 2. Eles chegaram bem cedo e têm bastante tempo para tomar café e conversar…

Майк — Мы одина́ково ду́маем о мно́гих веща́х, Ната́ша. Мы о́чень хорошо́ ла́дим друг с дру́гом, и мне прия́тно рабо́тать с ва́ми. Но я почти́ ничего́ не зна́ю о вас.

Nós pensamos do mesmo modo sobre muitas coisas, Natacha. Nós nos damos muito bem, e para mim é um prazer trabalhar com você. Mas eu não sei quase nada de você.

Ната́ша — Да почти́ и не́чего знать, Майк. Я родила́сь в Новосиби́рске, учи́лась здесь, в Москве́, в Моско́вском госуда́рственном университе́те. Пото́м получи́ла рабо́ту в ба́нке.

Bem, não há quase nada para saber, Mike. Eu

Lição 19

	nasci em Novossibírsk, estudei aqui em Moscou, na Universidade Estatal de Moscou. Então consegui o emprego no banco.
Майк	Вы о́чень ми́лая и обая́тельная же́нщина, Ната́ша. Мне о́чень прия́тно быть в ва́шем о́бществе. Você é uma mulher muito gentil e charmosa, Natacha. Gosto muito de estar em sua companhia.
Ната́ша	И мне то́же легко́ с ва́ми. С ва́ми я могу́ говори́ть о чём-уго́дно. Жаль, что вам на́до возвраща́ться в Аме́рику. E eu me sinto confortável com você também. Com você eu posso falar de qualquer coisa. É uma pena que você tenha que voltar para a América.
Майк	Да…Но ведь у вас есть погово́рка: "Без разлу́к не быва́ет встреч". Ско́ро мы бу́дем вме́сте рабо́тать в Нью-Йо́рке. Sim... Mas vocês têm um ditado, não?: "Sem partidas não há encontros". Logo trabalharemos juntos em Nova York.
Ната́ша	Да, пра́вильно. Зна́ете, я бу́ду о́чень мно́го рабо́тать, чтобы всё зако́нчить до своего́ отъе́зда. Sim, é verdade. Você sabe, vou trabalhar muito para terminar tudo antes de minha partida.
Майк	Я был здесь то́лько три с полови́ной неде́ли, а вы бу́дете у нас полго́да. Мы смо́жем осмотре́ть весь Нью-Йо́рк. И не то́лько! Мой роди́тели уже́ проси́ли меня́ пригласи́ть вас к ним в Лос-А́нжелес. Eu estive aqui por somente três semanas e meia, mas você ficará conosco por meio ano. Poderemos conhecer toda Nova York. E não só Nova York! Meus pais já me pediram para convidá-la para visitá-los em Los Angeles.
Ната́ша	Отку́да они́ мо́гут знать обо мне́? Como eles sabem sobre mim?
Майк	Я мно́го говори́л им о вас по телефо́ну. Им не те́рпится познако́миться с ва́ми ли́чно. Eu falei muito de você para eles por telefone. Eles não veem a hora de conhecê-la pessoalmente.

(Го́лос из громкоговори́теля) Пассажи́ры, сле́дующие ре́йсом 341 в Нью-Йо́рк! Вас про́сят пройти́ на регистра́цию в зал вы́лета, сто́йка но́мер три!

Lição 19

(*Voz no alto-falante*) Passageiros do voo 341 para Nova York! Por favor, dirijam-se ao check-in, balcão número três!

Ната́ша   Объявля́ют ваш рейс, Майк! Вам на́до идти́!
É seu voo, Mike! Você tem que ir!

Майк   Да. Пора́…Ната́ша, у меня́ к вам одна́ про́сьба. Я был бы сча́стлив, е́сли бы мы могли́ перейти́ на "ты". Но, коне́чно, я не зна́ю ва́ших тради́ций и не хочу́ ника́к вас оби́деть!
Sim. Está na hora… Natacha, eu tenho que pedir uma coisa. Ficaria feliz se pudéssemos mudar para "ты" (*você* informal). Mas, é claro, eu não conheço suas tradições e não quero ofendê-la de forma alguma!

Ната́ша   Спаси́бо, Майк! Вы ника́к не мо́жете меня́ оби́деть! Напро́тив! Я сама́ ду́мала об э́том и вы, то́ есть, коне́чно, ты! – про́сто прочита́л мои́ мы́сли. А тепе́рь пора́ проща́ться. До свида́ния, Майк! Я бу́ду о́чень ждать встре́чи с тобо́й!
Obrigada, Mike. Você não me ofende de forma alguma. Ao contrário. Eu mesma estava pensando sobre isso, e você – é claro, ты! – simplesmente leu meus pensamentos. E agora é hora de dizer adeus. Até logo, Mike! Eu realmente espero vê-lo novamente.

Майк   До свида́ния, Ната́ша! Мне бу́дет о́чень не хвата́ть тебя́.
Até logo, Natacha! Eu vou sentir muito a sua falta.

GRAMÁTICA

1. POSSESSIVOS

мой ♂/моя́ ♀/моё *n.* "meu" e наш ♂/на́ша ♀/на́ше *n.* "nosso" são declinados da seguinte forma:

	Singular			Plural
	Masculino	Feminino	Neutro	Todos os gêneros
Nom.	мой/наш	моя́/на́ша	моё/на́ше	мои́/на́ши
Ac.	мой/наш	мою́/на́шу	моё/на́ше	мои́х/на́ших
	моего́/на́шего			мои́/на́ши

Lição 19

	Singular			Plural
	Masculino	**Feminino**	**Neutro**	**Todos os gêneros**
Gen.	моего́/на́шего	мое́й/на́шей	моего́/на́шего	мои́х/на́ших
Dat.	моему́/на́шему	мое́й/на́шей	моему́/на́шему	мои́м/на́шим
Instr.	мои́м/на́шим	мое́й/мое́ю/на́шей	мои́м/на́шим	мои́ми/на́шими
Prep.	моём/на́шем	мое́й/на́шей	моём/на́шем	мои́х/на́ших

Os possessivos твой *teu/seu* (informal) e ваш *vosso/seu* (plural ou formal) seguem o mesmo padrão.

Его́ significa "dele", её significa "dela", e их significa "deles/delas". Diferentemente dos outros pronomes, eles não mudam de acordo com o gênero do que "se possui", ou são declinados:

Я разгова́риваю с мои́м студе́нтом.
Eu estou falando com meu aluno.

Я разгова́риваю с его́ студе́нтом/студе́нткой.
Eu estou falando com o(a) aluno(a) dele.

Я разгова́риваю с её студе́нтом.
Eu estou falando com o aluno dela.

Я разгова́риваю с их студе́нтом.
Eu estou falando com o aluno deles.

Я разгова́риваю с их студе́нтами.
Eu estou falando com os alunos deles.

Он разгова́ривает с мои́ми студе́нтами.
Ele está falando com meus alunos.

Она́ рабо́тает недалеко́ от моего́ до́ма.
Ela trabalha perto de minha casa.

Она́ рабо́тает недалеко́ от его́ до́ма.
Ela trabalha perto da casa dele.

Она́ рабо́тает недалеко́ от её да́чи.
Ela trabalha perto da casa de campo dela (de outra mulher).

Она́ рабо́тает недалеко́ от их до́ма.
Ela trabalha perto da casa deles.

свой♂/своя♀/своё n. significa "seu" e é usado para indicar que a posse de algo é do *sujeito do verbo*. Veja os exemplos abaixo:

Она́ разгова́ривает со свое́й попу́тчицей.
Ela está falando com sua companheira de viagem.

Майк сра́зу уви́дел табли́чку со свои́м и́менем.
Mike viu na hora o cartaz com seu nome.

У неё своя́ отде́льная кварти́ра в Москве́.
Ela tem seu próprio apartamento em Moscou.

No último exemplo, a forma impessoal "У неё" significa "ela tem", e "ela" pode ser interpretado como o sujeito da frase, mesmo que "ela" não esteja no nominativo она́. Da mesma forma:

Мне ну́жно взять свою́ кни́гу. Eu tenho que pegar meu livro.
Тебе́ ну́жно взять свою́ кни́гу. Você tem que pegar seu livro.
Ему́ ну́жно написа́ть свой докла́д. Ele tem que escrever seu relatório.
Им ну́жно взять свои́ кни́ги. Eles têm que pegar seus livros.

Agora, veja alguns exemplos do uso de мой♂/моя́♀/моё n. durante o curso:

Бале́т - моё люби́мое иску́сство.
Balé é minha forma de arte favorita.

Мы должны́ обсуди́ть вопро́с с мои́м нача́льником.
Nós temos que discutir a questão com meu chefe.

Смотре́ть телеви́зор, по-мо́ему, потря вре́мени.
Assistir à televisão é, em minha opinião (мне́ние), uma perda de tempo.

Nessas frases, *o sujeito* não é "quem possui": o objeto da frase não pertence exclusivamente ao sujeito.
No entanto, às vezes мой♂/моя́♀/моё n. e свой♂/своя́♀/своё n. *podem* variar:

Я прие́ду с мои́м нача́льником./Я прие́ду со свои́м нача́льником.
Eu vou com meu chefe.

Она́ в кабине́те своего́ нача́льника./Она́ в кабине́те её нача́льника.
Ela está no escritório do seu chefe.

Essa variação parece ser possível, pois ninguém pode "possuir" um chefe, mas ele ou ela é, no fim das contas, seu próprio chefe!

No entanto, Она́ в кабине́те её нача́льника pode significar tanto "Ela está na sala de seu (próprio) chefe" e "Ela está na sala de seu (de alguma outra mulher) chefe". A frase Она́ в кабине́те своего́ нача́льника não é ambígua como as frases Он в кабине́те её нача́льника e Она́ в кабине́те его́ нача́льника.

2. ВЕСЬ

весь♂/вся♀/всё *n.*/все "todos", "tudo" são declinados da seguinte forma:

	Singular			Plural
	Masculino	Feminino	Neutro	Todos os gêneros
Nom.	весь	вся	всё	все
Ac.	весь/всего	всю	всё	все/всех
Gen.	всего	всей	всего	всех
Dat.	всему	всей	всему	всем
Instr.	всем	всей	всем	всеми
Prep.	всём	всей	всём	всех

Abaixo, alguns exemplos de весь♂/вся♀/всё *n.* e все (plural) vistos no decorrer do curso. Perceba que всё pode significar "todas as coisas" e "tudo":

Шáпка – две ты́сячи, перчáтки – однá ты́сяча и четы́ре ты́сячи за сапогú. Всегó семь ты́сяч. (ao todo)
O chapéu, dois mil, as luvas, mil, e quatro mil pelas botas. Ao todo, sete mil.

Там так мнóго экспонáтов! И все – шедéвры! (todos eles)
Há muitos itens em exibição lá! E todos eles são obras-primas!

Вся информáция есть в нóмере. (todas)
Todas as informações estão no quarto (do hotel).

Я хотéл бы вы́яснить всё насчёт оплáты. (tudo)
Eu gostaria de deixar tudo claro sobre o pagamento.

Мы смóжем осмотрéть весь Нью-Йóрк. (toda, a totalidade)
Nós podemos descobrir (literalmente ver) toda a Nova York.

Я бýду старáться всё закóнчить до своегó отъéзда. (tudo)
Eu vou tentar terminar tudo antes de minha partida.

Всё pode também ser combinado com outras palavras para dar a ideia de ênfase. Abaixo, alguns exemplos do curso:

Сегóдня онá всё ещё в Санкт-Петербýрге. (ainda)
Hoje, ela ainda está em São Petersburgo.

И всё равнó бы́ло мáло. (mesmo assim)
E, mesmo assim, era (muito) pouco.

Всё лýчше и лýчше. (gradualmente)
Cada vez melhor.

Lição 19

VOCABULÁRIO

расположенный ♂/расположенная ♀/расположенное n. localizado
над acima
достаточно suficientemente
ладить друг с другом dar-se bem um com o outro
получить работу arrumar um emprego
милый ♂/милая ♀/милое n. doce, gentil
обаятельный ♂/обаятельная ♀/обаятельное n. charmoso, cativante
женщина mulher
общество sociedade, companhia
быть в вашем обществе estar em sua companhia
говорить о чём угодно conversar sobre qualquer coisa
жаль pena, que pena
ведь no fim das contas, veja você
разлука separação
осматривать (impf.) examinar, visitar, inspecionar
осмотреть (perf.) examinar, visitar, inspecionar
не только não apenas, não somente
родители pais
обо мне sobre mim
терпение paciência
Мне/Нам/Им не терпится. Eu/Nós/Eles (etc.) não posso/podemos/podem esperar.
лично em pessoa
пассажир passageiro
следовать (impf.) seguir, proceder
последовать (perf.) seguir, proceder
следующий ♂/следующая ♀/следующее n. seguinte, próximo
просьба pedido
У меня к вам просьба. Eu gostaria de pedir um favor.
гораздо muito
простой ♂/простая ♀/простое n. simples, fácil
проще mais simples, mais fácil
счастливый ♂/счастливая ♀/счастливое n. feliz
счастлив ♂/счастлива ♀/счастливо n. feliz (forma curta)
счастье felicidade
переходить (impf.) cruzar, atravessar; mudar para
перейти (perf.) cruzar, atravessar; mudar para
традиция tradição
никак de forma alguma
обида ofensa
обижать (impf.) ofender
обидеть (perf.) ofender
напротив o oposto, ao contrário
мысль ♀ pensamento
прощаться (impf.) despedir-se

Lição 19

проститься (perf) despedir-se
не хватать faltar, sentir falta
голос voz
громко alto
громкоговоритель ♂ alto-falante
дача casa de campo, dátcha

EXERCÍCIOS

Exercício A

Traduza as frases abaixo para o português.

1. Мы приехали сюда очень рано, и у нас есть много времени, чтобы поговорить.

2. Я сидел в ресторане и пил кофе.

3. Мы можем говорить о многих вещах.

4. Майк с Наташей очень хорошо ладят друг с другом.

5. Мне очень приятно работать с тобой.

6. Я почти ничего не знаю о жизни в Америке.

7. Майк получил работу в офисе в Москве.

8. Наташа очень милая и обаятельная женщина.

9. Нам было очень приятно в их обществе.

10. Когда им надо возвращаться в Америку?

11. Мы много говорили Наташе об Америке по телефону.

Coloque as palavras em parênteses na forma correta.

1. Скоро они (быть) вместе работать в (Россия).
   _____, _____

2. Я хочу всё закончить до (свой отъезд).
   _____

3. Майк был здесь в (Вашингтон) только три с (половина) (неделя). _____, _____, _____

4. Мои родители уже просили (я) пригласить (он) к (они) в Лондон. _____, _____, _____

5. Откуда они знали обо (я)? _____

6. У (я) к (вы) одна просьба. _____, _____

7. Я буду очень ждать (встреча) с (ты)! _____, _____

8. У (мы) много (время), чтобы поговорить. _____, _____

9. Мы можем говорить о (многие вещи). _____

10. Они очень хорошо ладят друг с (друг). _____

11. Мне очень приятно работать с (вы). _____

12. Они получили (работа) в (ресторан) в (Минск). _____, _____, _____

13. (Я) было очень приятно в их (общество). _____, _____

14. Мы много говорили (Наташа) об (Америка) по (телефон). _____, _____, _____

Lição 19

Exercício C

Passe as frases abaixo para o russo.

1. Nós estamos (sentados) no restaurante e bebendo vinho.

2. Eu cheguei lá bem cedo.

3. Eu tenho muito tempo.

4. Eu gosto de beber café.

5. Eles se dão muito bem (um com o outro).

6. Para mim é agradável trabalhar com eles.

7. Eu não sei quase nada sobre ele.

8. Ele não sabe quase nada sobre ela.

9. Para mim é muito agradável estar em sua companhia.

10. Em um mês trabalharemos juntos em Moscou.

11. Ela ficou aqui por apenas seis semanas e meia.

12. Não vejo a hora de conhecê-lo pessoalmente.

Verdadeiro ou falso?

1. Майк и Наташа одинаково думают о многих вещах.
2. Они не очень хорошо ладят друг с другом.
3. Майку очень неприятно работать с Наташей.
4. Наташа родилась в Новосибирске, но училась в Московском государственном университете.
5. Майк думает, что Наташа очень милая и обаятельная женщина.
6. С Майком Наташа может говорить о чём-угодно.
7. Майк с Наташей осмотрят весь Нью-Йорк.
8. Родители Майка живут в Вашингтоне.

Visite www.berlitzpublishing.com para atividades extras na internet – vá para a seção de downloads e conecte-se ao mundo em russo!

Lição 20 — REVISÃO: LIÇÕES 17-19

A. Ouça novamente o diálogo da Lição 17 e repita-o.

Diálogo 17 МАЙК ПРИГЛАША́ЕТ НАТА́ШУ В РЕСТОРА́Н.

Майк про́был в Москве́ уже́ о́коло двух неде́ль. Че́рез пять-шесть дней он возврати́тся в Соединённые Шта́ты. Сего́дня ве́чером он пригласи́л Ната́шу пообе́дать с ним…

Ната́ша	Большо́е спаси́бо за приглаше́ние, Майк!
Майк	Я уже́ два́жды был здесь. Они́ вку́сно гото́вят. Обе́д из пяти́ блюд с во́дкой, вино́м, шампа́нским и коньяко́м. Что вы хоти́те на заку́ски?
Ната́ша	Дава́йте посмо́трим меню́.
Майк	Есть ры́ба, икра́, колбаса́, сала́ты…
Ната́ша	Я бы хоте́ла всего́ – понемно́жку.

Майк	А пе́рвое? У них здесь о́чень вку́сная соля́нка по-моско́вски.
Ната́ша	Я люблю́ соля́нку.
Майк	Хорошо́, две соля́нки. А что на горя́чее? Ры́ба или мя́со?
Ната́ша	А что вы посове́туете?
Майк	У них сего́дня осетри́на – э́то о́чень вку́сно!
Ната́ша	Осетри́на мне подхо́дит. А что вы реши́ли, Майк?
Майк	Я, пожа́луй, возьму́ мя́со. Здесь о́чень хорошо́ гото́вят котле́ты по-ки́евски… Хотя́ нет. Сего́дня я попро́бую беф-стро́ганов. Говоря́т, он счита́ется лу́чшим в Москве́.
Ната́ша	Э́то впечатля́ет.
Майк	А на десе́рт…
Ната́ша	Нет, нет, не сейча́с! Посмо́трим, чего́ нам захо́чется к концу́ обе́да. Вот тогда́ и реши́м.
Майк	Что бу́дем пить? Шампа́нское? Коне́чно! А та́кже бока́л бе́лого вина́ к ры́бе и бока́л кра́сного к мя́су.
Ната́ша	Замеча́тельно!
Майк	Официа́нт! Мы гото́вы сде́лать зака́з.

B. Traduza para o português o diálogo da Lição 17 e confira sua tradução com a nossa nas páginas 205-207.

C. Ouça novamente o diálogo da Lição 18 e repita-o.

Diálogo 18   ВЕ́ЧЕР В ТЕА́ТРЕ

Ната́ша пригласи́ла Ма́йка в Моско́вский Худо́жественный Теа́тр. Там они́ посмотре́ли дра́му Анто́на Че́хова "Вишнёвый Сад" в но́вой постано́вке. Спекта́кль был великоле́пный.

Ната́ша	Вам понра́вилась пье́са?
Майк	Ещё бы! Э́то бы́ло замеча́тельно! Актёры о́чень хорошо́ игра́ли. А как в Москве́ с биле́тами? Тру́дно доста́ть?
Ната́ша	По-ра́зному. У нас пье́сы Че́хова о́чень лю́бят и ча́сто прихо́дится стоя́ть в о́череди. Обы́чно все биле́ты быва́ют распро́даны за не́сколько дней до спекта́кля и остаю́тся то́лько стоя́чие места́.

Lição 20

Майк: А вы часто ходите в театр?

Наташа: Да, но мне больше нравится балет. Балет – моё любимое искусство. Очень люблю также кино. Но смотреть телевизор, по-моему, потеря времени.

Майк: По правде сказать, балет не очень люблю. По-моему, кино интереснее, чем театр. Что сейчас идёт в кинотеатрах? Не могли бы вы посоветовать, какой хороший русский фильм я могу посмотреть?

Наташа: Мой любимый, русский фильм – это "Война и Мир" Бондарчука. Вы смотрели?

Майк: Да. Знаете, много лет назад я посмотрел американскую инсценировку романа Толстого "Война и Мир", но думаю что русский фильм лучше.

Наташа: Я полностью согласна с вами. Мы одинаково думаем о многих вещах, Майк. А сейчас, чаю хотите?

Майк: Ну что вы! Я угощу вас бокалом шампанского! Пошли!

D. Traduza para o português o diálogo da Lição 18 e confira sua tradução com a nossa nas páginas 216-217.

E. Ouça novamente o diálogo da Lição 19 e repita-o.

Diálogo 19 МАЙК ВОЗВРАЩАЕТСЯ В АМЕРИКУ.

Майк с Наташей сидят в ресторане, расположенном над залом вылета в Шереметьево-2. Они приехали туда очень рано, и у них достаточно времени, чтобы выпить кофе и поговорить...

Майк: Мы одинаково думаем о многих вещах, Наташа. Мы очень хорошо ладим друг с другом, и мне приятно работать с вами. Но я почти ничего не знаю о вас.

Наташа: Да почти и нечего знать, Майк. Я родилась в Новосибирске, училась здесь, в Москве, в Московском государственном университете. Потом получила работу в банке.

Майк: Вы очень милая и обаятельная женщина, Наташа. Мне очень приятно быть в вашем обществе.

Наташа: И мне тоже легко с вами. С вами я могу говорить о чём-угодно. Жаль, что вам надо возвращаться в Америку.

Майк	Да...Но ведь у вас есть поговорка: "Без разлук не бывает встреч". Скоро мы будем вместе работать в Нью-Йорке.
Наташа	Да, правильно. Знаете, я буду очень много работать, чтобы всё закончить до своего отъезда.
Майк	Я был здесь только три с половиной недели, а вы будете у нас полгода. Мы сможем осмотреть весь Нью-Йорк. И не только! Мои родители уже просили меня пригласить вас к ним в Лос-Анжелес.
Наташа	Откуда они могут знать обо мне?
Майк	Я много говорил им о вас по телефону. Им не терпится познакомиться с вами лично.

(Голос из громкоговорителя) Пассажиры, следующие рейсом 341 в Нью-Йорк! Вас просят пройти на регистрацию в зал вылета, стойка номер три!

Наташа	Объявляют ваш рейс, Майк! Вам надо идти!
Майк	Да. Пора...Наташа, у меня к вам одна просьба. Я был бы счастлив, если бы мы могли перейти на "ты". Но, конечно, я не знаю ваших традиций и не хочу никак вас обидеть!
Наташа	Спасибо, Майк! Вы никак не можете меня обидеть! Напротив! Я сама думала об этом и вы, то есть, конечно, ты! – просто прочитал мои мысли. А теперь пора прощаться. До свидания, Майк! Я буду очень ждать встречи с тобой!
Майк	До свидания, Наташа! Мне будет очень не хватать тебя.

F. Traduza para o português o diálogo da Lição 19 e confira sua tradução com a nossa nas páginas 225-227.

Visite www.berlitzpublishing.com para atividades extras na internet – vá para a seção de downloads e conecte-se ao mundo em russo!

RESPOSTAS

Não importa se suas traduções para o português não são exatamente iguais às nossas. O importante é que o sentido seja o mesmo.

Lição 1

A

1. Tênis 2. Dólar 3. Basquete 4. Médico 5. Nova York 6. Califórnia
7. Beisebol 8. Universidade 9. Endereço 10. Coca-Cola
11. Futebol 12. Presidente Clinton 13. Presidente Bush 14. Telefone
15. Bar 16. Restaurante 17. Vladímir Pútin 18. Máfia 19. Táxi

B

1. А а 2. Я я 3. Э э 4. Е е 5. Ы ы 6. И и 7. О о 8. Ё ё 9. У у
10. Ю ю

C

1. з 2. м 3. с 4. р 5. т 6. р 7. к 8. ь 9. ф 10. я 11. р 12. с
13. о ... д 14. ф 15. й 16. т

D

1. четы́ре 2. де́сять 3. де́вять 4. во́семь 5. нуль 6. четы́ре
7. де́сять 8. семь 9. пять 10. шесть

Lição 2

A

1. vodca 2. fato 3. plano 4. professor (universitário) 5. classe (classe/sala de aula) 6. Lênin 7. Gorbatchóv 8. canal 9. estudante
10. Balé Bolshoi 11. porto 12. filme 13. bagagem 14. bazar

B

1. Это кни́га 2. Это бага́ж 3. Это стол 4. Это ру́чка 5. Это стул

C

1. Да, э́то Пол.
2. Нет, э́то не кни́га. Это стол.
3. Да, э́то ру́чка.

Respostas

4. Нет, это не Áнна Ивáновна. Это Пол.
5. Да, это стол.
6. Нет, это не стол. Это стул.
7. Нет, это не Пол. Это Áнна Ивáновна.

D

1. Амéрика   2. президéнт   3. университéт   4. кóка-кóла   5. бейсбóл
6. вóдка   7. дóктор   8. студéнт/студéнтка   9. Калифóрния   10. Бразилия

Lição 3

A

1. esporte, *sport*   2. filme, *fil'm*   3. táxi, *tak-si*   4. telefone, *tie-lie-fon*
5. centro, *tsentr*   6. carro/automóvel, *af-ta-ma-bil'*   7. futebol, *fud-bol*
8. tsar, *tsar'*   9. teatro, *tie-a-tr*   10. iceberg, *áiz-bierk*

B

1. Нет, я не из Лóндона.
2. Нет, он не из Новосибúрска.
3. Нет, онá не из Москвы́.
4. Нет, они́ не из Амéрики.
5. Нет, я не из Áнглии.
6. Нет, он не из Берли́на.
7. Нет, онá не из Сан-Франци́ско.
8. Нет, они́ не из Нью-Йóрка.

C

1. Да, я профéссор.
2. Да, он бухгáлтер.
3. Да, онá студéнтка.
4. Да, они́ врачи́.
5. Да, я преподавáтель.
6. Да, он пилóт.
7. Да, онá преподавáтель.
8. Да, они́ пилóты.

D

1. А   2. Б   3. Б   4. А   5. В   6. В   7. А   8. В

E

1. Muito prazer em conhecê-lo.
2. Natália Pietróvna trabalha em um banco

3. Paul mora em Moscou, mas nasceu em São Francisco.
4. Ana Ivánovna não é contadora. Ela dá aulas na universidade.
5. Ele não é de Moscou, mas trabalha em Moscou.
6. Eu trabalho no Brasil.
7. Ana não é americana nem russa. Ela é bielorussa.
8. Ela é russa ou americana?
9. Este livro é em russo ou em português?

F

1. V   2. F   3. V   4. F   5. F   6. V   7. V   8. V   9. F   10. V

Você compreendeu a questão 10 "Você está estudando russo"? Se a resposta for sim, você está realmente progredindo!

Lição 4

A

1. в командирóвку   2. в Москвé   3. в бáнке   4. самолёт   5. у Ивáна
6. свою́ рабóту   7. на рабóте … в университéте
8. от Москвы́ до Ми́нска   9. по у́лице   10. у меня́ … пóезд
11. на Кавкáз самолётом
12. с Ивáном по телефóну   13. из Ми́нска … в Москвé
14. математике   15. Москву́ … Нью-Йóрк

B

1. иду́   2. éдет   3. лети́м   4. летáете   5. рабóтает   6. люблю́
7. лю́бит   8. идёт   9. хóдим   10. живу́т

C

1. Eu sou americana.
2. Eu moro em um apartamento em Nova York.
3. Meu pai e minha mãe não moram em Nova York.
4. Eles vivem e trabalham na Califórnia.
5. Meu pai é contador, e minha mãe é médica.
6. Eu trabalho em um escritório.
7. Eu gosto muito de meu trabalho.
8. Geralmente eu vou ao aeroporto de ônibus, mas hoje vou de táxi.
9. Meu trabalho é difícil, mas muito interessante.
10. Agora estou indo do trabalho para casa.

D

1. Мóй отéц и моя́ мать живу́т в Москвé.
2. Как вáша мать?
3. Я не люблю́ Санкт-Петербу́рг.

4. Большо́й чемода́н тяжёлый.
5. Чемода́нчик лёгкий. (Ма́ленький чемода́н - лёгкий)
6. Я быва́ю в Москве́ три-четы́ре дня ка́ждый ме́сяц.*
7. Ната́лья у Ива́на.
8. Мы лети́м в Москву́ че́рез три часа́.

E

1. F 2. V 3. V 4. F 5. F 6. V 7. F 8. F 9. F 10. V

Lição 5

A

1. Майк живёт и рабо́тает в Нью-Йо́рке.
2. Ната́ша рабо́тает в ба́нке в Москве́.
3. Её оте́ц и её мать живу́т в Ми́нске.
4. У меня́ есть своя́ отде́льная кварти́ра.
5. Сейча́с Ната́ша в гости́нице.
6. Ей тру́дно позвони́ть своему́ колле́ге Воло́де.
7. Воло́дя и Майк бы́ли о́чень за́няты.
8. Когда́ мы мо́жем встре́титься?

B

1. домо́й 2. в кабине́те 3. до́ма 4. на столе́ 5. Мне … в Москве́
6. её 7. меня́ 8. у нас 9. Его́ … в Москве́

C

1. бу́ду 2. рабо́тали 3. говори́т 4. бы́ли 5. иду́ 6. е́здит
7. живёт 8. бу́дет 9. был 10. звони́л

D

1. Eu não gosto de trabalhar em Moscou.
2. Agora são oito horas.
3. Você pode me encontrar às três?
4. Eles vão nos esperar às cinco e meia no banco.
5. Mike nos enviou muito vinho.
6. Meu pai gosta muito de seu emprego (trabalho).
7. Eu tenho quatro entradas para o teatro.
8. Onde está Andrei? Ele não está em casa.
9. Volódia irá com você, se você desejar.

E

1. V 2. V 3. F 4. F 5. V 6. V 7. F 8. V

Respostas

Lição 6

A

1. Аме́рика 2. Нью-Йо́рк 3. президе́нт 4. о́фис 5. студе́нт
6. студе́нтка 7. во́дка 8. пило́т 9. студе́нты 10. аэропо́рт

B

А. 8	Б. 3	В. 7	Г. 4	Д. 2	Е. 1
Ё. 5	Ж. 6	З. 9	И. 10	Й. 22	К. 36
Л. 40	М. 55	Н. 69	О. 70	П. 100	Р. 94
С. 80	Т. 73	У. 14	Ф. 12	Х. 15	Ц. 44
Ч. 71	Ш. 18	Щ. 68	Ъ. 37	Ы. 42	Ь. 11
Э. 83	Ю. 19	Я. 29			

C

1. Москву́ … командиро́вку
2. рабо́те … ба́нке … Ми́нске
3. свою́ рабо́ту … университе́те
4. Ма́йком
5. Ива́на
6. кварти́ре … це́нтре … Москвы́
7. Новосиби́рска
8. домо́й … рабо́ты
9. вам
10. мне
11. Ива́на
12. удово́льствием
13. ва́ми
14. командиро́вке … Ната́ши
15. В конце́ концо́в.

D

1. лю́бит … люблю́
2. живёт … живу́
3. рабо́тали … рабо́таем
4. бы́ли … рабо́тают
5. звони́л … бы́ло
6. бу́дете … бы́ли
7. бу́ду … был/была́
8. бу́дем

Lição 7

A

1. imperf 2. perf 3. imperf 4. perf 5. imperf 6. perf 7. imperf
8. imperf 9. perf 10. perf

B

А. 5	пять	
Б. 10	де́сять	
В. 15	пятна́дцать	
Г. 20	два́дцать	
Д. 25	два́дцать пять	
Е. 30	три́дцать	
Ё. 35	три́дцать пять	
Ж. 40	со́рок	
З. 45	со́рок пять	
И. 50	пятьдеся́т	
Й. 55	пятьдеся́т пять	
К. 60	шестьдеся́т	
Л. 65	шестьдеся́т пять	
М. 70	се́мьдесят	
Н. 75	се́мьдесят пять	
О. 80	во́семьдесят	
П. 85	во́семьдесят пять	
Р. 90	девяно́сто	
С. 95	девяно́сто пять	
Т. 100	сто	
У. 101	сто оди́н	
Ф. 111	сто оди́ннадцать	

Respostas

X. 200   двéсти

Ц. 222   двéсти двáдцать два

C

1. Você quer chá, café, água mineral ou vodca?
2. Que dia é hoje?
3. Hoje é 29 de abril.
4. Desculpe-me, por favor. Há um banheiro aqui?
5. Quando vocês estarão livres?
6. Estaremos livres na terça, às seis da tarde.
7. Indo para a casa de Volódia, Natacha comprou um jornal.
8. Volódia deu a Natacha cópias de panfletos promocionais americanos.
9. Antes (mais cedo), eu bebia chá de manhã, mas agora bebo água mineral.
10. Volódia deu a Natacha os panfletos, e ela achou que eles eram exatamente o que ela precisava.

D

1. Вчерá я говори́л♂/говори́ла♀ с Мáйком в óфисе.
2. Натáша хóдит в банк пешкóм кáждый день.
3. Рáньше я пил♂/пилá♀ чай по утрáм, а тепéрь я пью кóфе.
4. Рýчка и ключ на столé.
5. В прóшлом годý мы éздили в Нью-Йорк кáждую недéлю.
6. Я откры́л♂/откры́ла♀ дверь.
7. Мы поговори́ли с Мáйком.
8. Скóро я бýду éздить в Москвý кáждый мéсяц.

E

1. F   2. F   3. V   4. F   5. F   6. F   7. F   8. V   9. F

Lição 8

A

1. Я пишý
2. Они́ читáют
3. Мы поём
4. Они́ пьют
5. Вы ждёте
6. Он преподаёт
7. Я знáю
8. Они́ гуля́ют
9. Онá понимáет
10. Вы идёте
11. Мы éдем
12. Вы дéлаете
13. Я пою́
14. Они́ отвечáют
15. Я слýшаю

Respostas

B

1. Я хожу́
2. Они́ говоря́т
3. Она́ кричи́т
4. Мы хо́дим
5. Вы говори́те
6. Они́ крича́т
7. Я смотрю́
8. Мы сиди́м
9. Он лети́т
10. Она́ молчи́т
11. Они́ звоня́т
12. Она́ стои́т
13. Я ви́жу
14. Я вожу́

C

1. зна́ем (зна́ли)
2. стоя́ли
3. говори́т
4. показа́л
5. сто́или … сто́ят … бу́дут сто́ить
6. смо́трит
7. зна́ет
8. покупа́ет … счита́ет … бу́дет сто́ить
9. заплати́ла
10. реши́ла

D

Bóris trabalha perto de sua casa em Moscou. Ele tem um carro, mas vai a pé para o trabalho. Toda manhã, a caminho do trabalho, ele compra um jornal. Mas ontem não havia jornais. O que ele fez? Ele comprou um livro. Ele gosta muito de ler jornais, livros e revistas. Ele gosta de cinema, mas não gosta de jeito nenhum de assistir à televisão: ele nem tem uma televisão. Agora é inverno. Está frio lá fora [na rua]. Mas Bóris não sente frio quando vai ao trabalho. Ele tem um sobretudo quente, um gorro, luvas de lã e um bom par de botas.

E

1. Ка́ждое у́тро по пути́ в о́фис я покупа́ю газе́ту.
2. Сейча́с она́ говори́т с Ива́ном.
3. Мо́жно посмотреть ша́пку, пожа́луйста.
4. Я возьму́ её, хоть и до́рого.
5. Пожа́луйста, покажи́те мне э́ти перча́тки.
6. Мо́жно посмотре́ть э́то пальто́, пожа́луйста.
7. Сего́дня у нас есть немно́го свобо́дного вре́мени.
8. Где ка́сса?
9. Ка́сса вот там, нале́во.

F

1. V   2. V   3. F   4. V   5. F   6. F   7. V   8. V

Lição 9

A

1. fax
2. calculadora
3. butique
4. *snowboard*
5. computador
6. telefone
7. xerox (em russo = qualquer fotocopiadora)
8. aparelho de som
9. impressora
10. cartucho
11. *player*
12. escâner
13. mergulho
14. automóvel

B

1. Добрый вечер. Давайте знакомиться.
2. Меня зовут … . А вас?
3. Я американец♂/американка♀ (англичанин/англичанка,…).
4. Я родился♂/родилась♀ в (Филадельфии, Лондоне…)
5. Я работаю в…
6. Мне нравится…
7. Мне не нравится…
8. Я учу русский язык.

C

1. Eu gostaria de abrir a janela.
2. Nós gostaríamos de abrir uma empresa em Minsk.
3. Ele gostaria de estar lá todos os dias.
4. Ela gostaria de comprar um jornal.
5. Ela gostaria de beber (um pouco de) água mineral.
6. Eles gostariam de ir às compras.
7. Eles gostariam de viver na América.
8. Eu gostaria de falar bem russo.
9. Eu gostaria de ir para casa.
10. Você gostaria de trabalhar em Moscou?

D

1. Он едет домой.
2. Она покупает билет.

3. Они́ гуля́ют по на́бережной Невы́.
4. Они́ проща́ются в гости́нице.
5. И́горь в двухме́стном купе́ в по́езде.
6. Ната́ша и И́горь разгова́ривают об Эрмита́же.
7. И́горь живёт в Ирку́тске.
8. Мы обе́даем в рестора́не.
9. Что вы де́лаете?

E

1. F 2. F 3. V 4. V 5. F 6. V 7. F 8. F 9. F 10. F 11. V 12. F

Lição 10

A

1. Hoje é domingo, ontem foi sábado, e amanhã será segunda-feira.
2. O trabalho acabou. Vá para casa.
3. Ontem à noite Ivan chegou (voando) a Moscou.
4. Eu não consegui comprar luvas.
5. Qual é o nome desse trem?
6. Às dez da manhã eu bebi café em um restaurante com Natacha.
7. Posso fechar a porta? Está terrivelmente frio aqui.
8. Vladímir foi ao Hermitage quase todos os dias por uma semana.
9. O vinho estava bom – teria sido bom termos um pouco mais.
10. Eu não tenho carro, mas tenho meu próprio apartamento.
11. Mike mora muito longe de Moscou – na América.
12. Eu viveria na Filadélfia com prazer.
13. Como eles irão para casa? (com que meio de transporte)
14. O que você vai fazer amanhã à noite?
15. Ontem nós compramos um carro novo.

B

1. Иди́/Иди́те сюда́
2. Сади́сь/Сади́тесь
3. Извини́/Извини́те; Прости́/Прости́те
4. Покажи́/Покажи́те мне
5. Поду́май/Поду́майте
6. Реша́й/Реша́йте
7. Одева́йся/Одева́йтесь
8. Не кури́/Не кури́те
9. Не подпи́сывай/Не подпи́сывайте
10. Чита́й/Чита́йте
11. Рабо́тай/Рабо́тайте

12. Не покупа́й/Не покупа́йте
13. Не кричи́/Не кричи́те
14. Не носи́/Не носи́те
15. Не плати́/Не плати́те

C

1. хочу́   2. хотя́т   3. хо́чет   4. хоти́м   5. хотя́т   6. хо́чешь   7. хо́чет
8. хотя́т

D

1. два … второ́й
2. три … тре́тий
3. четы́ре … четвёртый
4. четы́рнадцать … четы́рнадцатый
5. пять … пя́тый
6. пятна́дцать … пятна́дцатый
7. шесть … шесто́й
8. семь … седьмо́й
9. во́семь … восьмо́й
10. де́вять … девя́тый

E

1. V   2. F   3. V   4. F   5. F   6. V   7. F   8. F   9. V   10. V

Lição 11

J

1. рабо́тает … гости́ницы
2. кни́гу
3. пил … утра́м, пьёт
4. чай, ко́фе, во́дку … минера́льную во́ду
5. вре́мени … о́череди
6. ва́ми
7. бу́дут … вас … гости́нице
8. э́ту газе́ту … собо́й
9. удово́льствием … це́лую неде́лю … Эрмита́же

Lição 12

A

1. vingança
2. ventilação
3. gás
4. hambúrguer
5. gângster
6. deficiência
7. garagem
8. megalomania
9. racismo

B

1. Na Rússia é frio no inverno e quente no verão.
2. Eu trabalho de dia e durmo à noite.
3. Ontem, eles estavam em Nova York, e amanhã estarão em Moscou.
4. Eu nunca estive na América, mas eu quero ir para lá algum dia.
5. Aqui é bom, mas lá é melhor.
6. O banco é à direita, e o hotel é à esquerda.
7. Agora estou indo para casa. Em casa vou assistir à televisão.
8. Aonde você vai?
9. De onde você é?

C

1. Днём … но́чью
2. за́ле … наро́ду
3. табли́чки … свои́м и́менем
4. ней
5. ним
6. хоте́л
7. стака́на джи́на …то́ником
8. Тверско́й у́лице
9. Кра́сной пло́щади

D

1. Извини́те, что э́то тако́е?
2. Здесь мно́го наро́ду.
3. Я совсе́м не уста́л♂/уста́ла♀.

Respostas

4. Ты о́чень уста́ла, Ната́ша?/Вы о́чень уста́ли, Ната́ша?
5. Э́то на́ша но́вая студе́нтка?
6. Я о́чень хочу́ встре́титься с ва́ми.
7. Она́ рабо́тает в на́шем отделе́нии в Вашингто́не.
8. Она́ пришла́ к нам приме́рно пять ме́сяцев наза́д.
9. Он прилете́л в Нью-Йорк из Москвы́ ночны́м ре́йсом.

E

1. F 2. F 3. V 4. F 5. V 6. V 7. F 8. V 9. F

Lição 13

A

1. Minha casa não é longe do Hotel Zviezdá (Estrela).
2. Você pode me dizer onde fica o balcão de registro, por favor?
3. Eu reservei meu quarto por e-mail.
4. Você confirmou a reserva.
5. Aqui está meu passaporte. Quando posso tê-lo de volta? (recebê-lo)
6. No quarto há rádio, televisão e telefone?
7. Quando eles exibem o noticiário em inglês?
8. Eu quero comprar jornais ingleses e americanos.
9. Eu quero tomar café em meu quarto.

B

1. пи́сьма́
2. но́мере
3. кото́рому
4. но́мере … ру́сском … англи́йском
5. получа́ют … газе́ты
6. рестора́на
7. ва́шем
8. Зна́ете … передаю́т

C

1. Гости́ница "Звезда́" недалеко́ от моего́ до́ма.
2. У меня́ есть больша́я но́вая маши́на.
3. В но́мере есть телеви́зор?
4. Зака́з при́нят?
5. Мо́жно ли смотре́ть переда́чи по-англи́йски?
6. Мы здесь бу́дем три-четы́ре дня.
7. Я там быва́ю два дня ка́ждый ме́сяц.
8. В гости́нице есть химчи́стка?

D
32.400 rublos

E
1. F 2. V 3. V 4. F 5. V 6. V 7. V 8. F 9. V 10. V

Lição 14

A

1. Na Rússia é frio no inverno, mas nos últimos cinco ou sete anos os invernos não foram (não têm sido) tão frios.
2. No inverno na Rússia, a temperatura frequentemente fica acima de zero.
3. Frequentemente há um vento forte e chuva com neve.
4. Quando o céu está sem nuvens e azul, o sol está brilhando e a neve cintilando, é lindo na Rússia.
5. No começo de março, o clima varia muito em Nova York.
6. Mike veio para Moscou bem no começo da primavera.
7. Nós decidimos partir num tour por Moscou.
8. O que é aquele prédio?
9. A Catedral de São Basílio é um prédio único.
10. Púchkin, Tolstói e Dostoiévski foram grandes escritores.
11. Vamos voltar para o carro.
12. Novodiévitchi é um convento às margens do rio Moscou.

B

1. Извините, вы не скажете, как проехать к Третьяковской галлерее?
2. Извините, вы не скажете, как пройти к ближайшей станции метро?
3. Извините, вы не скажете, как пройти к ближайшему универмагу?
4. Простите, вы не скажете, как пройти к ближайшей церкви?
5. Простите, вы не скажете, как проехать к ближайшей больнице?
6. Простите, вы не скажете, как пройти к ближайшей аптеке?
7. Скажите, пожалуйста, как пройти к Мавзолею Ленина?
8. Скажите, пожалуйста, как проехать к Тверской улице?
9. Скажите, пожалуйста, как проехать к университету?
10. Простите, вы не скажете, как проехать к гостинице "Украина"?

C

1. Как вы уже знаете, в России холодно зимой.
2. Температура часто выше нуля.
3. Часто бывает сильный ветер.
4. Идёт снег.
5. Температура - минус десять градусов.

6. Не́бо голубо́е, и со́лнце сия́ет.
7. Здесь чуде́сно!
8. В нача́ле ма́рта пого́да о́чень неусто́йчива.
9. Температу́ра бы́стро меня́ется.
10. Но́чью - ми́нус два́дцать, а днём - плюс де́сять.
11. Майк прие́хал в Москву́ в са́мом нача́ле весны́.
12. День так прекра́сен, что про́сто невозмо́жно сиде́ть в гости́нице.
13. Собо́р был постро́ен при Ива́не Гро́зном.
14. Э́то прекра́сная страна́.
15. Толсто́й был вели́кий писа́тель.

D

1. F   2. F   3. V   4. F   5. V   6. V   7. F

Lição 15

A

1. Eu pretendo viver em Moscou.
2. Eu decidi estudar russo seriamente.
3. O professor concordou em me dar aulas particulares.
4. Natacha acabou de chegar à casa dele e está tocando a campainha.
5. Entre, por favor.
6. Onde Mike aprendeu russo? Na América?
7. Sim, mas agora ele precisa melhorar seu russo.
8. Ela deve ampliar seu vocabulário.
9. Quando ela assiste à televisão, entende bastante.
10. Ele tem uma boa pronúncia em russo.
11. Ela fala mal russo.
12. Eu tenho um problema.
13. Quando as pessoas falam rápido, eu não entendo.
14. Natacha preparou o almoço.
15. O livro vai lhe ser útil.

B

1. Майк мог бы проводи́ть в Москве́ от шести́ ме́сяцев до го́да.
2. Я реши́л всерьёз заня́ться ру́сским языко́м.
3. А́нна согласи́лась дава́ть Ма́йку ча́стные уро́ки.
4. Где вы изуча́ли англи́йский?
5. Я не бу́ду жить в Москве́ до́лго.
6. Нам ну́жно лу́чше знать ру́сский.
7. Когда́ я смотрю́ телеви́зор, я понима́ю дово́льно мно́го.
8. Я ду́маю, что я могу́ помо́чь вам.

C

1. Полночь.
2. Полдень.
3. Пятнáдцать часóв пять минýт OU: пять минýт четвёртого.
4. Четы́ре часá дéсять минýт.
5. Семнáдцать часóв пятнáдцать минýт OU: пятнáдцать минýт шестóго.
6. Шесть часóв двáдцать минýт.
7. Девятнáдцать часóв три́дцать минýт OU: полови́на восьмóго.
8. Семь часóв сóрок минýт.
9. Двáдцать часóв сóрок пять минýт OU: без чéтверти дéвять.
10. Дéвять часóв пятьдеся́т семь минýт OU: без трёх (минýт) дéсять.

D

1. F   2. V   3. V   4. V   5. V   6. V   7. F   8. V   9. V   10. V   11. V   12. V
13. V   14. V   15. F

Lição 16

I

1. нахóдится … кабинéте … начáльника
2. телефóну.
3. вéчером … гуля́ли … ýлицам … цéнтре Москвы́
4. Натáшей … господи́ну Рóджерсу
5. часóв вéчера … вóдку … ресторáне … Ивáном.
6. скáжете … Америкáнскому посóльству?
7. скáжете … Крáсной плóщади?
8. скáжете … ближáйшему бáнку?
9. скáжете … ближáйший туалéт?
10. слéдующем поворóте … цéрковью.

Lição 17

A

1. Nós já estivemos em Minsk por mais ou menos cinco semanas.
2. Dentro de três dias voltarei à Rússia.
3. Ontem eu o convidei para jantar comigo.
4. Eles servem uma carne muito saborosa hoje.
5. O que você me recomenda hoje?
6. Eu quero uma garrafa de vinho tinto.
7. Nós voltaremos à Rússia em uma semana.
8. Esta noite nós convidamos Ivan para jantar conosco.
9. Muito obrigado pelo convite.

10. Nós nunca estivemos lá.
11. Posso/Podemos dar uma olhada no cardápio?
12. Eu gosto muito de peixe e carne.
13. Esturjão é um peixe. É muito saboroso!
14. Nosso frango à Kiev é considerado o melhor de Moscou.
15. Eu quero uma garrafa de vinho tinto com a carne, e uma garrafa de vinho branco com o peixe.

B

1. Через шесть дней они́ возвратя́тся в Соединённые Шта́ты.
2. Я пригласи́л свои́х друзе́й пообе́дать со мной сего́дня ве́чером.
3. Большо́е спаси́бо за приглаше́ние.
4. Обе́д из пяти́ блюд, с во́дкой, вино́м, шампа́нским и коньяко́м.
5. Мы бы́ли здесь вчера́.
6. Я никогда́ там не́ был♂/была́♀.
7. Мо́жно посмотре́ть меню́?
8. У вас есть ры́ба?
9. У вас есть мя́со?
10. Я люблю́ кра́сное вино́.
11. Что вы посове́туете?
12. За на́шу дру́жбу!

C

1. Москве́ ... двух неде́ль
2. ве́чером ... пригласи́ли Ната́шу с на́ми
3. четырёх ... во́дкой, вино́м, шампа́нским и коньяко́м
4. не́ была
5. ры́бы, икры́, колбасы́, сала́тов
6. них ... лу́чшим ... Москве́
7. чего́ ... концу́ обе́да
8. бу́дем ... буты́лку кра́сного вина́

D

1. F 2. V 3. F 4. V 5. V 6. V 7. F 8. F

Lição 18

A

1. Eu vou convidar Natacha para o Teatro Bolshói, para o balé, toda semana.
2. Ontem à noite a apresentação no teatro foi magnífica.

3. Há muitos anos eu morei na África.
4. Eu quero muito ver o filme *Guerra e Paz*.
5. Este filme é mais interessante que o outro.
6. Este livro é mais interessante que o outro.
7. Minha vida está ficando cada vez pior.
8. A vida de meu pai melhorou muito quando ele viveu na América.
9. O que você prefere, cinema ou televisão?

B

1. пригласи́ли … пье́су
2. лет … смотре́л(а)
3. ви́дели … им … понра́вился
4. нас … Че́хова … лю́бят
5. ве́чером … угоща́ли … меня́ … шампа́нского
6. мне … вам
7. пра́вде … ры́бу
8. ду́маем … мно́гих … вре́мени

C

1. Ива́н пригласи́л меня́ в теа́тр на бале́т.
2. О́пера была́ великоле́пная.
3. Э́то замеча́тельно!
4. Мно́го лет наза́д я жил(а) в Росси́й.
5. Я то́же ви́дел♂/ви́дела♀ э́тот фильм.
6. Я о́чень люблю́ смотре́ть телеви́зор.
7. Теа́тр бо́лее интере́сный чем и о́пера и бале́т.
8. Не могли́ бы вы посове́товать хоро́шую, ру́сскую пье́су?

D

1. F 2. V 3. V 4. F 5. V 6. F 7. F 8. V

Lição 19

A

1. Nós chegamos aqui bem cedo, e temos muito tempo para conversar.
2. Eu estava sentado no restaurante bebendo café.
3. Nós podemos conversar sobre várias coisas.
4. Mike e Natacha se dão muito bem juntos.
5. Eu gosto muito de trabalhar com você.
6. Eu não sei quase nada sobre a vida na América.
7. Mike conseguiu um emprego em um escritório em Moscou.

8. Natacha é uma mulher muito simpática e charmosa.
9. Foi muito agradável estarmos na companhia deles.
10. Quando eles devem voltar à América?
11. Nós falamos muito sobre a América com Natacha pelo telefone.

B

1. бу́дут ... Росси́и
2. своего́ отъе́зда
3. Вашингто́не ... полови́ной неде́ли
4. меня́ ... его́ ... ним
5. мне
6. меня́ ... вам
7. встре́чи ... тобо́й
8. меня́ ... вре́мени
9. мно́гих веща́х
10. дру́гом
11. ва́ми
12. рабо́ту ... рестора́не ... Ми́нске
13. Мне ... о́бществе
14. Ната́ше ... Аме́рике ... телефо́ну

C

1. Мы сиди́м в рестора́не, и пьём вино́.
2. Я прие́хал♂/прие́хала♀ (пришёл♂/пришла́♀) туда́ о́чень ра́но.
3. У меня́ мно́го вре́мени.
4. Я люблю́/Мне нра́вится пить ко́фе.
5. Они́ о́чень хорошо́ ла́дят друг с дру́гом.
6. Мне прия́тно рабо́тать с ни́ми.
7. Я почти́ ничего́ не зна́ю о нём.
8. Он почти́ ничего́ не зна́ет о ней.
9. Мне о́чень прия́тно быть в ва́шем о́бществе.
10. Че́рез ме́сяц мы бу́дем рабо́тать вме́сте в Москве́.
11. Она́ была́ здесь то́лько шесть с полови́ной неде́ль.
12. Мне не те́рпится познако́миться с ва́ми ли́чно.

D

1. V   2. F   3. F   4. V   5. V   6. V   7. V   8. F

GLOSSÁRIO

Verbos marcados como "perf." = perfectivo, "impf." = imperfectivo; substantivos estão marcados apenas como ♂, ♀ ou *n.* se o gênero não é aparente pela forma (veja Lição 3). Adjetivos são apresentados nas formas masculina, feminina e neutra.

а e, mas
автóбус ônibus
автóбусная останóвка ponto de ônibus
áдрес endereço
америкáнец♂/америкáнка♀ americano/americana
англи́йский♂/англи́йская♀/англи́йское *n.* inglês/inglesa
англичáнин inglês (nacionalidade)
англичáнка inglesa (nacionalidade)
анкéта questionário
архитéктор arquiteto
аэровокзáл terminal de voo
аэропóрт aeroporto

багáж bagagem
балéт balé
банк banco
бáнка jarra, lata
баскетбóл basquete
безóблачный sem nuvens
бейсбóл beisebol
белорýс♂/белорýска♀ bielorrusso/ bielorrussa (nacionalidade)
Бéлые Нóчи Noites Brancas
бéлый♂/бéлая♀/бéлое *n.* branco/branca
бéрег beira (de um rio, lago)
беспокóить (impf.) atrapalhar, incomodar, preocupar
беспокóиться (impf.) estar preocupado
беф-стрóганов estrogonofe
билéт bilhete
билéт на самолёт bilhete de voo (passagem)
благополýчно em segurança
бли́зко perto
блю́до prato, prato numa refeição
бóлее mais
бóлее-мéнее mais ou menos
брать (impf.) pegar
букéт buquê
буты́лка garrafa
буфéт buffet
бухгáлтер contador
бывáть estar em/visitar/ir
бы́стро rapidamente
быть ser/estar

259

Glossário

в…ве́ке no século...
в дела́х a trabalho, trabalhando
в командиро́вку numa viagem de negócios
в конце́ концо́в no fim [no fim das contas]
в рука́х nas mãos (de alguém)
в са́мом нача́ле bem no começo
в спе́шке com pressa
в тече́ние durante
в тече́ние це́лого ме́сяца por todo o mês
в углу́ no canto, na esquina
вдруг de repente
ведь afinal de contas, pois
век século
вели́кий ♂/вели́кая ♀/вели́кое n. grande
великоле́пно maravilhosamente, é maravilhoso/é esplêndido/é magnífico
великоле́пный ♂/великоле́пная ♀/великоле́пное n. maravilhoso(a)/esplêndido(a)/magnífico(a)
Ве́рно. É verdade/Está correto.
верну́ться (perf.) retornar, voltar
вести́ (impf.) levar
ве́тер vento
ве́чер tarde
ве́чером à tarde
вещь ♀ coisa
взять (perf.) pegar
ви́деть (impf.) ver
ви́за visto
визи́т visita
визи́т состои́тся a visita acontecerá
вино́ vinho
вку́сно гото́вить cozinhar bem
вку́сно saboroso
вме́сте junto, juntos
внести́ (perf.) carregar para dentro, trazer para dentro
внести́ в счёт pôr na conta
вноси́ть (impf.) carregar para dentro, trazer para dentro
вода́ água
во́дка vodca
возврати́ться (perf.) retornar, voltar
возвраща́ться (impf.) retornar
возмо́жно é possível
война́ guerra
вопро́с pergunta, questão
вот eis, aqui está/estão
впечатля́ть (impf.) impressionar
вре́мя n. tempo, período de tempo
всегда́ sempre
всего́ tudo, de tudo
всего́ до́брого tudo de bom
всего́ понемно́жку um pouco de tudo
всерьёз seriamente

всё tudo
всё возмо́жно qualquer coisa é possível, tudo é possível
Всё норма́льно. Está tudo bem, OK.
всё равно́ tanto faz, de qualquer jeito
всё-таки a pesar de tudo, não obstante
вспоте́ть (perf.) transpirar, suar
встре́тить (perf.) encontrar
встре́титься (perf.) encontrar-se
встре́ча encontro
встреча́ть (impf.) encontrar
встреча́ться (impf.) encontrar-se
вто́рник terça-feira
вчера́ ontem
вы você (formal ou plural)
выдава́ть (impf.) entregar, dar
вы́дать (perf.) entregar, dar
вы́нести (perf.) levar para fora, remover
вы́пить (perf.) beber (tudo, até o fim)
высоко́ alto
вы́ше ноля́ acima de zero
вы́ше mais alto
вы́яснить (perf.) esclarecer, explicar
выясня́ть (impf.) esclarecer, explicar

гла́сность ♀ abertura
глубо́кий ♂ /глубо́кая ♀ /глубо́кое n. fundo/funda, profundo/profunda
газе́та jornal
где́-то em algum lugar
Где? Onde?
геро́й herói
говори́ть о чём-уго́дно falar sobre qualquer coisa
говоря́ falando
го́лос voz
голубо́й ♂ /голуба́я ♀ /голубо́е n. azul-claro
гора́здо muito, demais
го́рдость ♀ orgulho
го́рничная arrumadeira, faxineira
го́род cidade
горя́чее (блю́до) quente (prato, refeição)
горя́чий ♂ /горя́чая ♀ /горя́чее n. quente
господи́н Senhor
госпожа́ Madame, Senhora
гости́ница hotel
гость ♂ convidado, hóspede
гото́в ♂ /гото́ва ♀ /гото́во n. pronto/pronta (forma curta do adjetivo)
гото́вить (impf.) preparar, fazer
гото́вый ♂ /гото́вая ♀ /гото́вое n. pronto
гра́дус grau (temperatura)
грани́ца fronteira/limite
гро́мко alto
громкоговори́тель ♂ alto-falante
гря́зный ♂ /гря́зная ♀ /гря́зное n. sujo/suja
гуля́ть passear

Glossário

да Sim
Да нет! Ah, não! (negação mais forte do que apenas "não")
давайте dê, deixe-nos, vamos
давать уроки dar aulas
даже até mesmo
далеко longe, distante
далёкий ♂/далёкая ♀/далёкое n. distante, longínquo, remoto
даль ♀ distância
дата data
дача casa de campo/de veraneio
двадцать vinte
дважды o dobro, duas vezes
два ♂/n., две ♀ dois/duas
двухместный ♂/двухместная ♀/двухместное n. de dois lugares
делать покупки fazer compras
дело negócio, assunto
день ♂ dia
десерт sobremesa
дешевле mais barato
дешёвый ♂/дешёвая ♀/дешёвое n. barato/barata
джин gim
длинный ♂/длинная ♀/длинное n. longo/longa
днём de dia
до até, para
До свидания. Adeus.
до сих пор até agora, até esse momento
До скорой встречи. Até breve.
добавить (perf.) adicionar
добро o bem
Добро пожаловать! Bem-vindo!
добрый ♂/добрая ♀/доброе n. bom/boa, bondoso/bondosa
Добрый вечер. Boa tarde.
довольно o bastante, suficientemente, o suficiente
договариваться (impf.) concordar
договориться (perf.) concordar
дождь ♂ chuva
дозвониться ligar até ser atendido, encontrar alguém (via telefone)
дойти (perf.) chegar até, alcançar
доктор médico
долго por muito tempo
долететь (perf.) voar para, voar até certo lugar
должен ♂/должна ♀/должно n. tenho que, devo
доллар dólar
дом casa
дома em casa
дорого está caro, é caro
дорогой ♂/дорогая ♀/дорогое n. caro/cara
досадно frustrante
достаточно suficientemente, o bastante
доходить (impf.) ir até

дочь ♀ filha
другóй ♂/другáя ♀/другóе n. outro/outra
дрýжба amizade
дýмать (impf.) pensar
душ ducha
дыхáние respiração, hálito
дя́дя tio

егó dele
её dela
éсли se
éхать (impf.) ir (por meio de transporte)
ещё também, ainda, mais
Ещё бы! Como não!

Жаль! É uma pena!/ Que pena!
жáркий ♂/жáркая ♀/жáркое n. quente
жáрко está quente
ждать (impf.) esperar, aguardar
же nenhum significado específico: é usado para enfatizar outras palavras
женá esposa
жéнщина mulher
жизнь ♀ vida
жить (impf.) viver, morar
журнáл revista

За дрýжбу! À amizade!
за компáнию pela companhia
за продýктами por comida, às compras
за углóм virando à esquina
забывáть (impf.) esquecer
забы́ть (perf.) esquecer
заведéние estabelecimento, instituição
заезжáть (impf.) passar por, ir buscar
зави́сеть (impf.) depender (de)
зави́сеть от тогó, как… depender de como...
зáвтра amanhã
зáвтракать (impf.) tomar café da manhã
заéхать (perf.) passar por; ir buscar
заéхать за ir buscar
закáз um pedido
закáзан ♂/закáзана ♀/закáзано n. reservado, pedido (forma curta do adjetivo)
заказáть (perf.) reservar, pedir
закáзывать (impf.) reservar, pedir
закóнчен ♂/закóнчена ♀/закóнчено n. concluído (forma curta do adjetivo)
закóнченный ♂/закóнченная ♀/закóнченное n. concluído/concluída
закýска entrada, aperitivo, petisco
зал salão
зал прибы́тия sala de desembarque
Замечáтельно! Ótimo!/ Maravilhoso!
замечáтельный ♂/замечáтельная ♀/замечáтельное n. ótimo/ótima
замёрзнуть (perf.) congelar; estar com frio

Glossário

занима́ть (impf.) tomar, ocupar
занима́ться (impf.) ocupar-se de, estudar
за́нят♂/за́нята♀/за́нято n. ocupado/ocupada (forma curta do adjetivo)
заня́ть (perf.) tomar, ocupar
заня́ть мно́го вре́мени tomar muito tempo, ocupar muito tempo
заня́ться (perf.) ocupar-se, estudar
заня́ться языко́м estudar uma língua
запа́с estoque
запо́лнить (perf.) preencher, completar (um formulário)
заполня́ть (impf.) preencher, completar (um formulário)
зара́нее adiantado, de antemão
зате́м depois que
зато́ mas, no entanto, contudo
захоте́ть (perf.) desejar, querer
захоте́ться (perf.) desejar, querer
звать chamar (um nome)
звони́ть (impf.) ligar
звони́ть в дверь bater na porta, tocar a campainha
зда́ние prédio, construção
здесь aqui
здоро́ваться (impf.) cumprimentar
Здо́рово! Que ótimo!/ Bom!
Здра́вствуйте. Olá.
земля́ terra
зе́ркало espelho
зима́ inverno
зимо́й no inverno
зло o mal
знако́мая conhecida (pessoa, fem.)
знако́мить (impf.) apresentar
знако́миться (perf.) conhecer, ser apresentado, conhecer-se
знако́мство apresentação
знако́мый conhecido (pessoa, masc.)
знать (impf.) saber, conhecer
зна́чить significar
зови́те chame (imperativo)
золото́й♂/золота́я♀/золото́е n. de ouro, dourado/dourada
зря por nada, em vão

игра́ть jogar, brincar, tocar (instrumento musical)
Идёт дождь. Está chovendo.
Идёт снег. Está nevando.
Иди́те сюда́. Venha cá.
идти́ пешко́м ir a pé, andar
идти́ ir
Иду́т перегово́ры. As negociações estão prosseguindo/estão sendo feitas.
из de, fora de
из аэропо́рта do aeroporto
Извини́те. Com licença./ Desculpe-me.
извини́ть perdoar, desculpar
измене́ние uma mudança

Glossário

изображе́ние imagem, figura
икра́ caviar
и́ли ou
и́менно precisamente, especialmente
име́ть (impf.) ter, possuir
име́я при себе́ ter com você
и́мя *n.* nome
иногда́ às vezes
иностра́нец♂/иностра́нка♀ estrangeiro/estrangeira
интеллиге́нция *intelliguentsia*, intelectuais russos
Интере́сно. Interessante.
интере́сный♂/интере́сная♀/интере́сное *n.* interessante
информа́ция informação
и́скренний♂/и́скренняя♀/и́скреннее *n.* sincero/sincera
искри́ться (impf.) faiscar, cintilar
исто́рия história

к para, em direção a, até
к сожале́нию infelizmente
к сча́стью felizmente
кабине́т escritório
ка́ждый♂/ка́ждая♀/ка́ждое *n.* todo, toda, cada
как assim, como, como se
Как ва́ши дела́? Como vão as coisas?/ Como vai?
как всегда́ como sempre, como de costume
Как насчёт…? Que tal…?
как раз то, что… justamente isto
како́й♂/кака́я♀/како́е *n.* que tipo de, qual, que
како́й-нибу́дь♂/кака́я-нибу́дь♀/како́е-нибу́дь *n.* algum, qualquer
кана́л canal
ка́сса caixa
кварти́ра apartamento
кино́ cinema
ключ chave
кни́га livro
Когда́? Quando?
колбаса́ linguiça
колле́га colega (masc. ou fem.)
коммуника́бельный♂/коммуника́бельная♀/коммуника́бельное *n.* comunicável
ко́мната quarto, sala
компью́тер computador
коне́ц fim
коне́чно é claro
ко́нсульство consulado
контро́ль♂ controle
конфере́нция conferência
конья́к conhaque
ко́пия cópia, duplicata
коро́ткий♂/коро́ткая♀/коро́ткое *n.* curto/curta, breve
коро́че говоря́ resumidamente, em poucas palavras
котле́ты по-ки́евски frango à Kiev (frango com pão e manteiga)
кото́рый♂/кото́рая♀/кото́рое *n.* qual, que

Glossário

ко́фе café
край ♂ fronteira, limite, ponta
краси́вый ♂ /краси́вая ♀ /краси́вое *n.* bonito/bonita, lindo/linda
кремль ♀ castelo, forte, fortaleza, Kremlin
крича́ть (impf.) gritar
Кто вы по национа́льности? Qual é a sua nacionalidade?
Кто? Quem?
купе́ compartimento
ку́пол domo, cúpula
кури́ть (impf.) fumar
курс curso
ку́хня cozinha

ла́дить друг с дру́гом dar-se bem (um com o outro)
ла́дно certo, tudo bem, OK
легко́ fácil
лес uma floresta, mata
ле́то verão
ле́том no verão
лёгкие заку́ски entradas, aperitivos, petiscos
лёгкий ♂ /лёгкая ♀ /лёгкое *n.* leve
лицо́ rosto
ли́чно em pessoa
лу́чше melhor
любо́й ♂ /люба́я ♀ /любо́е *n.* qualquer
лю́ди pessoas, gente

магази́н loja
ма́ло pouco
мать mãe
маши́на carro
ме́дленно devagar
меню́ menu, cardápio
Меня́ зову́т… Meu nome é... Eu me chamo...
меня́ть (impf.) mudar
меня́ться (impf.) mudar
меня́ющийся ♂ /меня́ющаяся ♀ /меня́ющееся *n.* mutável, variável
ме́рять (impf.) provar, medir
ме́сто lugar, assento
ме́сяц mês
мех pelo (substantivo)
мехово́й ♂ /мехова́я ♀ /мехово́е *n.* de pelo (substantivo)
ми́лый ♂ /ми́лая ♀ /ми́лое *n.* querido, gentil
минера́льный ♂ /минера́льная ♀ /минера́льное *n.* mineral
ми́нус menos
мину́та minuto
Мне/Ему́/Им (etc.) подхо́дит. Me/Lhe /Lhes cai bem (etc.)./ Me/Lhe/Lhes serve.
Мне всё равно́ Para mim tanto faz.
Мне на́до. Eu preciso./ Eu necessito.
Мне хо́чется. Eu quero.
Мне/Нам/Им не те́рпится. Não posso esperar./ Nós não podemos esperar./ Eles não podem esperar (etc.).

мно́го muito, muitos
мо́жет быть pode ser, talvez
Мо́жно. É possível./ Pode-se.
мо́крый♂/мо́края♀/мо́крое *n.* molhado
молодо́й♂/молода́я♀/молодо́е *n.* jovem
монасты́рь♂ monastério, convento
мо́ре mar
моро́з o frio
мочь (impf.) ser capaz de, poder
мой♂/моя́♀/моё *n.* meu
муж marido
мча́ться (impf.) correr
мы nós
мысль♀ pensamento
мя́со carne

на em cima de, sobre (pode equivaler a "no/na")
на горя́чее como prato quente (prato principal)
на авто́бусе de ônibus
на берегу́ na beira
на заку́ски como entrada
на рабо́те no trabalho, no escritório
на ру́сском языке́ em russo
на сле́дующий день no dia seguinte
на экску́рсию de excursão, tour
на́бережная avenida marginal
наве́рное talvez, provavelmente
над acima
На́до. É necessário./ É preciso.
называ́ть (impf.) chamar
нале́во à esquerda
напро́тив contra, ao contrário, em frente a
наро́д povo, o povo
наско́лько tanto... quanto, assim como, tanto quanto
находи́ть (impf.) encontrar
находи́ться (impf.) estar, encontrar-se
намерева́ться (impf.) pretender
национа́льность♀ nacionalidade
нача́ло começo
нача́льник chefe
наш nosso
не usado para formar frases negativas como em Я не ру́сский (Eu não sou russo.),
    Не́ было мест (Não havia lugar, assento.).
не ме́нее não menos
не то́лько não apenas
не хвата́ть faltar
не́бо céu
небольшо́й♂/небольша́я♀/небольшо́е *n.* pequeno/pequena
Невозмо́жно. É impossível.
неда́вно recentemente
недалеко́ próximo, perto

Glossário

неде́ля semana
незнако́мый♂/незнако́мая♀/незнако́мое *n.* desconhecido
нельзя́ Não é permitido. /Não pode.
немно́го não muito, um pouco
необходи́мый♂/необходи́мая♀/необходи́мое *n.* necessário
не́сколько uns poucos, alguns
не́сколько раз algumas vezes
нести́ (impf.) levar (nas mãos)
нет não
Нет вре́мени. Não há tempo.
неусто́йчив♂/неусто́йчива♀/неусто́йчиво *n.* variável (forma curta do adjetivo)
неусто́йчивый♂/неусто́йчивая♀/неусто́йчивое *n.* variável
ни́зкий♂/ни́зкая♀/ни́зкое *n.* baixo/baixa
ника́к de forma alguma
никако́й♂/никака́я♀/никако́е *n.* nenhum/nenhuma
никогда́ nunca
никто́ ninguém
никуда́ em lugar nenhum, para lugar nenhum
Ничего́ не понима́ю. Eu não entendo nada.
но mas, no entanto
но́вости novidades, notícias, noticiário
но́вый♂/но́вая♀/но́вое *n.* novo/nova
нога́ perna, pé
но́мер número
но́мер в гости́нице quarto de hotel
норма́льно OK, normal, tudo bem
носи́ть (impf.) vestir, levar
ночно́й♂/ночна́я♀/ночно́е *n.* noturno/noturna
но́чью à noite
Ну́жно. É necessário.
Ну что вы! De jeito nenhum!

обая́тельный♂/обая́тельная♀/обая́тельное *n.* encantador/encantadora
обе́д из пяти́ блюд uma refeição com cinco pratos
обе́дать (impf.) almoçar
оби́да ofensa
оби́деть (perf.) ofender
обижа́ть (impf.) ofender
о́блако nuvem
о́блачный♂/о́блачная♀/о́блачное *n.* nublado/nublada
обрати́ться (perf.) dirigir-se (a alguém)
обра́тно para trás, contrário (direção, movimento), de volta
обра́тный♂/обра́тная♀/обра́тное *n.* retornável
обраща́ться (impf.) dirigir-se (a alguém)
обсуди́ть (perf.) discutir
обсужда́ть (impf.) discutir
о́бувь♀ calçado
о́бщество sociedade, companhia
обы́чно geralmente
одина́ково igualmente, do mesmo modo
одева́ться (impf.) vestir-se

оде́жда roupa
оди́н um
оди́н раз uma vez
ожере́лье colar
ожида́ть (impf.) esperar
окно́ janela
о́коло perto de, junto a, aproximadamente
он ♂ ele
она́ ♀ ela
они́ eles
оно́ *n.* isso, ele
описа́ть (perf.) descrever
опи́сывать (impf.) descrever
опла́та pagamento
освежи́ться (perf.) refrescar-se
осетри́на esturjão
ослепи́ть (perf.) cegar, tirar os olhos de alguém
осма́тривать (impf.) examinar, visitar, inspecionar
осмотре́ть (perf.) examinar, visitar, inspecionar
остально́й ♂ /остальна́я ♀ /остально́е *n.* restante
останови́ться (perf.) parar, hospedar-se
остано́влен ♂ /остано́влена ♀ /остано́влено *n.* parado (forma curta do adjetivo)
от de
отве́т resposta
отвеча́ть responder
отда́ть (perf.) dar, dar de volta, retornar
отделе́ние seção, divisão
отде́льный ♂ /отде́льная ♀ /отде́льное *n.* separado, individual
оте́ц pai
открыва́ть (impf.) abrir
откры́ть (perf.) abrir
Отку́да? De onde?
Отли́чно. Excelente/ótimo.
отпра́виться (perf.) partir
о́фис escritório
официа́льный ♂ /официа́льная ♀ /официа́льное *n.* oficial
оформле́ние processamento, formalização
о́чень muito
о́чередь ♀ linha, fila

па́ра par
пальто́ sobretudo
па́спорт passaporte
пассажи́р passageiro
па́чка pacote
па́чка сигаре́т maço de cigarros
перевести́ (perf.) traduzir, transferir
переводи́ть (impf.) traduzir, transferir
перегово́ры negociações
передава́ть (impf.) transmitir, passar
передава́ть но́вости transmitir as notícias

Glossário

переда́ча programa
переде́лать (perf.) mudar
перейти́ (perf.) cruzar, atravessar
перестава́ть (impf.) cessar, parar
переста́ть (perf.) cessar, parar
переходи́ть (impf.) cruzar, atravessar
перча́тка luva
пе́сня canção
петь (impf.) cantar
пешко́м a pé
пило́т piloto
писа́тель ♂ escritor
письмо́ carta
пить (impf.) beber
пи́цца pizza
пла́та pagamento
плати́ть (impf.) pagar
плохо́й ♂ /плоха́я ♀ /плохо́е *n.* mau/má
пло́щадь ♀ praça
по por
по моско́вскому вре́мени pelo/de acordo com o horário de Moscou
по на́бережной pela avenida marginal
по пути́ no caminho
по ра́дио pelo rádio, no rádio
по телеви́зору na televisão
по телефо́ну ao telefone, pelo telefone
по-англи́йски em inglês
по-мо́ему na minha opinião
по-ру́сски em russo
по-ста́рому como antes, como de costume
побыва́ть estar em, visitar
повести́ (perf.) encaminhar, levar
повести́ обе́дать levar para almoçar
поговори́ть conversar, bater um papo
погово́рка ditado
пограни́чный ♂ /пограни́чная ♀ /пограни́чное *n.* de fronteira, fronteiriço
пограни́чный контро́ль controle de fronteira
под нога́ми debaixo dos pés
подеше́вле mais barato
поднима́ть (impf.) erguer, levantar
подня́ть (perf.) erguer, levantar
подойти́ (perf.) cair bem, combinar, abordar
подо́лгу por um longo tempo
подтверди́ть (perf.) confirmar
подтвержда́ть (impf.) confirmar
подходи́ть (impf.) abordar, alcançar; cair bem, combinar
по́ездом de trem
пожа́луй pode ser, talvez
пожа́луйста por favor
поза́втракать (perf.) tomar café da manhã
позвони́ть (perf.) telefonar, ligar

познако́мить (perf.) apresentar
познако́миться (perf.) conhecer, ser apresentado
пойти́ (perf.) ir
пойти́ по магази́нам ir às lojas, ir às compras
пока́ até
пока́ нет ainda não
показа́ть (perf.) mostrar
покупа́ть (impf.) comprar
поку́пка compra
по́ле campo
поле́зен ♂/поле́зна ♀/поле́зно n. útil (forma curta do adjetivo)
поле́зный ♂/поле́зная ♀/поле́зное n. útil
полови́на metade
получа́ть (impf.) receber
получе́ние recebimento, obtenção
получи́ть (perf.) receber
поме́рить (perf.) medir, provar
по́мнить (impf.) lembrar
помога́ть (impf.) ajudar
помо́чь (perf.) ajudar
понима́ть (impf.) entender, compreender
поня́тно (está) claro
поня́ть (perf.) entender, compreender
пообе́дать (perf.) almoçar, ter almoçado
попада́ться (perf.) ser pego, dar com
попроща́ться (perf.) despedir-se
попу́тчик ♂ companheiro de viagem
попу́тчица ♀ companheira de viagem
Пора́. É hora.
порекомендова́ть (perf.) recomendar
после́дний ♂/после́дняя ♀/после́днее n. último/última
после́довать (perf.) dar sequência, proceder
посмотре́ть (perf.) dar uma olhada, ver, assistir
посове́товать (perf.) aconselhar, recomendar
постира́ть (perf.) lavar (roupas)
постро́ен ♂/постро́ена ♀/постро́ено n. construído/construída (forma curta do adjetivo)
постро́ить (perf.) construir
посчита́ть (perf.) calcular
посыла́ть (impf.) enviar
пото́м então, depois
потому́ что porque
Почему́? Por quê?
почи́стить (perf.) limpar
почти́ quase
пра́вда verdade; é verdade
пра́вильно correto, certo
предлага́ть (impf.) sugerir, propor, oferecer
предприя́тие empresa
пре́жде всего́ primeiramente
пре́жде чем нача́ть antes de começar

Glossário

прекра́сен ♂ /прекра́сна ♀ /прекра́сно n. lindo/linda, belo/bela (forma curta do adjetivo)
прекра́сный ♂ /прекра́сная ♀ /прекра́сное n. lindo, belo
преподава́тель professor
при себе́ com você, por você
прибыва́ть (impf.) chegar
при́бывший ♂ /при́бывшая ♀ /при́бывшее n. chegado, tendo chegado
прибы́тие chegada
приглаше́ние convite
пригото́вить (perf.) preparar, fazer
приезжа́ть (impf.) chegar, vir (por meio de transporte)
прие́хать (perf.) chegar, vir (por meio de transporte)
приземли́ться (perf.) aterrissar, pousar
прилета́ть (impf.) chegar (voando)
приме́рно aproximadamente, por volta de
принима́ть (impf.) aceitar, receber
приня́ть (perf.) aceitar, receber
приня́ть душ (perf.) tomar banho
присла́ть enviar
приходи́ть (impf.) vir, chegar (a pé)
прийти́ (perf.) vir, chegar (a pé)
Прия́тно. É agradável.
пробле́ма problema
пробы́ть (perf.) ficar, passar um tempo
провести́ (perf.) acompanhar, levar (a pé); passar tempo
проводи́ть (impf.) acompanhar, levar (a pé); passar tempo
програ́мма programa
продаве́ц vendedor, assistente de venda
проду́кт produto
проезжа́ть (impf.) ir por, passar (por meio de transporte)
прое́хать (perf.) ir por, passar (por meio de transporte)
произноше́ние pronúncia
проспе́кт brochura, prospecto; avenida
прости́ть (perf.) desculpar, perdoar
прости́ться (perf.) despedir-se
про́сто simplesmente
просто́й ♂ /проста́я ♀ /просто́е n. simples, informal, natural
про́сьба pedido
проти́скиваться (impf.) forçar a entrada, espremer-se em
профе́ссор (masculino ou feminino) professor universitário
проходи́ть (impf.) passar (a pé)
проща́ть (impf.) desculpar, perdoar
проща́ться (impf.) despedir-se
про́ще mais simples, mais fácil
пря́мо direto, em frente
путь ♂ caminho
пыта́ться tentar

рабо́та trabalho
рабо́тать (impf.) trabalhar
рад ♂ /ра́да ♀ feliz, satisfeito

Glossário

разгова́ривать (impf.) conversar, bater papo
разлу́ка separação
ра́но cedo
распакова́ть (perf.) desempacotar
располо́женный♂/располо́женная♀/располо́женное n. situado/situada
регистра́ция registro
рейс voo
река́ rio
рекомендова́ть (impf.) recomendar
рестора́н restaurante
реша́ть (impf.) decidir
реши́ть (perf.) decidir
роди́тели pais
рожде́ние nascimento
роль♀ papel
росси́йский♂/росси́йская♀/росси́йское n. russo/russa (relativo ao Estado russo)
ру́сский♂/ру́сская♀/ру́сское n. russo/russa (para pessoas/lugares/coisas)
ру́чка caneta
ры́ба peixe

с com
с и́скренним уваже́нием com o devido respeito
с тех пор desde aquele tempo, desde então
с трудо́м com dificuldade
с удово́льствием com prazer
сади́ться (impf.) sentar-se
сала́т salada
са́мое нача́ло o começo exato, o comecinho
самолёт avião
самолётом de avião
са́мый♂/са́мая♀/са́мое n. o(a) mais, o(a) maior
сапо́г bota
сара́й♂ galpão, barracão
свобо́дный♂/свобо́дная♀/свобо́дное n. livre
свой♂/своя́♀/своё n. próprio/própria (de alguém)
сде́лан♂/сде́лана♀/сде́лано n. feito, terminado (forma curta do adjetivo)
сде́ланный♂/сде́ланная♀/сде́ланное n. feito, terminado
сде́лать (perf.) fazer
себя́ a si mesmo
сего́дня hoje
сейча́с agora, imediatamente
село́ vila
семья́ família
сестра́ irmã
сигаре́та cigarro
си́льный♂/си́льная♀/си́льное n. forte
ситуа́ция situação
сия́ть (impf.) brilhar
ска́жем digamos, diga-se
сказа́ть (perf.) dizer
сквозь através
Ско́лько? Quanto?/ Por quanto tempo?

Glossário

Ско́лько сейча́с? Que horas são agora?
Ско́лько сто́ит? Quanto custa?
скоре́е o mais rápido, o mais breve, um tanto
скро́мность ♀ modéstia
сле́довать (impf.) seguir, proceder
сле́дующий ♂/сле́дующая ♀/сле́дующее n. próximo/próxima, seguinte
слова́рь ♂ dicionário
сло́во palavra
сло́жный ♂/сло́жная ♀/сло́жное n. difícil, complicado/complicada
слу́шать escutar
слы́шать (impf.) ouvir
сля́коть ♀ lama
смесь ♀ mistura
смея́ться (impf.) rir
смотре́ть переда́чу assistir a um programa
смотре́ть телеви́зор assistir à TV
смочь (perf.) ser capaz de, poder
смысл sentido, significado
снача́ла primeiramente
снег neve
снима́ть (impf.) tirar, remover
снять (perf.) tirar, remover
собо́р catedral
собра́ние reunião
соверше́нно completamente
сове́товать (impf.) aconselhar, recomendar
совме́стное предприя́тие parceria
совме́стный ♂/совме́стная ♀/совме́стное n. conjunto, coletivo
совсе́м completamente
совсе́м не absolutamente
согла́сен ♂/согла́сна ♀/согла́сно n. combinado, de acordo com, em conformidade com
согласи́ться (perf.) concordar
соглаша́ться (impf.) concordar
сожале́ние arrependimento
созда́ние criação, invenção
созда́ть fundar, criar, inventar
со́лнце sol
соля́нка по-моско́вски sopa soliánka à moda de Moscou
сосе́д ♂/сосе́дка ♀ vizinho/vizinha
состоя́ться (perf.) acontecer
спаси́бо obrigado
спать (impf.) dormir
спекта́кль ♂ espetáculo
спеши́ть apressar-se, estar com pressa
спе́шка pressa
спра́шивать (impf.) perguntar
спроси́ть (perf.) perguntar
сра́зу de uma vez, imediatamente
стака́н copo
станови́ться (impf.) ficar, tornar-se
ста́рый ♂/ста́рая ♀/ста́рое n. velho/velha

Glossário

стать (perf.) ficar, tornar-se
стена́ parede
стира́ть (impf.) lavar (roupas)
сто́имость ♀ custo, valor
сто́ить (impf.) custar, valer
стол mesa
стол регистра́ции mesa de registro
стоя́ть (impf.) ficar (em pé)
стоя́ть в о́череди ficar na fila
страна́ país
строи́тельство prédio, construção
стро́ить (impf.) construir
студе́нт ♂/студе́нтка ♀ estudante, aluno/aluna
стул cadeira
суди́ть (impf.) julgar, criticar
существова́ть (impf.) existir
сча́стлив ♂/сча́стлива ♀/сча́стливо n. feliz, afortunado (forma curta do adjetivo)
счастли́вый ♂/счастли́вая ♀/счастли́вое n. feliz, afortunado/afortunada
сча́стье felicidade
счита́ть (impf.) considerar
счита́ться (impf.) ser considerado, considerar-se

табли́чка cartão, aviso (como em aeroportos, com o nome das pessoas), placa
так então, assim
та́кже também
тако́й ♂/така́я ♀/тако́е n. tão, tal
тала́нт talento
там lá
тамо́женный досмо́тр posto de revista (aduaneira)
тамо́жня aduana
теа́тр teatro
телеви́дение teletransmissão
телеви́зор televisão (aparelho)
телефо́н telefone
те́ло corpo
температу́ра temperatura
те́ннис tênis
тепло́ calor
терпе́ние paciência
теря́ть (impf.) perder
тече́ние curso (do tempo); moda; curso (do rio etc.)
тёплый ♂/тёплая ♀/тёплое n. quente, morno
тира́н tirano
то же са́мое o mesmo
това́рищ ♂/♀ camarada, amigo/amiga, companheiro
тогда́ então
то́же também
толпа́ multidão
то́лько apenas, só
то́ник água tônica
тост torrada

то́чно exatamente
тради́ция tradição
тра́нспорт transporte
три três
труд trabalho
тру́дно difícil
тру́дность ♀ dificuldade
туда́ lá (para lá)
ты tu, você (informal)
тяжёлый ♂/тяжёлая ♀/тяжёлое n. pesado/pesada
тут aqui

у ao lado; próximo; junto a
У меня́ всё хорошо́. Está tudo bem.
У меня́ есть… Eu tenho…
У меня́ к вам про́сьба. Gostaria de lhe pedir um favor.
у неё ela tem na casa dela
у себя́ в кабине́те em seu escritório
уваже́ние respeito
уве́рен ♂/уве́рена ♀/уве́рено n. certo/certa, convencido/convencida (forma curta do adjetivo)
уви́деть (perf.) ver
у́гол canto
угости́ть (perf.) oferecer, pagar
угоща́ть (impf.) oferecer, pagar
удо́бно conveniente
удово́льствие prazer
ужа́сен ♂/ужа́сна ♀/ужа́сно n. horrível, terrível (forma breve do adjetivo)
ужа́сный ♂/ужа́сная ♀/ужа́сное n. horrível, terrível
уже́ já
украи́нец ♂/украи́нка ♀ ucraniano/ucraniana
улета́ть partir voando
у́лица rua
умыва́ться (impf.) lavar-se
университе́т universidade
уника́льный único
упражне́ние exercício
уро́к lição
устра́иваться (impf.) colocar-se, instalar-se
устро́иться (perf.) colocar-se, instalar-se
у́тро manhã

фа́брика fábrica
факс fax
фами́лия sobrenome
фильм filme
фи́рма firma, companhia, empresa
францу́зский ♂/францу́зская ♀/францу́зское n. francês/francesa

химчи́стка lavagem a seco
Хо́лодно. Está frio.
хоро́ший ♂/хоро́шая ♀/хоро́шее n. bom/boa
Хорошо́. Está bom/bem.
хорошо́ пообе́дать (perf.) ter almoçado bem

хоте́ть (impf.) querer
хоть mesmo assim
хотя́ embora, mesmo com
худо́жник♂/худо́жница♀ artista
ху́же pior

цвето́к flor
це́лый♂/це́лая♀/це́лое n. todo/toda, inteiro/inteira
це́льсий centígrado/Celsius
цена́ preço
центр centro
це́рковь♀ igreja

чай chá
час hora
ча́стный♂/ча́стная♀/ча́стное n. privado, particular
ча́сто frequentemente
чемода́н mala
чемода́нчик malinha, mala pequena (forma diminutiva de чемода́н)
че́рез em, depois de, através de
че́рез неде́лю em uma semana
че́рез четы́ре часа́ em quatro horas
чернови́к rascunho, esboço
чёрный♂/чёрная♀/чёрное n. preto/preta
число́ número, data
чи́стить (impf.) limpar
чита́ть (impf.) ler
что que
Что ещё? O que mais?
Что вы посове́туете? O que você recomenda?
Что но́вого у вас? Quais são as novidades?
что-то algo
чу́вство sensação
чуде́сный♂/чуде́сная♀/чуде́сное n. maravilhoso/maravilhosa, espetacular
Чуть не забы́л! Quase esqueci!
чуть-чуть um pouco, um pedacinho

шампа́нское champanhe
ша́пка gorro
шеде́вр obra-prima (do francês *chef d'oeuvre*)
шко́ла escola
шоссе́ rodovia, estrada
шум barulho
шу́мно barulhento

экску́рсия excursão, tour
экспона́т item exposto, de exposição
электро́нное письмо́ e-mail
электро́нный а́дрес endereço de e-mail
э́то isto, aquilo, isso; isto é, aquilo é, isso é

язы́к idioma, língua
яйцо́ ovo

1ª **edição** janeiro/2014 1ª **reimpressão** dezembro/2014
Fonte Arial **Papel** Offset 90 g/m²
Impressão e acabamento Cromosete